ウイングス・
オブ・
ファイア

1

運命のドラゴン

泥の翼のクレイ

トゥイ・タマラ・
サザーランド
田内志文＝訳

平凡社

ドラゴンが住まうピリア大陸《たいりく》には、七つの種族《しゅぞく》がいる。
時《とき》は砂《すな》の翼《つばさ》〈サンドウイング〉の女王が殺され、
ピリア全土は、バーン、ブリスター、ブレイズの三姉妹が後継《こうけい》を争《あらそ》う戦《いくさ》のさなか。
多くのドラゴンが炎《ほのお》にやかれ、血にまみれ、しかばねとなったが、
五頭の〈運命のドラゴンの子〉があらわれ戦を止めるという予言があった。
そして、予言を信じる〈平和のタロン〉がひそかにドラゴンの子を育てていた。
予言が実現《じつげん》するまで、残《のこ》すところあと二年……。
この物語は、家族を知らず「予言」に選《えら》ばれた運命の子たちが
平和のために立ちあがり、波乱《はらん》に満《み》ちた運命をのりこえる冒険譚《ぼうけんたん》である。

スカーレット女王の
宮殿《きゅうでん》
ダイヤモンド・
スプレー川
ダイヤモンド・
スプレー・
三角州《デルタ》
大
陸
海の王国《シーキングダム》
泥の王国《マドキングダム》
ゴミあさりの
すみか
ゴミあさりの
すみか
雨の王国《レインフォレストキングダム》
P Y R R H I A

グレイシャー女王の宮殿《きゅうでん》
氷の王国《アイスキングダム》
空の王国《スカイキングダム》
バーンの要《よう》さい
ピ リ ア
山の底《そこ》
砂の王国《サンドキングダム》
N
サソリの巣《スコーピオン・デン》
ジェイド山
M A P O F

ピリアのドラゴンたち

砂の翼〈サンドウイング〉

特徴《とくちょう》
砂漠《さばく》の砂《すな》のような、うすい金色か白のうろこ。毒《どく》のトゲがついたしっぽと、ふたつにわかれた黒い舌《した》を持つ。

能力《のうりょく》
水を飲まなくても長い間生きることができ、サソリのようにしっぽを使って敵《てき》に毒を打ちこむ。砂漠の砂をかぶってすがたをかくし、炎の息をはく。

女王
オアシス女王が死んでから、一族のうち三頭、バーン、ブリスター、ブレイズの三姉妹が次の女王になろうと争っている。

味方
バーンはスカイウイング、マドウイングとともに戦《たたか》う。ブリスターはシーウイングと手を組んでいる。そしてブレイズは最《もっと》も多くのサンドウイングの応援《おうえん》を受け、さらにアイスウイングを味方につけている。

泥《どろ》の翼〈マドウイング〉

特徴
ぶあついよろいのような茶色いうろこを持ち、その下にはく色や金色のうろこを生やしていることもある。平《ひら》べったい大きな頭を持ち、鼻のてっぺんに鼻のあながあいている。

能力
暖《あたた》かければ炎をはき、一時間呼吸《こきゅう》をせずに、泥だまりの中にかくれていることができる。とても強いドラゴンだ。

女王
モアヘン女王

味方
現在《げんざい》はバーン、スカイウイングの味方となり大戦《たいせん》を戦っている。

空の翼〈スカイウイング〉

特徴
銅《あかがね》色《いろ》かオレンジ色のうろこにおおわれ、巨大な翼を持つ。

能力
たくましい戦士《せんし》であり、空を飛ぶ名手。炎の息をはく。

女王
スカーレット女王

味方
現在はバーン、マドウイングの味方となり大戦を戦っている。

海の翼
〈シーウイング〉

特徴

青、緑、アクアマリン色のうろこにおおわれ、指の間には水かきが生えている。首にはエラがあり、しっぽ、鼻、おなかには暗いところで光るしまもようがついている。

能力

水の中でも息ができ、暗やみでも目が見える。たくましいしっぽをひとふりし、大きな波を起こすことができる。泳ぐのがとてもうまい。

女王

コーラル女王

味方

現在はブリスターと手を組み大戦を戦っている。

氷の翼
〈アイスウイング〉

特徴

月のような銀色か、氷のようなうすい青のうろこを持ち、氷の上でもすべらないよう手にはみぞのようなもようがいくつもある。ふたつにわかれた青い舌を持ち、しっぽの先はムチのように細くなっている。

能力

氷点下《ひょうてんか》にもまばゆい太陽《たいよう》にもたえることができ、おそろしいほど冷《つめ》たい息をはく。

女王

グラシアー女王

味方

現在はブレイズと手を組み、最も多くのサンドウイングを味方につけて大戦を戦う。

雨の翼
〈レインウイング〉

特徴

たえず色が変わり続《つづ》けるうろこを持つが、ふだんは天国に住む鳥のようにあざやかな色をしている。器用《きよう》なしっぽを持つ。

能力

まわりの風景《ふうけい》にあわせてうろこの色を変え、すがたをかくす。器用なしっぽで山や木を登《のぼ》ることもできる。どんな武器《ぶき》をかくしているかは不明《ふめい》。

女王

ダズリング女王

味方

大戦にはくわわっていない。

夜の翼
〈ナイトウイング〉

特徴

むらさきをおびた黒いうろこにおおわれているが、翼の下には銀のうろこが散《ち》りばめられており、まるで星がいっぱいにまたたく夜空のようだ。黒い舌はふたつにわかれている。

能力

炎をはき、暗やみの中にすがたを消すことができる。相手の心を読んだり、未来《みらい》を予知《よち》したりする力を持つ。

女王

ひみつであり、だれも知らない。

味方

なぞに満ち、とてつもない力を持つこのドラゴンは、大戦にはくわわっていない。

CLAY » MADWINGS

クレイ

泥の翼〈マドウイング〉のオス

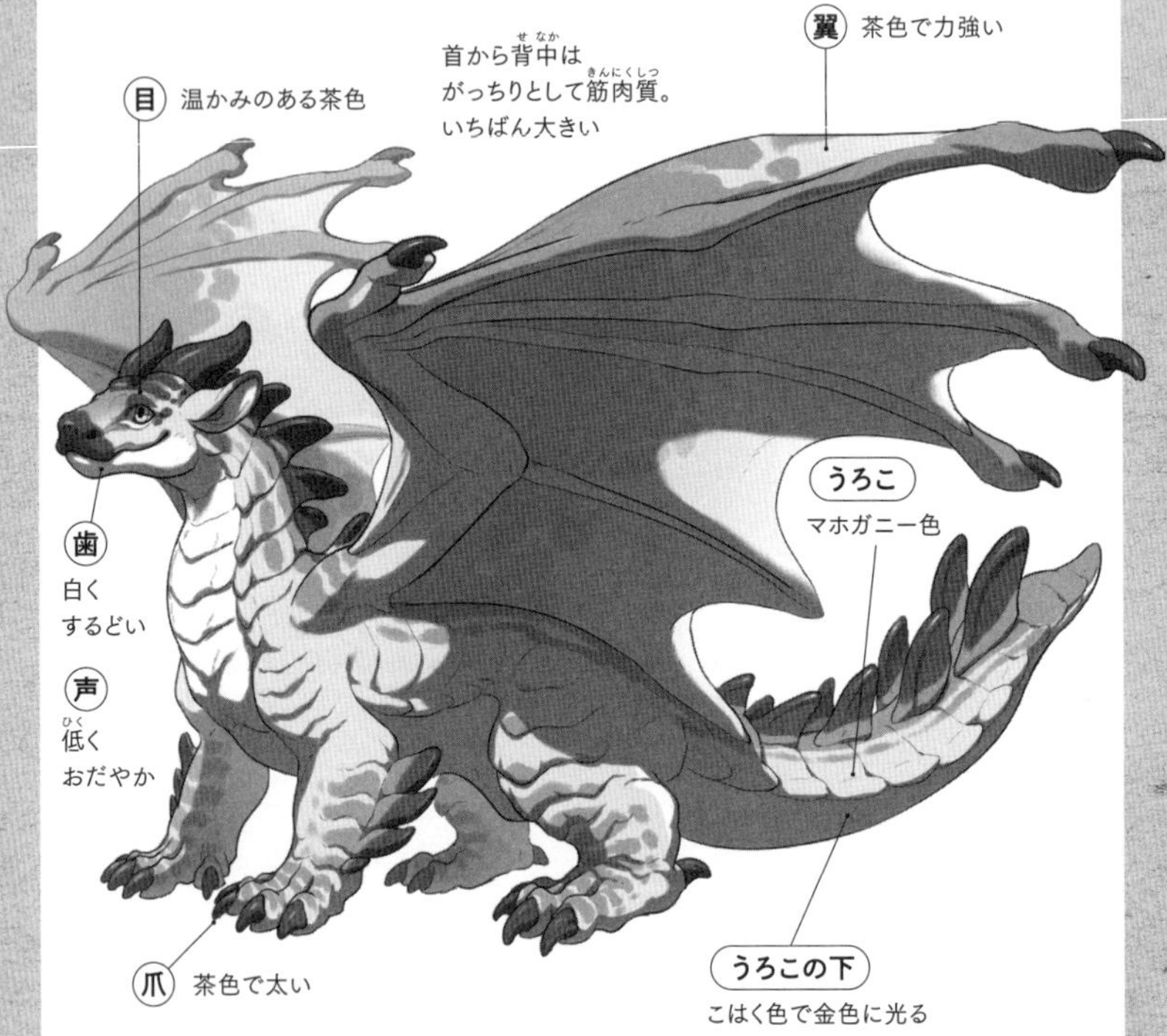

能力
呼吸をせずに1時間水の中にいられる
炎をはく

性格《せいかく》
やさしく責任感《せきにんかん》が強い
根がまじめで好奇心《こうきしん》おうせい
思っていることがすぐ顔に出てしまう
少しドジでどん感
おなかがすくと文句を言う食いしんぼう

TSUNAMI » SEAWINGS

ツナミ

海の翼〈シーウイング〉のメス

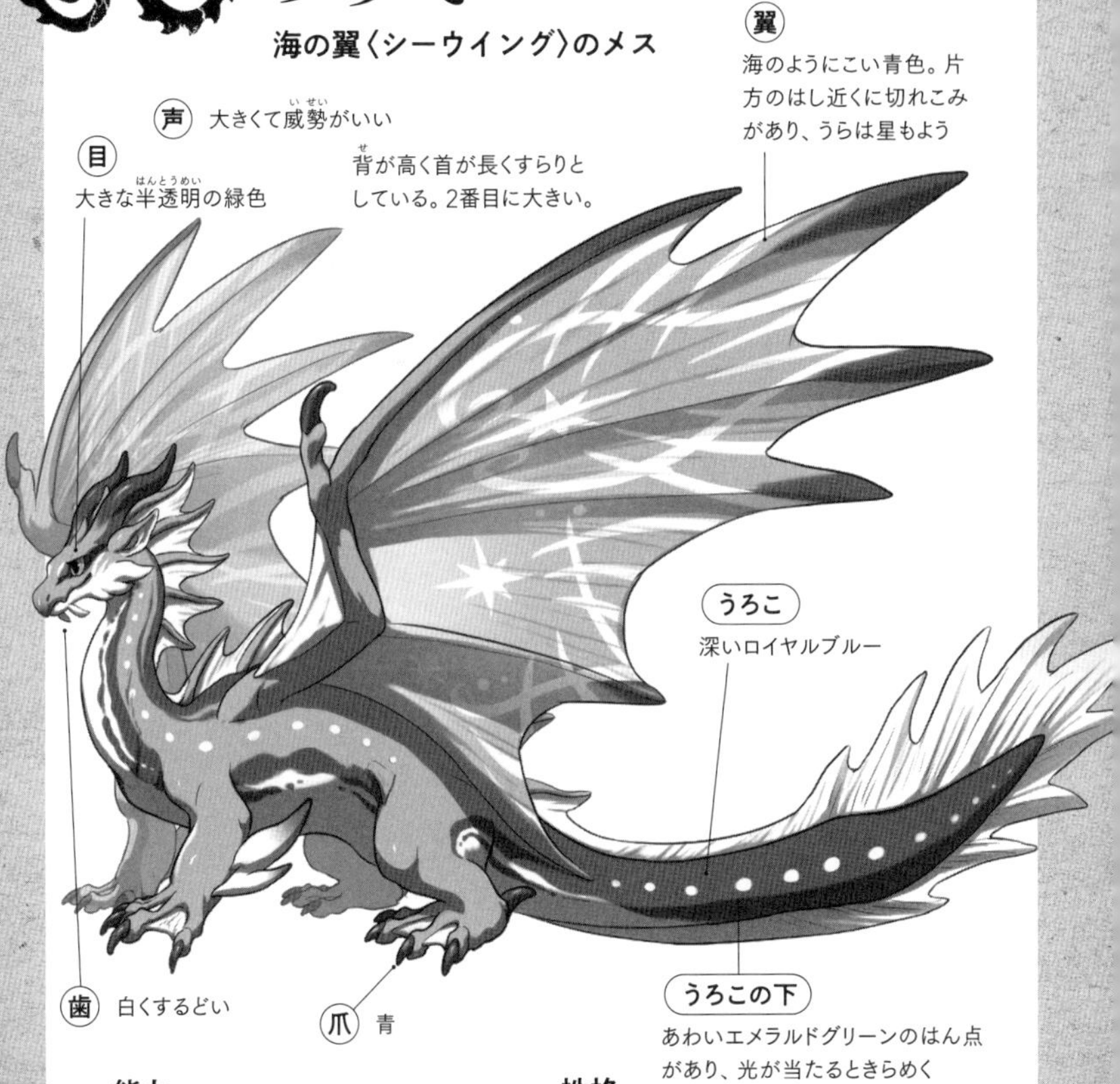

能力
水中で息ができる
暗やみで目が見える
しっぽをひとふりして大きな波を起こせる
泳ぎがとてもうまい

性格
大たんで勇かん、目的に向かってつき進む
さわがしく、あと先を考えずに行動することも
けんかっ早いが正義《せいぎ》のために戦う
心をゆるしたドラゴンには情があつい

GLORY » RAINWINGS

グローリー

雨の翼〈レインウイング〉のメス

能力

- まわりの風景にあわせてうろこの色を変えてすがたをかくす
- 器用なしっぽで山や木を登る

性格

- ゆうがなクールビューティー
- 感情《かんじょう》を表にださず、何を考えているかわからないと思われている
- 命知らずな行動をとることもある
- 礼《れい》儀《ぎ》ただしく頭がよい
- 短気で皮肉っぽい

STARFLIGHT » NIGHTWINGS

スターフライト

夜の翼〈ナイトウイング〉のオス

能力

- 暗やみにすがたをかくす
- 相手の心を読んだり、未来を予知したりする力を持つ

性格

- 読書好《ず》きの優等生《ゆうとうせい》
- 知ったかぶりで説教《せつきょう》好き
- 心配性《しょう》でドジ
- 弱い者《もの》をかばい戦う心意気がある

SUNNY » SANDWINGS

サニー

砂の翼〈サンドウイング〉のメス

能力
砂漠に身をカモフラージュできる
水なしで長い間生きることができる
炎をはく

性格
いつもニコニコ。だれからも好かれる
暴力《ぼうりょく》がきらい
芯《しん》が強く負けずぎらい
仲間に対等にあつかってほしい
情熱《じょうねつ》的で思いやりがある

この本に登場するドラゴンたち

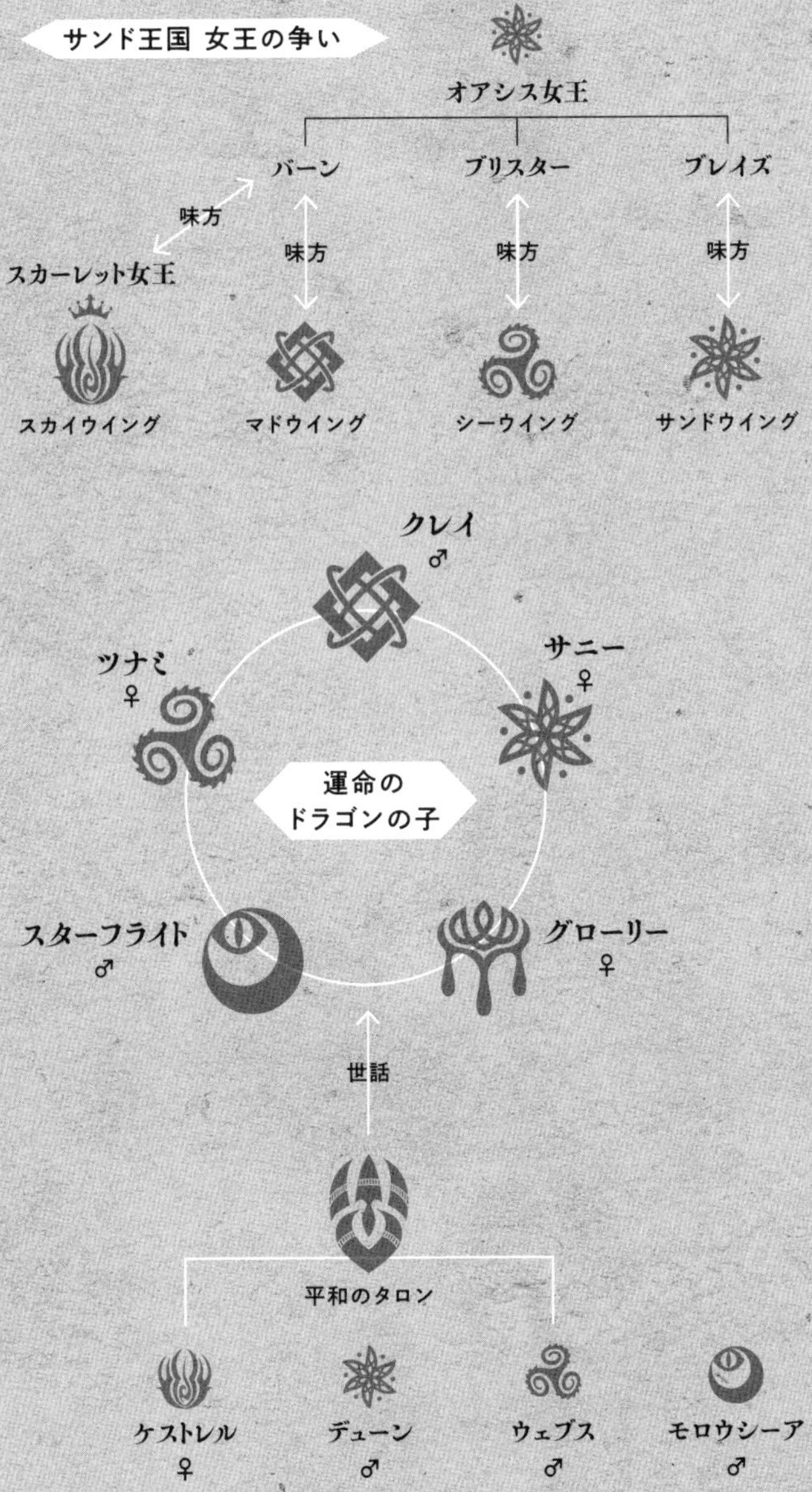
サンド王国 女王の争い
オアシス女王
バーン
ブリスター
ブレイズ
味方
味方
味方
味方
スカーレット女王
スカイウイング
マドウイング
シーウイング
サンドウイング
クレイ
♂
サニー
♀
ツナミ
♀
運命の
ドラゴンの子
スターフライト
♂
グローリー
♀
世話
平和のタロン
ケストレル
♀
デューン
♂
ウェブス
♂
モロウシーア
♂

戦《いくさ》が二十年続いたら……
ドラゴンの子らがあらわれる。
大地が血と涙《なみだ》にまみれたとき……
ドラゴンの子らがあらわれる。

最も深き青をした、空の翼《スカイウイング》の卵《たまご》を見つけよ。
そなたのもとに、夜の翼《ナイトウイング》がおとずれよう。
山のいただきにある最も大きな卵は
そなたに空の翼をあたえよう。
大地の翼を求めるならば泥の中、
ドラゴンの血の色をした卵をさがせ。

F FIRE

そして争いあう女王たちの目をのがれ
砂の翼《サンドウイング》の卵はだれにも見つからぬ場所に。

炎をつかさどる三頭の女王のうち
二頭は死に、一頭は学ぶだろう。
おのれより強く高き運命にしたがえば
炎の翼《ウイングスオブファイア》の力を得《え》ることを。

極光《オーロラ》の夜、五つの卵がかえり
戦を終わらせる五頭のドラゴンが生《せい》を受ける。
暗やみに立って光をもたらす。

ドラゴンの子らがあらわれる……。

ウイングス・オブ・ファイア

1

運命のドラゴン

泥の翼のクレイ

トゥイ・タマラ・サザーランド

田内志文＝訳

WINGS

わたしのビッグウイング
ジョナへ

CONTENTS

プロローグ

一頭のドラゴンが、嵐《あらし》の中にかくれようとしていた。

黒雲の中をいなずまが走る。ハヴァイタルは今にもこわれそうな荷物を守るようにだいた。山脈《さんみゃく》さえこえてしまえば、もう安全だ。〈空の王国《スカイキングダム》〉にくらすドラゴンの宮殿《きゅうでん》から、だれにも見られずこっそりとにげだしてきた。そして、ひみつのほらあなはもうすぐそこだ……。

けれど、ハヴァイタルは気づいていなかった。はるか下から自分のあとを追ってくる、黒い宝石《ほうせき》みたいな目があることを。

山のいただきにはうすい金色のうろこにおおわれた巨大《きょだい》なドラゴンがおり、見わたすかぎりの砂漠《さばく》のように熱《ねつ》を放っていた。その黒い目を細くして、はるか空の上、雲の中にきらめく銀色の翼《つばさ》を見つめていた。

そのドラゴンがさっとしっぽをふるとさらに二頭のドラゴンの兵士《へいし》があらわれ、空にまいあがり、嵐のまっただ中へと飛《と》びこんでいった。ドラゴンたちのするどい爪《つめ》が青白い〈氷の翼《アイスウイング》〉につきささり、山脈にするどいさけび声がひびきわたった。

「口をしばりなさい」山のいただきに待っていたドラゴンが命令《めいれい》した。目の前のぬれた地面に、さっきの兵士たちがハヴァイタルを放りだす。ハヴァイタルはこうげきしようと、息をすいこみ始めている。「急げ！」

一頭の兵士が、けむりをあげる石炭の山から一本の鎖《くさり》をつかみあげた。それをアイスウイングの口にまきつける。ジュウジュウとうろこがもえる音がした。ハヴァイタルは口をしばられたまま、悲鳴をあげた。

「残念《ざんねん》ね」〈砂の翼《サンドウイング》〉のバーンの口から、ふたつにわれた舌《した》がちろちろとのぞく。「氷の息は、もう使えないよ。アイスウイング」

「バーン女王さま、こやつがこんなものを持っていました」一頭の兵士がドラゴンの卵《たまご》を差《さ》しだした。

はげしい雨に打たれながら、バーンは目を細めて卵を見つめた。「これはアイスウイングの卵じゃないわ」とくやしげに言う。「きさま、〈空の翼《スカイウイング》〉の宮殿からぬすんできたな」

アイスウイングのハヴァイタルが、バーンをにらみ返した。熱《あつ》い鎖がいてつく銀のうろこにふれ、鼻先に湯気がうずをまいている。

「だれにも気づかれずににげおおせたと思っていたんだろう？」バーンが言った。「われらの味方のスカイウイングは、おろか者ではないよ。スカーレット女王は、国の中で起きていることは、なにもかもごぞんじなのさ。アイスウイングのどろぼうがこっそりにげだしたと、見はりから連絡《れんらく》があってね。わたしもはるばるでかけてきたけどたいくつでたまらなかったから、あんたをさがして楽しませてもらおうと思ったっていうわけさ」

バーンは卵をかかげて炎《ほのお》のあかりにかざし、ゆっくりと回転させた。青白くなめらかな表面のおくから、赤と金のかがやきがもれてくる。

「これだ。もうすぐかえる、スカイウイングの卵だね……」バーンはじっくりと考えながら言った。「しかし、なんでまた妹はあんたに、スカイウイングの子をぬすめなんて命令したんだろうね？　ブレイズは、自分よりわかく愛《あい》らしいドラゴンをにくんでいるはずなのに」そう言ってだまりこみ、地面を打つ雨の音を聞きながら物思いにふけった。

「〈極光《オーロラ》の夜〉が明日にせまっているというのなら……話は別《べつ》だけどね……」

バーンはまるでサソリのようにしっぽを持ちあげると、ハヴァイタルの目の前に毒《どく》ばりをつきだした。「あんたはブレイズの兵隊《へいたい》じゃないね？　あのくだらない、**平和の使者ども**の一味なんだろう？」

「〈平和のタロン〉の？」兵士がおどろいた。〈平和のタロン〉とは、予言にしたがい戦《せん》争《そう》を終わらせようとしている組織《そしき》のこと。タロンとは、するどいかぎ爪《づめ》のついたドラゴンの手のことだ。「まさか、本当に存在《そんざい》するというのですか？」

バーンがあざけるように鼻を鳴らした。「たいした血も流れちゃいないのに泣《な》きわめくウジ虫どもさ。鎖をといてやりな。うろこが冷《ひ》えなきゃ、氷の息もはけやしないさ」兵隊に鎖をほどかせながら、巨大なサンドウイングはさらにハヴァイタルに顔を近づけた。「さあ、言うんだよ。あんたはあのえらそうな〈夜の翼《ナイトウイング》〉の、いにしえの予言を本気で信《しん》じてるのかい？」

「もう自分が起こした戦争でドラゴンを死なせるのにもあきたろう？」ハヴァイタルはあごの痛《いた》みに顔をしかめながら、はき捨《す》てるように言った。「ピリア全土がこの十二年にわたって苦しみ続《つづ》けてきた。予言では――」

「知ったことじゃないね。わたしになにが起きるのか、予言なんかに決められてたまるものかね」バーンが、ハヴァイタルの言葉をさえぎった。「わけのわからない言葉やドラゴンの赤んぼうなんぞに、自分がいつ死に、なににしたがうかを決められるなんてごめんだよ。平和など、妹たちが死んで**このわたし**がサンドウイングの女王になれば、すぐにおとずれるとも」しっぽの毒ばりが、銀色のドラゴンへとさらに近づいた。

落ちてくる雨が、ハヴァイタルのうろこで音をたてていた。ハヴァイタルは顔をあげ、バーンをにらんだ。「あんたが気に入ろうが気に入るまいが、〈運命のドラゴンの子〉はあらわれるさ。そして、サンドウイングにふさわしい新たな女王を選《えら》ぶんだ」

「へえ」バーンは後ろにさがり、爪にはさんだ卵をゆっくりと回してみせた。にやけた口元から、先のわれた舌がちろちろと見えている。「ならばアイスウイング。この卵も、その予言とやらに関係《かんけい》があるのかい？」

ハヴァイタルはだまりこんだ。

バーンが長い爪の先で、卵をコツコツとたたく。「もしもし？〈運命のドラゴンの子〉さんはいらっしゃいますか？　そろそろでてきて、このおろかな大戦争《だいせんそう》を終わらせちゃどうですか？」

「卵に手をだすな……！」ハヴァイタルが声をしぼりだした。

「教えておくれよ」バーンが言った。「もし五匹《ひき》のドラゴンの子らのうち一匹《ぴき》が卵からかえらなかったなら……あんたたちのごたいそうな予言とやらは、いったいどうなっちまうんだい？」

「そんなことは起きない。ドラゴンの卵をきずつけるなど、だれにできるものか」ハヴァイタルはその青い目にあせりをうかべ、バーンのかぎ爪をにらみつけながら答えた。

「世界をすくってくれるスカイウイングがなくなっちまうとは、なんとまあ悲しい話じゃないか」そう言って、もう片方《かたほう》の手へと卵を放り投げる。「てことはつまり、とてもとても気をつけて**この**大切な小さい卵をあつかわないと……おっと！」

バーンはわざとらしく体勢《たいせい》をくずし、爪にはさんだ卵がすべり落ちてしまったふりをしてみせた……。彼女《かのじょ》の手をはなれた卵ががけから落ち、ごつごつとした岩に囲《かこ》まれた暗やみへと落ちていく。

「なんということを！」ハヴァイタルが悲鳴をあげた。二頭の兵士をおしのけ、がけっぷちにとびだす。その首すじに、バーンが巨大なかぎ爪をつき立てた。

「運命の予言はここまでだ」バーンがぞっとするような冷《つめ》たい笑《え》みをうかべた。「あわれな赤んぼうどももね」

「この怪物《かいぶつ》め」かぎ爪をつき立てられたままハヴァイタルは、絶望《ぜつぼう》にしゃがれたさけび声をあげた。「われわれはあきらめないぞ。〈ドラゴンの子ら〉は……ドラゴンの子らは必《かなら》ずやあらわれ、この戦《いくさ》を止めるのだ」

バーンは身をかがめ、ハヴァイタルの耳もとでささやいた。「たとえそうなったとしても……あんたにはもう関係ない話さ」かぎ爪が銀色のドラゴンの翼をズタズタに引きさき、ハヴァイタルがもうれつな痛みに悲鳴をあげる。バーンは目にもとまらぬ速さで毒ばりをハヴァイタルの頭につきさすと、銀色におおわれた長い体をがけっぷちから放り投げてしまった。

アイスウイングのさけび声がとだえ、やがて命を失《うしな》ったその体が岩にげきとつするいやな音がひびきわたった。

バーンは、黒い目を二頭の兵士に向けた。「さあ、これでいい。もう二度と、ばかげた予言の話を聞くことなんてないだろうさ」そう言って手をのばし、かぎ爪にかがやくドラゴンの血を雨に流す。「さあ、獲物《えもの》をさがしにいくとしよう」

三頭のドラゴンは翼を広げ、立ちこめた黒雲の中へと飛《と》び立《た》っていった。

しばらくして、がけのはるか底《そこ》にサビ色をした大きなドラゴンがあらわれ、ぼろぼろになったアイスウイングのなきがらへとはっていった。そしてしっぽをどけ、その下からわれた卵のかけらを拾いあげると、がけの底に迷路《めいろ》のようにのびる暗いほらあなの中へと音もなくもどっていったのだった。

岩ぺきに翼がこすれた。ドラゴンは小さな炎をはいて、山のおく深くへと続いていく暗いほらあなを照《て》らした。

「われは〈平和のタロン〉とともに」かげの中から、おし殺《ころ》した声が聞こえた。「ケストレル、君なのかい？」

「〈炎の翼《ウイングスオブファイア》〉を待つ」サビ色のドラゴンが答えた。ほらあなの横手から一頭の青緑色をした〈海の翼《シーウイング》〉があらわれるのを見て、ケストレルとよばれたドラゴンは卵のからをその足元に投げ、いまいましげに言った。「今はもう、どうにもなりゃしないけどね。ハヴァイタルは死んでしまったよ」

シーウイングは、卵のかけらをまじまじと見つめた。「それで……スカイウイングの卵は……」

「われたよ。なくなってしまった。もう終わりだよ、ウェブス」

「そんな」ウェブスは首を横にふった。「〈極光の夜〉は明日だぞ。百年に一度、三つの月がすべて満《み》ちる。予言にある〈運命のドラゴンの子〉らは、明日かえるはずなんだ」

「そのうち一匹が死んじまったのさ」ケストレルが答えた。そのひとみに怒《いか》りがちらちらとゆれる。「わたしが自分でスカイウィングの卵をぬすまなくちゃいけなかったんだ。スカイキングダムならばよく知っているのだから。二度もつかまったりするもんか」

ウェブスは顔をしかめて爪をだし、首の**エラ**をかいた。「アーシャも死んでしまった」

「アーシャが？！」ケストレルの鼻から、炎がほとばしった。「どうして？」

「ここに来る途中《とちゅう》、ブレイズ軍《ぐん》とブリスター軍の戦《たたか》いにまきこまれてつかまったんだ。それでも〈泥の翼《マドウィング》〉の赤い卵を持ってにげだしたんだけどな、残念ながらまもなく死んでしまったんだよ」

「ということは、ちびすけどもを育てるのはわたしとあんた、あとデューンだけってことね」ケストレルがうめいた。「どうせかないやしない予言のためにさ。もういまいましい卵なんてひとつ残《のこ》らずわって、忘《わす》れちまったらどうなのさ？　ドラゴンの子ら目当てに〈平和のタロン〉が帰ってくるころには、とっくにわたしたちも消えてるって寸法《すんぽう》さ」

「なんてことを言うんだ！」ウェブスがさけんだ。「これから八年にわたりドラゴンの子らを守り通すことこそ、なによりも重要《じゅうよう》な使命なのだ。もしそれにくわわりたくないのならば――」

「わかった、わかったよ」ケストレルはさえぎった。「わたしは〈平和のタロン〉で最強《さいきょう》のドラゴンだ。あんたにはわたしの力が必要《ひつよう》さ。ムカつくちびドラゴンたちのことをわたしがどう思ってようが、そんなのは関係ない話さ」地面に落ちた卵のかけらを見つめながら、きずだらけの両手をこすりあわせる。「五匹のうち最低《さいてい》一匹は、スカイウイングの子どもだと思っちゃいるけどね」

「わたしが五匹目のドラゴンの子を見つけだしてこよう」ウェブスは岩ぺきにうろこをこすらせながら、ケストレルをおしのけるようにして前を通ろうとした。

「〈スカイキングダム〉に行く道なんてありゃしないよ、このまぬけ」ケストレルが言った。「卵の部屋の護衛《ごえい》は、今や万全《ばんぜん》にちがいないよ」

「それじゃあどこか他のところで卵をさがすさ」ウェブスは歯ぎしりした。「〈雨の翼《レインウイング》〉は、卵の数を数えてさえいない……だれにも気づかれることなく、雨の森からひとつ持ち帰ってこられるとも」

「まったくおぞましいことを思いつくもんだよ」ケストレルは、身ぶるいしてみせた。「レインウイングは邪悪《じゃあく》な連中《れんちゅう》だよ。スカイウイングとはぜんぜんちがう」

「だが、なにかしなくては」ウェブスはそう言うと、しっぽの先で卵のからをはじき飛ばした。「八年後には、〈平和のタロン〉が五匹のドラゴンの子らをさがしにやってくる。予言をかなえるため、なんとしても五匹ともそろえなくては……」

第1部

山の底《そこ》

1

六年後……。

クレイは、自分が大英雄宿《だいえいゆうしゆく》にふさわしいとは思っていなかった。

大英雄となる宿命《しゆくめい》……ふさわしければ、どんなにいいかと思う。できることならドラゴンの世界をすくう、かがやかしく勇《ゆう》かんな〈泥の翼《マドウイング》〉の救世主《きゆうせいしゆ》になりたかった。すばらしい働《はたら》きをし、すべての期待にこたえたかった。世界を見つめてこわれてしまったものを見つけ、それを直したかった。

けれどクレイは、英雄として卵《たまご》のからをやぶってできたのではなかった。どこをとっても、言《い》い伝《つた》えにあるようなドラゴンとはちがうのだ。勉強よりもねるのが好《す》きだ。狩《か》りの訓練《くんれん》をしていても、地面に落ちた羽毛《うもう》よりも友達《ともだち》にばかり気を取られてしまうものだから、ニワトリをつかまえるのにもいつも失敗《しっぱい》してしまう。

戦《たたか》うことにかけては、問題はなかった。けれど「問題はない」くらいでは、戦《いくさ》を止めてドラゴンの種族《しゅぞく》をすくうことなどできはしない。けたはずれの戦士《せんし》でなくてはいけないのだ。ドラゴンの子の中でもいちばん大きなクレイは、おそろしくてたくましいドラゴンになって当然《とうぜん》と思われていた。世話係《マインダー》たちは、ふるえあがるほど危険《きけん》なドラゴンになってくれるよう願《ねが》っているのだった。

けれどクレイは自分のことを、カリフラワーくらいにしか危険な存在《そんざい》だと思えなかった。

「戦いなさい！」敵《てき》がほらあなにさけび声をひびかせ、クレイを放り投げた。クレイは岩ぺきにぶつかると、土色の翼《つばさ》を広げてバランスを取ろうとしながら、ふたたび立ちあがった。顔をねらってきた赤いかぎ爪《づめ》に気づき、かがんでよける。「どうした」赤いドラゴンがばかにしたように言った。「手をだしなさいよ。自分の中にひそむ獣《けもの》をさがしだし、そいつをとき放ちなさい」

「やろうとしてるよ！」クレイは言い返した。「こんなことやめて、そのことを話しあったほうが——」

ケストレルは、またクレイに飛《と》びかかった。「左にフェイントをかけるんだ！　右に転がれ！　炎《ほのお》をはけ！」クレイは下からこうげきをしようと相手の翼の下にもぐりこんだが、当然のようにまちがった方向に転がってしまった。敵のかぎ爪に切りさかれ、苦痛《くつう》にさけび声をあげながらたおれる。

「**それのどこが左だい、役立たず！**」ケストレルが耳元でどなりつけた。「マドウイングってのは、みんなあんたみたいにまぬけなのかい？　**それともあんただけ耳が聞こえないのかい？」**

そうどうなられたんじゃ、そのうちほんとに聞こえなくなりそうだよ。クレイは思った。ケストレルのかぎ爪を持ちあげてもがき、のがれる。

「他のマドウイングのことは知らないよ。知ってるわけないだろ。でも、いちいち戦いながらどなるのをやめてくれたら、ぼくだってきっと――」痛《いた》む手をなめながらクレイは答えたが、ケストレルの口から聞きなれた音がもれてくるのに気づいて途中《とちゅう》でやめた。炎のこうげきがくる前ぶれだ。

クレイは両方の翼で頭をつつんで長い首をちぢこめると、ほらあなの片《かた》すみににょきにょきとつきだしている石筍《せきじゅん》の中へと転がりこんだ。周《まわ》りの岩を炎がつつみこみ、しっぽの先がこげる。

「おくびょう者め！」ケストレルは、年下のドラゴンをどなり飛ばした。一本の石筍をこなごなにくだき、黒くとがった小石の雨をふらせる。クレイは両目をおおったが、すぐにしっぽをふみつけられたのを感じた。

「痛い！　しっぽをふむのは反則《はんそく》だって、自分が言ってたくせに！」すぐそばの石筍をつかみ、なんとかその上によじ登る。天井《てんじょう》近くまで登りきったクレイは、自分の保護者《ほごしゃ》を見おろした。

「わたしはあんたの先生なんだよ」ケストレルがしかりつけた。「わたしのすることに反則なんてあるもんか。さあ、こっちにおりてきて、〈空の翼《スカイウイング》〉のように戦うんだ！」

でもぼくはスカイウイングじゃないんだよ！　クレイは声にださず、反抗的《はんこうてき》に言い返した。**ぼくはマドウイングなんだ！　物をもやしたり、相手の周りをぐるぐる回りながらドラゴンの首にかみついたりなんてしたくないんだ。**宝石《ほうせき》のように固《かた》いケストレルのうろこにかみついたせいで、歯がまだズキズキと痛んでいた。

「他のやつらと戦うんじゃだめなの？　そのほうがずっとうまくやれるよ」クレイが言った。ドラゴンの子たちはみな自分と同じくらいの大きさだし、反則もしない（まあ、たまにはするが）。それに実を言うと、みんなと戦うのは好きだ。

「へえ、そうかい？　どんな相手と戦う？　育ちきらない〈砂の翼《サンドウイング》〉か、なまけ者の〈雨の翼《レインウイング》〉かい？」ケストレルが鼻で笑《わら》いながら、ゆらゆらとしっぽをゆらした。「どうせあんたは、戦いの場にいるドラゴンなんて選《えら》びゃしないんだろう？」しっぽがもえさしのように赤いかがやきを放つ。

「グローリーはなまけ者なんかじゃない」クレイは本心から言い返した。「あの子は戦いに向いてないだけだよ。レインウイングは食べるものに困《こま》らないから、熱帯雨林《レインフォレスト》でも戦う必要《ひつよう》なんてほとんどないんだってウェブスが言ってたよ。それに、今まで戦いにくわわらないでいるのは、どの王女様もレインウイングを自分の軍《ぐん》に入れたがらないからなんだって。それに――」

「ごちゃごちゃ言ってないで、こっちにおりてくるんだよ！」ケストレルはそうさけぶと、後《うし》ろ脚《あし》で立ちあがって大きく翼を広げた。まるで体が三倍にもなったように見えた。

おどろいたクレイはさけび声をあげてとなりの石筍に飛《と》び移《うつ》ろうとしたが、翼を開きそこねて衝突《しょうとつ》してしまった。ごつごつした岩はだを引っかきながら、かぎ爪が火花を散《ち》らす。ケストレルは石筍の間から首をつっこむとクレイをくわえ、広い場所までひっぱりだした。

そしてケストレルはクレイの首をかぎ爪でわしづかみにして、耳元でうなった。「卵からかえったあの凶暴《きょうぼう》なモンスターは、どこにいっちまったんだい？　予言には、あのドラゴンが必要なんだよ！」

「うわっ！」クレイは悲鳴をあげ、ケストレルの手に爪を立てた。彼女《かのじょ》の手についた奇《き》妙《みょう》なやけどのあとが自分のうろこにこすれるのを感じた。

戦《せん》とう訓練は、いつも決まって最後《さいご》にはこうなってしまう――意識《いしき》をうばわれ、それから何日もずっと、体の痛みをがまんしたり、足を引きずったりしなくてはいけなくなるのだ。**反撃《はんげき》しろ！**　クレイは心の中で言った。**怒《おこ》れ！　なにかするんだ！**　しかし、いくら彼《かれ》がドラゴンの子の中では大きいほうだとはいえ、じゅうぶんに成長《せいちょう》するにはまだ一年かかる。ケストレルはそびえたつように巨大《きょだい》だった。

クレイはなんとか怒《いか》りをもえあがらせようとしたけれど、思いつくのは、**もうすぐ終わ**

る。**そうしたらごはんが食べられる。**ということだけで、勇《いさ》ましいようなことはなにひとつなかった。

とつぜん、ケストレルが大きなほえ声をあげてクレイを放りだした。はでな音をたてながらクレイが地面に転がったその瞬間《しゅんかん》、頭の上をもうれつな炎が通りすぎた。

ケストレルがぱっとふり向くと、そこには〈海の翼《シーウイング》〉のドラゴンの子、ツナミが立っていた。いどみかかるように、あらい息をしている。その白くするどい歯には、銅色《あかがねいろ》のうろこがはさまっていた。ツナミはそれをはきだすと、教官《きょうかん》をにらみつけた。

「クレイをいじめるな！」ツナミは低《ひく》くうなった。「やめないと、もう一度かみつくからね」深い青のうろこが松明《たいまつ》の光を浴《あ》び、コバルトガラスのようにかがやいていた。長い首のエラがみゃく打つように動いている。おこっていると、いつもこうなるのだ。

ケストレルはすわりこむとしっぽを前に回してかまれたあとをたしかめ、それからツナミに向けて牙《きば》をむいた。「かわいいじゃない。まだ卵の中にいたころに自分を殺《ころ》そうとした相手を守ろうだなんて」

「ほんと、あんたたちみたいな大きいドラゴンがみんなの命を助けてくれたからありがたかったわ」ツナミはそう言いながら、クレイとケストレルの間に入ろうと歩いてきた。

「もちろん感謝《かんしゃ》してるよ。これだけ何度も何度も同じ話を聞かされりゃあね」

クレイは顔をしかめた。こんな話、聞きたくもない。意味がわからない。他のドラゴンの子たちをきずつけようとしたことなんて、一度もありはしないのだ。なのになぜ、かえりかけの卵をこわそうとしてしまったのだろう？　自分の中の知らないところに、そんなことをする怪物《かいぶつ》がひそんでいるのだろうか？

他の世話係、ウェブスとデューンは、卵からかえるときのクレイはおそろしいほど凶暴だったという。他の卵を守るためにクレイを川に放りこむしかなかったのだと。戦いのときにその怪物を見つけだし、利用《りよう》しろとケストレルは言っているのだ。けれどクレイは、もしそんなことをしたならば自分をゆるすこともできず他の仲間《なかま》たちにもきらわれてしまうのではないかと思い、こわかった。仲間たちを殺しかけてしまったことを思うと、自分の中の炎がすっかりすい取られてしまうような気持ちになるのだ。

たとえケストレルに成長をみとめてもらえようとも、暴力的《ぼうりょくてき》な殺《さつ》りくマシンになるのだけはごめんだった。

だけど予言を本物にするためには、もしかしたらそうするしかないのかもしれない。

「そうかい、わかったよ。とにかく今日はもうやめだ。あんたのまき物に、また失敗を書きこんでおくわ、マドウイング」ケストレルはそう言うと鼻のあなから小さな炎をふきだし、くるりと背《せ》を向けるとどうくつから飛び去っていった。

ケストレルの赤いしっぽがすっかり見えなくなったとたん、クレイはゆかにへたりこんだ。まるでうろこが一枚残《まいのこ》らずやけどでヒリヒリするようだ。「明日の訓練じゃあ、きっと君にいじわるするだろうね」と、ツナミに声をかける。

「まさか！」シーウイングのドラゴンの子、ツナミは目を丸くした。「ケストレルにいじわるされたことなんて一回もないのよ！　そんなことするような性格《せいかく》じゃないし、ありえないわ！」

「いてて」クレイが苦しげにうめいた。「笑わせないでくれよ。これはあばらが折《お》れてるな……」

「折れてるわけないでしょ」ツナミはそう言うと、クレイの鼻の横をつついた。「ドラゴンの骨《ほね》はダイヤモンドなみにかたいんだから。だいじょうぶよ。さあ、立ちあがって川に飛びこみなさい」

「やだよ！」クレイは翼で頭をおおった。「めちゃくちゃ冷《つめ》たいじゃないか！」

ツナミはなんでもかんでも「川に飛びこみなさい！」のひとことで解決《かいけつ》しようとする。たいくつ？　骨が痛い？　うろこがかわいた？　戦争《せんそう》の歴史《れきし》を勉強しすぎて脳《のう》がパンクしそう？　五頭のドラゴンの子のうちだれかがぶつくさ言うたびに、ツナミは「川に飛びこみなさい！」とさけぶのだ。自分以外《いがい》は水中で呼吸《こきゅう》ができないのも、ドラゴンという種族のほとんどがぬれるのをいやがることも、ツナミにはどうでもいいことなのだ。

クレイはぬれるのは平気だったものの冷たいのは大きらいだった。けれど彼らが住む地下のどうくつを流れる川はいつでもこおりつくほど冷たかった。

「飛びこむんだよ」ツナミはそう命令《めいれい》するとかぎ爪でクレイのしっぽをつかみ、川へと引きずり始めた。「入れば楽になるから」

「なるわけないだろ！」クレイはそうさけぶと、引きずられてたまるかとばかりに、岩の地面に爪を立てた。「こごえちまうよ！　やめてよ！　放せってば！　やめろ！」そこまで言ったところでツナミに川の中に投げこまれたせいで、クレイの口からは言葉ではなくあわしかでなくなってしまった。

ようやく水面から顔をだしてみるとツナミはすぐ横で頭まで水につかり、まるで美しい巨大魚のようにうろこに水を浴びているところだった。となりにいるとクレイは、茶色くて地味な自分がなんだかはずかしくなってしまった。

水しぶきをあげながら浅せに飛びこみ、岸をまくらにして川底《かわぞこ》の岩盤《がんばん》に横になる。口にだしてみとめたくはなかったけれど、ツナミの言うとおりだ。やけども痛みも、水の中ではずっと楽になっていた。うろこの間に入りこんだ細かいじゃりも、水の流れが洗《あら》ってくれる。

それでも、やっぱりこごえてしまいそうだ。クレイは川底の岩を引っかいた。なんで少しだけでも泥《どろ》がないのだろう？

「ケストレルがあんなにえらそうにできるのも、いつかあたしがシーウイングの女王になるまでのことよ」ツナミは、せまい川を行ったり来たりと泳ぎながら言った。

「玉座《ぎょくざ》をかけてケストレルにいどめるのは、女王の娘《むすめ》だけじゃなかった?」クレイが言った。ツナミはものすごいスピードで泳ぐことができる。クレイは自分にもあんな水かきや、エラや、しっぽがあったらいいのにと思う。ツナミのしっぽは、たったひとはたきで川をからっぽにできそうなほどに力強いのだ。

「もしかしたらあたしは消えた王女様で、母さんがシーウイングの女王かもしれないでしょ? おとぎ話みたいにさ」

ドラゴンの子たちは外の世界について、〈平和のタロン〉のまき物に書かれていることしか知らない。みんなのいちばんのお気に入りは『消えた王女』という伝説《でんせつ》だった。家出してしまったシーウイングの少女を、王族たちが海を切りさくようにしながら、すみずみまでさがす物語だ。物語のおしまいに少女は家にもどってきて、両親は翼を広げ、ごちそうをならべ、大よろこびでむかえるのだ。

クレイはいつも、冒険《ぼうけん》の部分は飛ばしながら読んだ。好きなのは、おしまいの部分——幸せそうな母親や父親のすがた——なのだ。あとは、ごちそうもたまらない。ごちそうという言葉のひびきも最高《さいこう》だ。

「ぼくの両親、どんななんだろう」クレイがつぶやいた。

「あたしたちの両親なんて、まだ生きてるのかもわからないわ」ツナミが答えた。

クレイは、そんなこと考えたくもなかった。毎日ドラゴンの子たちが、戦いの中で命を落としているのは知っている——血みどろの戦いや、やけこげた大地、そして山と積《つ》まれてやかれて死んだドラゴンたちの話を、ケストレルとウェブスが持ち帰ってくるのだ。それでも、両親はまだ無事《ぶじ》だと信《しん》じる気持ちを捨《す》てるわけにはいかない。「母さんや父さんも、ぼくがいなくてさびしがってると思う?」

「それはそうでしょ」ツナミはしっぽで水をはね、彼に浴びせた。「うちの親、きっとウェブスにあたしが入っていた卵をぬすまれて、必死《ひっし》にさがし回ったんだろうな。あの物語みたいにさ」

「じゃあうちの親はぬま地を切りさいたにちがいないな」クレイが笑った。ドラゴンの子たちはみんな子どものころから、必死に自分をさがし回る両親を想像《そうぞう》する。クレイは、外の世界でだれかが自分をさがしていると想像するのが好きだった……だれかが自分に会いたくてたまらず、連《つ》れもどしたいと思っているのが。

ツナミはごろりとあおむけになると、すきとおった緑のひとみで岩の天井を見あげた。「でも、〈平和のタロン〉は手ぬるいことなんてしないわ。地底《ちてい》のあたしたちなんて、だれにも見つけられっこないよ」と、くやしそうに言う。

二頭はそのままだまりこみ、川が流れ、松明《たいまつ》がパチパチとはぜる音を聞いていた。

「いつかこの地底からでられる日がくるよ」クレイは、ツナミを元気づけようとした。「だって、本当に〈平和のタロン〉がぼくたちにこの戦争を止めさせたいのなら、いつかは外にださなきゃいけなくなるだろ?」じっと考えるように、耳のうしろをポリポリとかく。「あとたった二年だって、スターフライトが言ってたよ」あと二年、どなられ、こうげきされるのだ。あと二年、それにたえればいいのだ。「そうしたら家に帰って、牛だって好きなだけ食べられるさ」

「その前に、世界をすくってからね」ツナミが答えた。「家に帰るのはそれから」

「だね」クレイはため息をついた。どうやって世界をすくえばいいのかはよくわからないけれど、やがて時がくればわかるとみんな思っているようだ。

クレイは水にぬれてずっしりと重くなった翼を引きずるようにして、川からはいあがった。壁《かべ》ぎわまでなんとかたどり着いて松明の前で体を温めようと翼を広げ、首を弓なりにのばす。するとかすかな熱《ねつ》がうろこの表面を温め始めた。

「まあ……」ツナミが口を開いた。

クレイは頭をさげ、ツナミを見つめた。「まあ、なにさ?」

「まあ、あたしたちがじきにここをでられたら話は別《べつ》だけどね」ツナミはあおむけのしせいからさっと身をひるがえし、見とれるほどゆうがな動きで川からあがった。

「でられたら?」クレイはわけがわからず聞き返した。「どうやって? 自力でってことかい?」

「そんな変《へん》かしら?」ツナミはそっけなく答えた。「出口を見つけることができたら、さらに二年間も待ってる必要なんてどこにもないでしょ？　世界をすくうくらい今だってできるはずよ。あなたはちがうの？」

自分が世界をすくえるようになる日がくるなど、クレイにはまったく自信《じしん》がなかった。なにをどうすればいいのか〈平和のタロン〉が教えてくれるものだとばかり思っていたのだ。ドラゴンの子たちのかくれがを知っているのは三頭の世話係――ケストレル、ウェブス、そしてデューン――だけだったが、〈平和のタロン〉のネットワークすべてが予言にそなえているのだ。

「ぼくたちだけで戦いを止めるなんて無理《むり》だよ」クレイは言った。「なにから始めればいいのかもわからない」

ツナミはムカついたようにバサバサと羽ばたき、クレイに冷たい水しぶきを浴びせた。

「戦いくらい、あたしたちにだって止められるってば。予言が意味しているのは、そういうことでしょう？」

「たぶん、二年後にはね」クレイは言った。きっとそのころにはぼくも、危険な自分と出会えているはずさ。もしかしたら、ケストレルが望《のぞ》んでるようなおそろしい戦士になってるかもな。

「二年よりも早いかもね」ツナミはがんこに言いはった。「だまって考えてみて。いい？」

「わかった。考えてみるよ」クレイはうなずいた。とにかくそう答えれば、もう彼女と言いあいを続《つづ》けなくてもすむからだ。

ツナミが耳をそばだてた。「聞こえる？　ごはんだ！」背後《はいご》にのびるどうくつから、かすかなざわめきが聞こえてくる。ツナミはうれしそうにクレイをつつくと「食堂《しょくどう》まで競走《きょうそう》ね！」とさけぶと、返事も待たずにさっとふり向いて走りだした。

訓練場《くんれんじょう》の松明は暗く、冷たい水はクレイのうろこのおくにまでしみこんでいた。翼をたたみ、こなごなにされた岩の柱の残《ざん》がいをはらい飛ばしながらしっぽをふる。

たしかにツナミは絵にかいたヒーローみたいに勇かんで、そして強い。しかしサニーやグローリー、そしてスターフライトはといえば……。クレイは彼らをきずつけるありとあらゆるものを胸《むね》に思いえがき、自分のうろこを、かぎ爪を、そして牙を、彼らを守るために使えたらと願った。

なにはともあれ、このどうくつからにげだす方法《ほうほう》なんてありはしない。〈平和のタロン〉が、そんなぬけ道など残しておくはずがないのだ。

それでもクレイは心のどこかで、さらに二年も待ったりせずに今すぐ家に帰れたらどんなだろうかと想像してみずにはいられなかった。今は自分が卵からかえったこのどうくつしか知らないけれど、外の世界がどんなところかしょっちゅう思いえがいているのだ。ぬまの広がる湿地帯《しっちたい》にもどり、自分と同じようなすがたをし、同じようにものを考えるマドウイングの仲間たちのところに帰ることができたら……顔も見たことのない両親のところに帰ることができたら……。

そんなことが本当にできたら、どうだろうか？

もしドラゴンの子みんなとにげだし、生きのび、そして自分たちなりの方法で世界をすくうことができたなら……どうだろうか？

2

クレイはしっぽを使い、食《た》べ残《のこ》した骨《ほね》を川の中にはらい落とした。肉がすっかりそがれた白い骨が、ごろごろと川の流れに消えていく。

巨大《きょだい》な中央どうくつのふちで、いくつもの炎《ほのお》がゆらめいた。見あげれば音がよくひびく空間が広がり、まるで巨大な歯のような鍾乳石《しょうにゅうせき》がいくつもたれさがっていた。ドーム状《じょう》の大空洞《だいくうどう》は大人のドラゴンが六頭、翼《つばさ》をめいっぱい広げても入れるほど広々としていた。片側《かたがわ》の壁《かべ》ぎわには地底《ちてい》川が流れており、まるで脱走《だっそう》をたくらんでいるかのようにごぼごぼとつぶやき、音をたて続《つづ》けていた。

クレイは大空洞からつながっているふたつの小さなねぐら――今はだれもおらずからっぽだ――にちらりと目をやると、自分はそうじをしているのに他のドラゴンの子たちはどこに行ってしまったのだろうと思った。

「こいつめ！」背後《はいご》で大きな声が聞こえた。クレイはぎょっとすると、両方の翼で頭をおおった。

「ごめん、ぼくなにかした？」なさけない声で返す。「悪かったよ！　ただの事故《じこ》だったんだ！　もしぼくが牛をよけいに食べた話だったら、ウェブスはおそくなるから食べていいってデューンが言ったんだよ！　でも悪かったし、明日のごはんはぬきでもいいから！」

背後から翼のすきまを通り、小さな鼻先がにゅっとつきだしてきた。「落ち着きなさいってば、おばかさん」サニーの声がした。「あなたをしかってるわけじゃないの」

「なんだ……」クレイは自分のとさかをなでつけると、いちばん小さく、そしていちばん最後《さいご》に卵《たまご》からかえったドラゴンの子のほうをふり向いた。サニーは口からはみでていた青白いトカゲのしっぽをつるりと口の中にすいこむと、にっこりほほえんでみせた。

「さっきのはわたしの狩《か》りのさけびだよ。悪くないでしょ？　こわかったでしょ？」

「まあね、たしかにびっくりしたよ」クレイは答えた。「またトカゲ食べてたのかい？牛はきらいなの？」

「げえっ……。重すぎて無理《むり》」サニーは、いかにもいやそうな顔をしてみせると、言葉を続けた。「ところで、やけに深刻《しんこく》な顔してるのね」

「ちょっと考えごとしててさ」クレイは、ケストレルやデューンが〈夜の翼《ナイトウイング》〉のドラゴンのように心を読めなくて本当によかったと思いながら答えた。食事をしている間もずっと、ここからにげだすことばかり考えてしまっていたからだ。

クレイが片方《かたほう》の翼をあげると、サニーがそばによってきた。すぐとなりにいる彼女《かのじょ》の黄金のうろこが放つ温《ぬく》もりが、クレイにも伝《つた》わってきた。サニーはとても小さく、そしてみんなとはちがう色をしている。多くのサンドウイングのような砂《すな》色ではなく、茶色みをおびた金色のうろこなのだ。それでも、彼女が放つ熱《ねつ》は他のサンドウイングたちとまったく同じだった。

「デューンが、ねる前の一時間は学習室ですごせって」サニーが言った。「他のみんなは、もう学習室に行ってるよ」

サバイバル術《じゅつ》を教えてくれるデューンはサニーと同じサンドウイングだった。いや、サニーとほとんど同じというほうが正確《せいかく》だろう。ドラゴンの子の中でいちばん小さいサニーには、みんなとはちがうところがあるのだから。うろこが金色なだけではなく、両目も灰《はい》色《いろ》がかった緑ではなくつややかな黒なのだ。とりわけ目立つのは、ほとんどのドラゴン族と同じようにすっととがったしっぽだ。サンドウイングの持つ最《もっと》もおそろしい武器《ぶき》、毒《どく》ばりがついていないのだ。

ケストレルがよく言うように、サニーには危険《きけん》なところがなにもなかった……そして、危険なところのひとつもなくて、いったいなにがドラゴンだというのだろう？　けれど、サニーの卵が予言にぴったり当てはまった以上《いじょう》、〈平和のタロン〉がどう思おうとも、彼女がサンドウイングであるのはまちがいなかった。

もちろんレインウイングなど予言には登場しなかった。スカイウイングの卵がわれてしまったものだから、最後の最後になってグローリーが代わりに選《えら》ばれたのだと、ドラゴンの子たちは何度も聞かされてきた。ケストレルとデューンは彼女をよく失敗作《しっぱいさく》とよんでうなってみせる。

スカイウイングの代わりにレインウイングがいても予言は本当に起こるのか、だれにもわからなかった。けれどクレイはスカイウイングの代わりにグローリーがいてくれるほうが、ずっとうれしかった。ケストレルのようにいつもイライラして炎をはくドラゴンがもう一頭、山の下に広がるこの地底にいたのでは、たまったものではない。

それに、もし予言が失敗に終わってしまうことがあるとするならば、それはグローリーではなく自分のせいにちがいないのだ。

「さあ、行こう」サニーがそう言って、しっぽで彼《かれ》を軽くたたいた。クレイは彼女のあとを追って、中央どうくつをかけだした。

岩のどうくつは曲がりくねりながら、四つの方向へとのびていた。戦《せん》とうエリア、世話係《マインダー》のどうくつ、学習室、そして外の世界だ。しかし外の世界へのどうくつだけは、ドラゴンの子たちではぜったいに動かすことのできない、巨大な岩でふさがれていた。

クレイはその前で足を止め、肩《かた》をおし当てて思いきりおしてみた。大人のドラゴンが見当たらないときには、いつもそうやって、動かせないかためしてみるのだ。続けていれば、いつかきっと動かせるはずだ。ほんのわずかしか動かなかったとしても、たとえ少しでも動かせたなら、もうすぐ自分は一人前のドラゴンになれるのだという印《しるし》になるだろう。今はただ、図体《ずうたい》がでかいだけだ。おかげでいつでもなにかにぶつかったり、しっぽや翼でうっかりなにかをたおしてしまったりしてばかりだ。

今日もだめか……。でも明日こそ。びくともしない岩を見つめながら、クレイは心の中で言った。

サニーのあとを追って学習室へと向かう。巨大な足と太い爪《つめ》が岩の地面をふみつけ、はへんを散《ち》らす。生まれてからずっとこの山の地底ですごしてきたけれど、いまだにこのごつごつとした岩の地面は痛《いた》くて好《す》きになれない。がつがつと爪がぶつかり、あとでひどく痛くなるのだ。

気取ったように歩き回りながら、ツナミが大声で指示《しじ》を飛《と》ばしていた。サニーとクレイは背中《せなか》で翼を折《お》りたたみ、入り口の横にすわりこんだ。はるか上の天井《てんじょう》に開いたあなから、新鮮《しんせん》な空気がふきこんできていた――すべてのどうくつの中、たったひとつ外の世界とつながっている窓《まど》だ。夜になり、遠くにちらつく太陽の光もすっかり見えなくなると、学習室はずっと寒く、うつろなふんいきになる。クレイは首をのばすと、あなの向こうに広がる暗やみのにおいをかいだ。星々のにおいがするような気がした。

壁にかかった松明《たいまつ》の間に、ピリアの地図がはられていた。ツナミとスターフライトは大きなドラゴンたちが教えてくれないこのどうくつの場所をつきとめようと、この地図をながめるのが大好《だいす》きだった。スターフライトは、きっと〈雲の爪山みゃく〉のどこかの地底にちがいないと考えていた。スカイウイングたちは山々のいただきに住むのが好きだから、地底のどうくつでなにが起きても気づかれない可能性《かのうせい》が高い。

「歴史《れきし》の話、ほんとに意味がわからないよね」サニーがしっぽをふりながら、小声でクレイに言った。「三つの勢力《せいりょく》で話しあって、戦争《せんそう》なんてやめちゃえばいいのに」

「そうなったら最高《さいこう》だけどね」クレイは答えた。「ぼくたちも、戦争の歴史なんて勉強しなくてよくなるしさ」

サニーがしのび笑《わら》いをもらした。

「私語《しご》をしない！」ツナミがふたりに命令《めいれい》しながら、どすんと地面をふんだ。「静《しず》かにして、注目して。あたしが役割分担《やくわりぶんたん》を決めるから」

「でもこれ、ちゃんとした授業《じゅぎょう》じゃないんだろ？」スターフライトが言った。松明のとどかない辺《あた》りにいると、ナイトウイング特有《とくゆう》の黒いうろこのせいでやみにまぎれ、うっかり見落としそうになる。スターフライトは何本かのまき物を目の前に置《お》き、きちょう面に三角形に積《つ》みあげて整理しているところだった。「なんなら、おいらがみんなに読んで聞かせてあげようか？」

「最悪《さいあく》、それだけはかんべんして」グローリーが上のほうで、岩のはりだしから声をあげた。「あとで、ねむれそうになかったらそのときたのむわ」彼女が心の底《そこ》からいやそうに言うと、両手の上に休ませた長くほっそりとした鼻先がエメラルドグリーンの光を放った。いやな気分のあかしだ。きらめくブルーの光がさざなみのようにうろこをわたり、しっぽはあざやかなむらさき色にかがやいていた。

クレイはふと思った。もしグローリーがいなかったら、世界にはこんなにもたくさんの色があるなんて、みんな思いつきもしなかっただろう。こんなにも美しいドラゴンの一族がくらす熱帯雨林《レインフォレスト》は、いったいどれだけ美しいのだろう？

「静かに！」ツナミがしかりつけるように言った。「さて、わたしこそ最高の女王になるのはわかりきってることだけど、サニーを女王にしましょう。本物のサンドウイングだからね」どかどかとサニーに歩みより、どうくつのまん中におしてくる。

「さあ、どうだろうな」グローリーが小声でつぶやいた。

「しっ！」スターフライトがしっぽでグローリーをたたいた。ドラゴンの子たちは、ふつうのサンドウイングとサニーのすがたがちがうことを、口にださないようにしているのだ。クレイは、きっと砂地《すなち》から卵を取りだすのが早すぎたせいだと思っていた。おそらくサンドウイングの卵というのは、太陽と砂の熱で温めてかえさないと、生やけになって変《か》わったすがたになってしまうのだ――もっとも個人的《こじんてき》には、サニーは今のすがたのほうが最高だと思っていたけれど。

ツナミはどうくつの地面をかぎ爪《づめ》でこつこつとたたきながら、友達《ともだち》の様子をじっと見ていた。「クレイ、ゴミあさり役《スカベンジャー》やりたい？」

「そんなのずるいよ」スターフライトが声をあげた。「クレイはサニーの二倍も大きいじゃないか。こっちのまき物によると、本物のゴミあさりはサニーよりも小さいんだよ。それにうろこも翼もしっぽもないっていうじゃないか。しかも、二本足で歩くっていうんだから、おいらはわけがわからないよ。そんなことしたら、しょっちゅう転んでばかりに決まってるじゃないか。ゴミあさりたちもドラゴンと同じくらい宝物《たからもの》に目がないって知ってたかい？　まき物によると、ドラゴンが一頭だけのときにおそいかかって宝物をぬすんじゃう――」

「**ああもう、そんなことみんな知ってるってば！**」グローリーが大声で言った。「ゴミあさりたちについての授業なら、みんなここで聞いてたんだから。まだその話をする気なら、飛びかかってかみついてやるからね、スターフライト」

「ぼく、ゴミあさりに会ってみたいな！　頭をぶったぎって、それを食ってやるんだ！」

クレイは前足のかぎ爪で、足元の石を思いきりたたいた。「きっと、いつもケストレルが持ってくる羽根だらけのやつらなんかより、ずっとおいしいに決まってるよ」

「かわいそうに、はらぺこなのね」サニーがからかった。

「自由の身になったらゴミあさりたちの巣《す》をさがして、全部食ってやりましょう」ツナミはそう言うと、片方の翼でクレイをつついた。

サニーはツナミを見て、目をぱちくりさせた。「自由の身って？」

おっと。ツナミとクレイは目配せを交《か》わした。サニーは愛《あい》らしくてなんでも信《しん》じてしまうし、ひみつを守るのがものすごく下手なのだ。

「もちろん、予言が本当になったらって意味よ」ツナミが言った。「クレイ、ゴミあさりになって。ほら、これがあなたの武器よ」しっぽを大きくふって、鍾乳石を一本たたき折る。岩のかけらがものすごいいきおいで飛んでくるのを見たドラゴンの子たちは、地面にふせてそれをかわした。

クレイはするどくとがった岩の槍《やり》を持ちあげると、サニーの顔を見て残《ざん》にんな笑《え》みをうかべてみせた。

「本当にけがさせないでよね」サニーがおびえた声で言う。

「もちろんそんなことしないよ」ツナミが答えた。「ただの**ふり**をするだけ。残《のこ》ったみんなは王女様の役ね。わたしがバーン、グローリーがブリスター、そしてスターフライトがブレイズ」

「おいら、前のときも王女役だったぞ。あんま楽しくないなあ、このゲーム」スターフライトがそう言って翼を大きく広げると、まるで夜空にかがやく星々のように銀のうろこがきらめいた。

「ゲームじゃないわ。これは**歴史**よ」ツナミが答えた。「もし他にも仲間《なかま》がいたら話は別《べつ》だけど、サンドウイングの王女が三人いるのは事実なんだから、こっちも三人で演《えん》じるしかないでしょう？　もんく言わないで」

スターフライトは肩をすくめると、すごすごとかげの中にひっこんだ。勝ち目がないときは、いつでもそうするのだ。

「よし、やろう」ツナミは、はりだした岩の上にいるグローリーのとなりに飛《と》び乗《の》った。

「はあ……」サニーは、いやそうな目でちらりとクレイを見た。「しょうがない。じゃあいくよ。あー、あー。わたしはサンドウイングのオアシス女王。それはそれはものすごい重要《じゅうよう》人物で、それから……高貴《こうき》で……そんな感じよ！」

ツナミがため息をついた。グローリーとスターフライトは笑いをかみ殺《ころ》していた。

「女王になったのは、もうずっとずっと昔のことよ」サニーが続けながら、どうくつをつっきった。「わたしの玉座《ぎょくざ》をうばおうとする者など、だれもいない！　なぜならこのわたしこそ、サンドウイングの歴史上最強《さいきょう》の女王なのだから！」

「財宝《ざいほう》のことも忘《わす》れないで」ツナミは、積みあがった石のほうを指さしながら小さな声で言った。

「ああ、そうだった」サニーが言った。「もしかしたら、わたしの財宝のおかげかもしれない！　超最高《ちょうさいこう》の女王だからこそ、こんなにもたくさん財宝を持っているんだもの！」しっぽで石を自分のほうにかき集め、両手でつつみこむ。

「今だれか、財宝って言ったの？」クレイがそうさけんで、大きな岩の後ろから飛びだしてきた。びっくりしたサニーが悲鳴をあげる。

「だめよ！」ツナミが大声で言った。「あなたはおどろいたりしないの！　オアシス女王は大きくて悪いサンドウイングの女王なんだからね！」

「う……うん」サニーがうなずいた。「ガオー！　この〈砂の王国《サンドキングダム》〉で、ちっぽけなゴミあさりがなにをしているというの？　ゴミあさりなんてこわくもなんともないわ！　いっそひとくちで食ってやろうか！」

　グローリーはついに笑いがこらえきれなくなり、翼で顔をかくして地面にうずくまった。ツナミまで、笑いだしたいのを必死《ひっし》にがまんしているような顔をしている。

　クレイは手にした鍾乳石をふり回しながら「キーキーキー！」と奇妙《きみょう》なさけび声をあげてみせた。「ゴミあさりだから、他にもいろいろ気持ち悪い声をだすぞ！　ぼくは大きなドラゴンの財宝をぬすむためにここに来たんだ！」

「でもわたしからぬすむなんて不可能《ふかのう》よ」サニーは声に怒《いか》りをにじませた。翼を広げ、おどすようにしっぽをふりあげながら、どすどすと前に歩みでる。他のサンドウイングのような毒ばりがついていないサニーのしっぽは、それほどおそろしい武器とはいえなかったが、みんなはそれを言うのはやめておいた。

「やー！」クレイがさけび、かぎ爪をかまえて飛びだした。サニーがさっとそれをよける。二頭はそのまま牽制《けんせい》しながら、ぐるぐると円をえがくように回った。クレイは、この瞬間《しゅんかん》がいちばんのお気に入りだ。女王役を演じるのを忘れて戦とうに集中しているサニーは、本当に手強《てごわ》い相手だ。体が小さいものだから、やすやすとクレイの防御《ぼうぎょ》をかいくぐって攻撃《こうげき》してくる。

けれど、オアシス女王ならば、最後には負ける運命にある——そういうすじ書きになっているのだ。クレイはどうくつの壁にサニーをおしつけてにせ物の武器で首や翼を切りさき、心臓《しんぞう》をつらぬくふりをする。

「ぎゃあああああ！」サニーがさけんだ。「こんなのうそよ！ いやしいゴミあさりなんかに女王が殺されるだなんて！ もう王国は終わりだわ！ ああ、わたしの財宝……愛《いと》しい愛しい財宝よ……」彼女は地面にどさりとたおれ、命がぬけ落ちたかのように力なく翼をおろした。

「ははは！」クレイが笑い声をあげた。「キーキー！ 財宝はぼくのものだ！」そして石をかき集めると、ほこらしげにしっぽを立てながらいそいそと歩き去っていった。

「さあ、あたしたちの出番だ」ツナミが、岩のはりだしから飛びおりた。サニーにかけよって両手を組ませ、痛々《いたいた》しいなげき声をあげる。「なんてことなの！ 母さんが死んで、財宝までぬすまれてしまうだなんて！　でも大変《たいへん》。だってあたしたちのだれかが殺したわけじゃないんだもの――いったいだれを次の女王にすればいいの？」

「わたし、もうすぐ挑戦《ちょうせん》しようとしてたのよ」グローリーが大声をだし、大げさに翼を羽ばたかせた。「母さんを殺して、玉座を手に入れようとしてたの。だから、女王になるのはこの**わたし**よ！」

「ちがう！　女王は**あたし**だよ！」ツナミが言い返した。「だってあたしがいちばん年上だし、体だって大きいんだもの。最初《さいしょ》に挑戦するのはあたしだったはずだよ！」

二頭がそろって、かげの中にかくれているスターフライトのほうを向いた。黒い体のスターフライトは、まるでかげにまぎれてすっかり見えなくなろうとしているかのようにうずくまっている。

「ほらほら、スターフライト。そんなにぐずぐずして、まるでなまけ者の――」ツナミは、**まるでなまけ者のレインウイングだね**と言いかけて、あわてて口を閉《と》じた。世話係たちはいつだってそう言うのだ。

「勉強しないなら、レインウイングみたいになってしまうよ」

「どうしたの？　脳《のう》みそがレインウイングと入れかわってしまったの？」

「まだねてるの？　そんなじゃあ、レインウイングだって思われちゃうよ！」（これを言われるのは、だいたいクレイだ）

グローリーはぜんぜん気にしていないようなふりをしていたが、心の底からいやがっているのはみんなわかっていた。本当にひどい話なのだ。みんなグローリーの他にレインウイングは知らないけれど、グローリーはだれよりも一生懸命《いっしょうけんめい》勉強や訓練《くんれん》に打ちこんでいるのだから。

「ええと……ドラゴンだね」ツナミはちらりとグローリーのほうを見ながら、気まずそうに言った。「ほらスターフライト、でてきなさい」

ナイトウイングのスターフライトはかげの中からでてくると、かたくまぶたを閉じたサニーを見おろした。「そんな！　そんな！　母さん亡《な》きあと、女王になるのはおいら……あたししかいないよ。いちばんわかいあたしなら、いちばん長く国を栄《さか》えさせることができるもの。そうすることこそ、サンドウイングのため。それに……」スターフライトは少し間を置くと、苦しげにため息をついてみせた。「あたし、飛びぬけてかわいいんだもの」

サニーがふきだしかけた。静かにしていろとツナミがつつく。クレイは財宝がわりの石を積みあげ、そのうえに腰《こし》をおろした。

「ふたりとも、今すぐ殺してやる」グローリーがすごんでみせた。

「じゃあ仲間の大群《たいぐん》を引《ひ》き連《つ》れてこなきゃね」ツナミが小ばかにしたように鼻で笑った。

グローリーは首を高くのばし、牙《きば》をむいた。「それはいい考えね。ちょっとシーウイングの大群でも連《つ》れてこようか？　その言葉、後悔《こうかい》しないでいられるかしら？」

「ふん、同盟《どうめい》を結《むす》べるのはあんただけじゃないんだよ」ツナミが言い返した。「あたしはスカイウイングを味方につけるとしよう。それと、マドウイングもね！　さあ、戦《たたか》いに勝つのはどっちだろうね！」

そこでふたりは静まり、またしてもスターフライトの顔を見た。

「ああ、ええと……」スターフライトが口ごもった。「ふたりがそうするなら、あたしは〈氷の翼《アイスウイング》〉と手を結ぶよ。それにサンドウイングだってほとんどが、あたしが女王にふさわしいと思ってくれてるんだから」

「本当に？」サニーがいきなりそう言って目を開けた。「だれがそんなこと言ってたの？」

「しゃべらないで」ツナミがそう言って、爪の先でサニーをつついた。「あんたは死んでるんだから」

「最近《さいきん》のまき物には、やたらそう書いてあるんだ」スターフライトは得意《とくい》げに言った。「ブレイズは種族《しゅぞく》の中で、ものすごく人気があるんだよ」

「そんなに人気があるんだったら、どうして女王になれないの？」サニーが首をかしげた。

「それは、バーンのほうがでっかくておっかないし、一対一で戦ったらブレイズなんて虫ケラみたいにふみつぶしちゃえるからよ」グローリーが横から口をはさんだ。「それにブリスターは――つまりわたしは――ほかのふたりをあわせたよりもずっと頭がいいの。ふつうに戦ってもバーンを殺すことはできないって知ってるの。他の種族たちもまきこんで、玉座をめぐる戦いを世界大戦《たいせん》にするっていうのは、バーンが考えた策略《さくりゃく》なのよ。たぶん、他のふたりが殺しあいを始めるのを待っているんだわ」

「**わたしたち**にとっては、だれが女王になるのがいちばん都合がいいんだろう？」サニーが首をかしげた。「選んでおかなくちゃいけないでしょう？　予言が本当になったときのためにさ」

「どのドラゴンもだめだよ」スターフライトが暗い声で言った。「ブレイズはとことん頭が悪いし、ブリスターはきっと全種族の女王になろうとたくらむに決まってるし、バーンが女王になったりしたら、楽しみのためだけに戦争を長引かせようとするはずだよ。三人とも、とことん性格《せいかく》がねじ曲がってるんだ。おいらたちは〈平和のタロン〉の決定を見守るしかないね」

「〈平和のタロン〉は**決定なんてくだしやしないわ**」グローリーがいらだった声で言った。首の周《まわ》りについた毛の生えたひだが、炎のようなオレンジ色に光る。「あいつらは、わたしたちの責任者《せきにんしゃ》だと勝手に**思ってるだけ**だもの」

「それでも、なんて言うかはちゃんと聞くべきだよ」スターフライトが言い返した。「おいらたちとピリアのためにいちばんいい道を選びたいと思っているはずだもの」

「あなたはのん気でいいわね」グローリーが鼻で笑った。「自分の家からぬすまれたわけじゃないもんね。ナイトウイングは、さっさとあなたの卵をわたしちゃいたいみたいだったじゃない。そうでしょ?」スターフライトは、まるでグローリーに炎を浴《あ》びせられたかのようにたじろいだ。

「もううんざりだよ!」クレイは、腰かけた石の山の上からさけんだ。「言《い》い争《あらそ》いなんてやめろよ! かわりに、ぼくの財宝をうばいにきたらどうなんだい?」

「ゴミあさりたちがサンドウイングの財宝をどうしたかは、だれも知らないんだ」スターフライトがグローリーから視線《しせん》をそらしながら、優等生《ゆうとうせい》っぽい口調で言った。「いろいろなものをぬすんだけれど、その中には何百年にもわたりサンドウイングの宝物庫《ほうもつこ》にねむっていたラズライト・ドラゴン、サンドウイングの黄金の杖《つえ》、それからオニキスのひとみまであったんだよ」

クレイはらんぼうに足をふみ鳴らした。スターフライトの講義《こうぎ》を聞いていると、いつもうろこがむずがゆくなってしまう。「だれかと戦いたいんだよ!」とさけぶ。できれば、自分をもうれつに怒りくるわせようとしたりしない相手と。

まるでその欲望《よくぼう》に引きよせられたかのように、どうくつの入り口にとつぜんケストレルがあらわれた。

「いったいなにが起きてるの?」ひびきわたるケストレルの声に、五頭のドラゴンの子たちはあわてて入り口のほうを向いた。立ちあがろうとしたサニーが足をすべらせ、スターフライトが急いでささえる。

巨大なスカイウイングのケストレルは、五頭をにらみつけながらのしのしと入ってきた。

「勉強してるようには見えないね」

「す、す、すみません」サニーがしどろもどろになりながら答えた。

「あやまることないよ」ツナミは、するどい目でサニーを見つめた。「だって、勉強してたんだもの。すべての争《あらそ》いの元凶《げんきょう》になったサンドウイングの女王の死を演じてたんだから」

「つまり、ごっこ遊びをしてたわけね」ケストレルがうなった。「もうそんなお遊びをする子どもじゃないでしょう？」

「そんなお遊びをさせてもらえる子どもだったことなんて、一度もないけどね」グローリーが言い返した。

「お遊びなんかじゃないわ」ツナミが言った。「これだって、歴史を学ぶひとつの方法《ほうほう》だもの。どこが悪いの？」

「サボってたうえに口答えするとはね」ケストレルが言った。ツナミはいつもめんどうを起こすたびに見せる、気取った顔をしている。「じゃあ今夜は川でねむるのは禁止《きんし》よ」それを聞いたツナミがけわしい顔になった。ケストレルは、入り口の横に積みあげられているまき物を、爪の先でたたいた。「残りはみんな、シーウイングのあやまちを勉強して、正しき道を学ぶこと」

「そんなの不公平《ふこうへい》だ」クレイは心臓をドキドキさせながら、どうくつからでていこうとしているケストレルの背中に声をかけた。「みんなで同じことをしてたのにさ。みんな同じばつを受けなきゃ変《へん》だよ」グローリーが首を横にふったが、クレイのとなりではサニーがうなずいていた。

ケストレルがきつい目でクレイを見おろした。「だれが首謀者《しゅぼうしゃ》かはわかってるわ。そいつの首を落としてしまえば、問題は解決《かいけつ》するってね」

「ツナミの首を切っちゃうの？」サニーが悲鳴をあげた。

グローリーがため息をつく。「ただのたとえ話よ、頭悪いんだから……」

「さあ、言いあいは終わり。おねんねの時間だよ」ケストレルはそう言うとさっと背中を向け、スターフライトがきちんと積みあげたまき物の山をしっぽでくずしながらでていってしまった。

クレイは鼻先で、ツナミのダークブルーの肩をつついた。「ごめんよ。がんばってみたんだけどさ」

「わかってるよ。ありがとう」ツナミはそう答え、クレイの翼に自分の翼をこすりつけた。「ねえサニー、そこのまき物を全部わたしたちのどうくつまで運んでもらえる？」

金色の小さなドラゴンは、ぱっと顔をかがやかせた。「もちろん！　やるやる！」そう言って入り口までかけていき、散らばったまき物を両手で集めていそいそとどうくつをでていく。

「こんなの、もうそろそろがまんの限界《げんかい》だよ」ツナミは、サニーがでていってしまうと言った。「ここをにげださなくちゃ。それもできるだけ早く」

クレイは、おどろいた顔ひとつしないグローリーとスターフライトのほうをちらりと見た。「あのふたりにも、脱走の話をしたの？」

「もちろんでしょ」ツナミがうなずいた。「脱走計画をたてるには、あの子たちのアイデアだって必要《ひつよう》なんだもの」

クレイは、**自分**が脱走のアイデアなんて聞かれなかったことに気がついた。ツナミは自分を好きでいてはくれても、役には立たないと思っているのだ。

「まだ早すぎるんじゃないかな」スターフライトは、むずかしそうな顔をしてみせた。「おいらたちには、まだまだ知らないことが山のようにあるんだしさ……」

「世話係たちは、なんかあるといつだってわたしたちに考えろ、考えろ、って同じことばかり言うけどさ！」ツナミはうろこをざわつかせながら怒りに全身をふるわせた。「でも、こんなムカつくどうくつからぬけだして外の世界を自分たちの目で見ないかぎりは、なにもわかりゃしないよ！」

「予言はどうなるの？」クレイが質問《しつもん》した。「ぼくたちはあと二年待たなくちゃいけないんじゃない？」

「意味ないと思う」グローリーが答えた。「わたしはツナミに賛成《さんせい》。だって、運命は運命でしょ？　わたしたちがなにをしようと、それが正しいことなんだよ。大昔のドラゴンたちに世界のすくいかたをあれこれ言われたって、聞く必要ないよ。**そのドラゴンたち**は、予言にはふくまれてないんだから」

「サニーにはいつ伝えるの？」スターフライトは、どうくつの暗い入り口に目をやった。

「最後の最後までだまっておく」ツナミがけわしい目で答えた。「あの子、ひみつを守るなんてぜったいに無理だもの。スターフライト、あの子にはぜったいなにも言わないってあんたも約束《やくそく》して」

「言わない、ぜったい言わないってば」スターフライトが答えた。「言われたところで、あの子は反対するだろうしね。ほんとにここが最高だと思ってるみたいだからさ」

「まったくね」ツナミがうなずいた。「あたしたちは平和だかなんだかのカギになるはずだっていうのに、まるでヒビが入った卵みたいにあつかわれたってぜんぜん気にしないんだから」

「あの子だって気にするさ」スターフライトが、サニーをかばうように言った。「泣《な》きごとを言わないだけなんだよ」

「おっと」グローリーが言った。

ツナミはエラをぴくぴくさせながら、ぱっとスターフライトの顔をにらみつけた。「あたしの顔を見て同じこと言ってごらん」

「顔を見て言ってるんだよ」スターフライトが言い返した。「それとも、さっきのはケッだったのかい？　どっちがどっちかよく見分けがつかないもんな」そして、ツナミが牙をむくよりも早く、さっとクレイの背後に身をかくした。

「おい、やめろってば。ちびケストレルみたいにおたがいにののしりあうんじゃないよ」クレイはのそのそと、大きな体でツナミとスターフライトの間にわって入った。「ここが好きなやつなんていないよ。サニーはその気持ちを、ぼくたちとはちがう方法で解消《かいしょう》してるんだ。それだけさ。そんなことより、みんなで決めたことを忘れないでくれよ――五頭で団結《だんけつ》しないと、なにもかも最悪なことになる。そうだったろ？」

スターフライトはぶつぶつ言いながら、体を小さく丸めた。

「クレイの言うとおりだね」グローリーが言った。「みんな、ケストレルやウェブスやデューンみたいになんて、死んでもなりたくないでしょ？」

ツナミはいらだちをこらえていたが、それをふりはらうと答えた。「わかった。じゃあそれでいい。でもこんなとこにいたら、ゆっくり殺されてるみたいな気分になるのよ」そう言うツナミのけわしい顔を見て、クレイは身ぶるいした。彼女の敵《てき》になるのはぜったいにごめんだ。

「計画ができたら、すぐに実行するよ」ツナミは、一頭ずつ仲間たちの目を見ながら言った。「みんなでここからいなくなってもあたしたちに運命をおしつけられるのか、見てやろうじゃない」

3

いきなり、中央どうくつからかみなりのようなとどろきがひびいた。クレイが顔をあげると、どこかでどうくつのドアがわりの岩がらんぼうに閉《と》ざされる音がして、それからどすどすという重い足音があわただしく聞こえてきた。水にぬれたような音がそこにまざっているのに気づき、クレイはウェブスの足音にちがいないと思った。

「なにかが起きてるわ」ツナミが急いで入り口にかけよった。耳がピクピクと動き、背《せ》びれがまっすぐに立っている。

スターフライトは、自分はそんなことでいちいちあわてるようなガキじゃないよと言わんばかりに、ゆっくりと翼《つばさ》を広げた。「なにが起きてるかなんて、朝になったらどうせわかるさ」

「今すぐ知りたいんだよ」ツナミはさっとふり向くと、クレイの下腹《したばら》をしっぽでたたいた。

「ぐずぐずするんじゃないの！　行くよ！」

クレイも立ちあがった。筋肉痛《きんにくつう》に、思わず声がもれる。ツナミとグローリーを追いかけて、クレイも中央どうくつに向かった。グローリーのうろこがどうくつの壁《かべ》にあわせ、黒と灰色《はいいろ》のまだらもように変《か》わりだす。そしてほんの一瞬《いっしゅん》のうちに、彼女《かのじょ》のすがたはほとんど見えなくなってしまった。

スターフライトが一気にクレイを追いこしてグローリーに追いつき、いっしょに大きなドラゴンたちがくらすどうくつへと続《つづ》く通路に向かっていった。あっというまにかげの中へとすがたを消していく。暗い体でかげに身をかくせるふたりは、できるだけ近づいてぬすみ聞きをするつもりだろう。

けれど急ぎさえすれば、クレイとツナミのほうがふたりよりもずっとたくさんぬすみ聞きできるかもしれない。ツナミはもう、川へと続くどうくつを走っている。

「サニーはどうするの?」クレイは小声で言った。彼女のほらあなからは、まき物をあれこれとひっかき回している物音が聞こえていたのだ。

「それはあとで考えよう」ツナミも小声で返す。

ひとりだけこのスパイごっこから仲間《なかま》はずれにするのをクレイはかわいそうに思ったが、サニーがひみつを守ってくれないせいで、何年も前にみんな痛《いた》い思いをしている。みんながまだ小さくて飛《と》ぶこともできなかったころ、天井《てんじょう》のあなから外にでようと岩を積《つ》みあげていたのを、サニーがうっかりしていたせいでデューンにばれてしまったのだ。次の日、かくれがに行ってみると、岩はすべて持ち去られてしまっていた。それっきり脱出《だっしゅつ》計画が立てられることも、サニーがすべてを知らされることも、なくなっていたのだった。

ツナミはほとんど水音をたてずに川に飛びこんだ。彼女が力強く上流に向かって泳ぎだすと、ダークブルーのうろこの下でうす緑色のまだらもようが光を放った。クレイは、自分もツナミみたいに暗がりでも目が見えたらいいのにと思いながら、あとを追って飛びこんだ。ツナミはクレイがちゃんとついてこられるよう、やみの中でしっぽのしまもようを光らせてくれている。

マドウイングはシーウイングとちがって水中で息をすることはできないが、かわりに一時間以上《いじょう》も息を止めていられる。だから世話係《マインダー》たちをスパイするときにはいつでも、クレイとツナミは他のみんなよりずっと近づこうと川を使うことにしているのだ。

体をくねらせるようにしながら、水中の壁に口を開けたわれ目を通りぬけていくツナミに、クレイは追いついた。クレイにはいつも大変《へん》《たい》なことだった。夕ごはんに牛を一頭おかわりしたのを、壁を引っかくようにしながらみぞを見つけ、そこに爪《つめ》をかけて体を引っぱりあげるようにしながら進んでいく。しかし、いきなりわれ目に体がはまって動けなくなってしまった。このまま、ここでおぼれ死んでしまうのだろうか？　牛一頭おかわりしたせいで、予言が台無《だいな》しになってしまうのだろうか？

だが、はでにあわがたったかと思うと体が自由になり、クレイはまたツナミのあとを追った。

世話係たちのどうくつに入って音もなく泳ぎだすと、ツナミはしっぽのしまもようの光を消した。ここでも川は壁ぎわを流れている。ウェブスがときどき浅せでねむるけれど、三頭の世話係たちはほとんど川になんて見向きもしない。小さなドラゴンの子が二頭、水面から耳をつきだして話をぬすみ聞きしていようと、気づかれるわけがない。

クレイは静《しず》かに入り口辺《あた》りで止まったが、ツナミはどうくつのずっとおくにそのまま進んでいった。こうしておけば、世話係たちがどこで話をしていようとも、どちらかひとりには必《かなら》ず聞こえるからだ。

ともあれ今夜にかぎっては自分にもツナミにも、さらには外の通路にいるグローリーとスターフライトにも、全員にすべて丸聞こえだろうとクレイは思った。なにせケストレルが、山のいただきに住むスカイウイングたちにまで聞こえそうな大声でさけんでいるのだ。

「**ここ**に来るの？　なんの前ぶれもなしに？　六年ほったらかしだったくせに、いまさら気になったとでもいうつもり？」ケストレルの鼻のあなから炎《ほのお》がふきだし、そばに立つ岩の柱を黒こげにした。

「たぶん、戦争《せんそう》を止める準備《じゅんび》がちゃんと整ったのか、たしかめたいんだろう」ウェブスが言った。

デューンが鼻を鳴らす。「あのドラゴンの子たちのか？　そういうことなら、ひどくがっかりさせることになるな」そう言って平たい岩の上でくつろぎ、途中《とちゅう》で切り落とされてしまった前脚《まえあし》をストレッチしながら翼を炎にかざしてしわをのばした。巨体《きょたい》のサンドウイング、デューンはどうして脚《あし》を失《うしな》ってしまったのかはだれにも話そうとしなかったが、戦争の話をするとき決まって彼《かれ》の声に怒《いか》りがにじむのに、ドラゴンの子たちはみんな気づいていた。

その脚は、デューンが〈平和のタロン〉に忠誠心《ちゅうせいしん》をいだく理由でもあった。彼がこの地下でドラゴンの子たちの世話係をまかされたのは、もう空を飛ぶことができないからだろう。ツナミが言うとおり、まちがいなくそのやさしくてめんどう見がいい性格《せいかく》のせいではない。

「わたしたちはベストをつくしたよ」ウェブスが言った。「予言はあの子たちを選《えら》んだんだ。わたしたちじゃなくてね」

「あいつは、なにが起きてるのか本当にわかってるの？」ケストレルが声をあららげた。「卵《たまご》がわれたことや、あのレインウイングの子のこと、ちゃんとわかってるの？　あの役に立たないサンドウイングの子のことは？」

クレイは胸《むね》が痛くなった。かわいそうなサニー。茶色の巨体を暗い水中にかくし、音をたてないようにしながらもっと近くによってみる。水面に立つさざなみの向こうに、炎の周《まわ》りに集まる大きな三頭のドラゴンたちのすがたが見えてきた。

ウェブスがばさばさと羽ばたいた。「なにを知っててどうして気になるのかなんて、わたしだって知らないよ。『モロウシーアが行く』とメッセージがあっただけなんだから。明日会って、ここに連《つ》れ帰《かえ》ってくるよ」

モロウシーア。聞《き》き覚《おぼ》えのあるひびきだ。クレイは頭をふりしぼった。ぜったい記憶《きおく》のどこかに残《のこ》っているはずだ。歴史《れきし》の授業《じゅぎょう》でいっしょだったドラゴンだろうか？　どこかの種族《しゅぞく》の長《おさ》だろうか？　いや、そんなはずはない。すべての種族をおさめているのは女王なのだから。

「サニーのことなら、おれはなにも心配しちゃいないよ」デューンが言った。「おれたちはただ、予言のみちびきにしたがっただけだ。あの子がああいう子なのは、おれたちのせいじゃない。だがあのレインウイングはちがう……あんなはずじゃなかった！」

ケストレルはのどのおくで、獣《けもの》のようにうめいた。「わたしも気に入らないね。前からずっとさ」

「グローリーはそんなに悪くないぞ」ウェブスは首を横にふった。「わたしたちにかくしちゃいるが、もっとずっとかしこい子だ」

「自分で連《つ》れてきたから、買いかぶってるんじゃないのか？」デューンが言った。「あの子は他のレインウイングとなにも変わらないなまけ者だし、役になんて立ちはしないよ」

「それに、スカイウイングでもないしね」ケストレルがはき捨《す》てるように言った。「ここにはスカイウイングの子が来るはずだったのにさ」

クレイは、これを聞いているはずのグローリーがかわいそうになってきた。世話係たちは彼女をどんなふうに思っているかまったくかくそうとしないが、グローリーはちらりとも気にしてなどいないような顔をしてくらしている。けれどクレイは、スカイウイングに負けずおとらずグローリーはすごくて頭がいいのだと、彼女に伝《つた》えてあげたかった。

「とにかく、まさかモロウシーアがあの子たちを見にくるだなんて、想像《そうぞう》したこともなかったな！」ウェブスが言った。「スターフライトの卵を置《お》いていったのを最後《さいご》に、二度と会うことはないと思ってたくらいだよ。ナイトウイングは、この戦争とはまったく関係《かんけい》がないからね」

なるほど、モロウシーアというのはナイトウイングなのか。ということは、ものすごい力を持ち、なぞに満《み》ち、とことんうぬぼれているやつにちがいない。クレイがナイトウイングについて覚《おぼ》えているのは、それだけだった。クレイは、スターフライトに授業をしてもらっておけばよかったと思った。ミステリアスなナイトウイングたちの壮大《そうだい》な物語は、スターフライトのいちばんのお気に入りなのだ。

「なにをしにくるのか、〈平和のタロン〉から聞いてないの？」ケストレルがたずねた。

「聞いちゃいないが、たぶん予言のことだろう」ウェブスが答えた。「予言が本当になるのか、そいつをたしかめたいんだろうさ」

モロウシーア。クレイの体じゅうに戦《せん》りつが走った。まるで、ぼんやりしていてデューンにとげつきのしっぽでたたかれたときに感じるような、つきさすような衝撃《しょうげき》が。

モロウシーアは十年前に、〈運命のドラゴンの子〉たちの予言をしたナイトウイングのドラゴンだ。予言を口にしたドラゴンは、予言にでてくるドラゴン――つまりクレイと四頭のドラゴンの子たち――にくらべればどうでもいいのだとばかり思っていた。

けれどクレイが思っているよりも、モロウシーアはずっと重要《じゅうよう》なのかもしれない。とにかく、自分たちに会いにくるのだ。もしかしたら予言を実現《じつげん》させるため、みんなを外の世界に連れだしてくれる気なのかもしれない。にげだす必要《ひつよう》など、そもそもなかったのかもしれない。

なにもかも、変わり始めようとしているのかもしれない。

4

今までクレイは、ナイトウイングの伝説《でんせつ》など信《しん》じたことがなかった。心を読むことのできる、かげの種族《しゅぞく》。だれにも見つけることのできないなぞの王国。未来《みらい》を見通す力を持つミステリアスな女王や、世界を変《か》えてしまう予言をするため、やみの中からあらわれたこと……。どれもこれもまるで、ドラゴンではなくゴミあさり《スカベンジャー》たちが支配《しはい》する世界をえがいたおとぎ話みたいだ。

それに、たしかにスターフライトにはいろんな特《とく》ちょうがあるが——ムカつくことや、長く息を止めていられることや、頭がよくて、くそまじめだ——魔法《まほう》の力なんて持っていないし、おそろしいなんてまったく、これっぽっちも思わない。

だが次の日、底《そこ》なしあなのように黒くて頭を天井《てんじょう》にこすりそうなほど大きな黒いドラゴンが、入り口のどうくつをつつむ暗がりからぬっとすがたをあらわしたのを見たクレイは、それまで知っていたナイトウイングについてのうわさ話が、ひとつ残《のこ》らず崩壊《ほうかい》する岩ぺきのように頭の中でガラガラとくずれ落ちてしまう気がした。

モロウシーアはケストレルよりもさらに大きく、五倍もおそろしかった。ぎざぎざしたコウモリのような翼を広げ、目の前にならんだ五頭のドラゴンの子たちを見おろしている。翼の内側《うちがわ》にはスターフライトと同じように、星形をした銀色のうろこを生やしているが、こちらの星はまるではるかかなたでいてつくように光って見えた。黒いひとみも同じだ。こおりつくようなかがやきをずっと遠くで放っているかのようだが、こちらはつきさすような光だ。

ほんの一瞬《いっしゅん》もあれば、ドラゴンの子たちの首などやすやすと落としてしまえそうな迫力《はくりょく》だった。そのうえ、すでに五頭を心から忌《い》みきらっているかのような顔をしている。これはクレイにとって、まったく予想していなかったことだった。ひと目見ただけでそんなにがっかりさせてしまうほど、自分たちはだめなのだろうか？

もしかしたらモロウシーアは心を読み、予言のせいでドラゴンの子たちがどれだけまごついているかをさとったのだろうか。それとも未来を見通し、なにもかもが大失敗《だいしっぱい》に終わってしまうことを知ったのだろうか。いや、もしかしたらクレイの中にひそむ怪物《かいぶつ》の存在《そんざい》を知り、こんなたよりないドラゴンではその怪物を引きずりだすこともできずに、そのせいで予言が台無《だいな》しになると思ったのかもしれない。

となりでサニーがふるえているのをクレイは感じた。かぎ爪《づめ》をしっかりと立てて首をまっすぐにのばしてはいるが、クレイにふれた翼の先から恐怖《きょうふ》のふるえが伝《つた》わってくるのだ。そしてクレイはクレイでまったく同じ気持ちで、その場から動くことができなかった。この巨大《きょだい》なナイトウイングにじろじろと見つめられていると、まるで体じゅうのうろこを一枚《まい》一枚ゆっくりとはがされているような気分になる。

スターフライトのほうをちらりと見ると、彼《かれ》はクレイが見たこともないほど固《かた》まってい た。自分と同じように、おそろしくてちぢみあがっているのだ。スターフライトはおびえたときに、こうして固まってしまう。まるでそうして動かずにいるうちにすがたが消え、危険《きけん》をやりすごせることを祈《いの》っているかのように。

どうしてもモロウシーアから顔をそらせなかったので、グローリーのほうを向くことはできなかったが、彼の視線《しせん》がグローリーのほうを向いた瞬間《しゅんかん》、クレイにはわかった。大きな黒いドラゴンが、ちっぽけなレインウイングのドラゴンの子を見おろす。その鼻先がいまいましげにゆがみ、しわがよる。歯の間から、ふたつにわれた黒い舌《した》がのぞいた。

クレイは、自分の翼がどうくつのはばと同じくらい大きかったらいいのにと思った。そうしたら翼を広げ、モロウシーアから仲間《なかま》たちのすがたをかくしてあげられるのに。そして、自分のかぎ爪が天井からつりさがる鍾乳石《しょうにゅうせき》のように巨大で、とがった岩のようにするどかったらいいのにと思った。そして自分の体が大きく、その巨体《きょたい》に見あうだけの勇《ゆう》かんさがあったらいいのにと思った。目の前に立つ大きく、ふきげんそうに顔をゆがめた、とてつもなく危険なドラゴンから仲間を守りたい……。かつてこんなに強い想《おも》いをいだいたことなどクレイにはなかった。

どうかモロウシーアに心を読まれていませんようにと、クレイはひたすら祈った。**牛のことを考えろ。牛のことを考えろ。まるまる太ったおいしい牛だぞ……。**

モロウシーアはゆっくりと首を横にふり、きびしい目でケストレルを見おろした。長いかぎ爪を一本のばし、グローリーを指さしてみせる。

「あれ、は、**なんだ?**」モロウシーアは宙《ちゅう》を飛《と》ぶドラゴンを二十頭は殺《ころ》せそうなほど毒々《どくどく》しい声でほえた。

スターフライトがあとずさり、クレイはグローリーの様子を見た。彼女《かのじょ》はかぎ爪の上にしっぽを乗せ、ぺったりと地面にすわりこんでしまっていた。海原《うなばら》のように青いその体じゅうを、むらさきと金がたがいを追いかけ、かけ回っている。毛の生えた耳の辺《あた》りをいろどる炎《ほのお》のような赤だけが、彼女が怒《いか》りをいだいているあかしだったが、クレイには彼女が必死《ひっし》に冷静《れいせい》な顔をしているのがわかった。岩ぺきのように表情《ひょうじょう》ひとつうかべない顔で、静《しず》かにモロウシーアを見つめ返している。

「事故《じこ》があったのよ」ケストレルが、言いわけをした。彼女がそんな声をだすのなど、クレイは聞いたこともなかった。「スカイウイングの卵《たまご》をなくしてしまって、どこかで別《べつ》の卵をさがさなくちゃいけなくて――」

「それでレインウイングの卵を？」モロウシーアは容赦《ようしゃ》ない声で言い返した。

「わたしじゃないわ」ケストレルは首を横にふり、しっぽでウェブスをさした。「ウェブスがこの子の卵を持ってきたのよ！」

「でも、それでとりあえず五頭のドラゴンの子がそろったんだ」ウェブスが言った。「重《じゅう》要《よう》なのはそこだけさ」

モロウシーアは黒く長い鼻先をグローリーに向けた。それから、小さな悲鳴をあげて地面に低《ひく》くふせたサニーに視線をうつした。「むしろ、四頭半ってところだな」いまいましげに、モロウシーアが言った。「きさまは本当にサンドウイングなのか？ ろくに食っていないのか？ いったいなんでそんなすがたなんだ？」

長いちんもくがおとずれた。サニーはなんとか答えようと口をぱくぱくさせながら、がたがたと全身をふるわせていた。

「食べてるわ」ツナミが、つい口をはさんだ。「よく食べてる。みんなと同じくらいにね」

「体が小さいのは、この子のせいじゃないよ」スターフライトまで口を開いたので、クレイはおどろいた。

「戦士《せんし》としても優秀《ゆうしゅう》なんだよ。グローリーもそうさ」クレイが言った。

「むだ口をたたくんじゃない」モロウシーアがそう言うと、みんなはぴたりと静まった。するどく残《ざん》にんそうな視線が、クレイのほうを向く。

牛のことを考えろ。牛のことを考えろ。牛のことを考えろ。

大きなナイトウイングは、今度は三頭の世話係《マインダー》のほうを向いた。「どうも、なにかひどいまちがいが起きているようだな」

「そのとおり！」ツナミがまた大声をだした。「どんなまちがいか教えてあげるわ。あたしたちみんな、囚人《しゅうじん》みたいなあつかいを受けてるのよ！　このどうくつから、たった一回でも外にだしてもらったことないんだから。世界をすくえだのなんだの言われたって、世界のことなんてまき物でしか読んだことないのよ。あたしたちみんな世界でいちばんりっぱなドラゴンになるはずなのに、この三頭ときたら、まるでゴミみたいにあつかうんだから！」

クレイは信じられなかった。ツナミはみんなのように、モロウシーアがおそろしくないのだろうか？

「ツナミ、口をつつしめ」デューンがしかりつけた。

「いやよ」ツナミがさけんだ。「お願《ねが》いだからここからだしてよ。いっしょに連《つ》れていって！」とモロウシーアにすがる。

お願いだからやめてくれ！　クレイは心の中で言った。**ちがう、そうじゃない。牛のことを考えろ、牛のことを考えろ……**。このナイトウイングのすがたを見てしまった今、クレイはモロウシーアのかぎ爪に運命をゆだねるくらいなら、ここに閉《と》じこめられていたほうがましだった。

「恩知《おんし》らずのトカゲどもめ！」ケストレルが怒りに声をふるわせた。

そのとき、なんの前ぶれもなくモロウシーアがツナミにおそいかかった。白いいなずまのようにかがやく牙《きば》が、彼女の首へと向かっていく。まるで夜空が落ちてきたみたいだ、と思った瞬間、クレイは自分も飛びだしているのに気がついた。自分を止めるまもなく、ごつごつとしたモロウシーアの背中《せなか》に飛びかかっていたのだ。

うごめく黒いうろこの小さなすきまに爪を食いこませ、つかめるところをさがす。バランスを取ろうとして、しっぽがあちこちにのたうち回る。するどくとがったしっぽの先が、もうれつないきおいでモロウシーアの翼にこすれるのをクレイは感じた。地面を見おろしてみると、ツナミが横に転がってこうげきをよけ、反撃《はんげき》しようと体勢《たいせい》を立て直しているところだった。彼女の青いかぎ爪がモロウシーアの鼻と下腹《したばら》におそいかかる。

クレイは必死に戦《せん》とう訓練《くんれん》を思いだそうとしていた。とがった背《せ》びれが腹《はら》に食いこんでくる痛《いた》みを無視《むし》しながら、必死にナイトウイングの背中にはりつく。そして首を前にのばすと、思いきり力をこめてかみついた。

痛い！　あごがはれつするような痛みにおそわれ、クレイは首を引っこめた。重なりあう黒いうろこには、弱点らしきものがどこにも見当たらないのだ。

モロウシーアがツナミから飛びのき、もうれつに体をゆする。クレイはつかまっていられず、はらい飛ばされてしまった。はでな音をたてて地面に落ち、そのまま川のほうまですべっていく。

ふらつきながら立ちあがって顔をあげると、ツナミとモロウシーアが身がまえ、向きあっているのが見えた。モロウシーアがのどのおくでうなり、一歩あとずさった。ふり回したしっぽがクレイの視界《しかい》に飛びこんできた。

しっぽの先が矢じりのような形をしているが、そのすぐそばのうろこがうすい部分にサニーがしがみつき、深々と牙をつき立てていた。それを見たクレイは、その弱点をすっかり忘《わす》れていたのに気づいた。どんな種族のドラゴンであろうと関係《かんけい》なく、だれにもある弱点だ。

「ほほう、こいつはおどろいた」モロウシーアはそう言うと、ちっぽけな吸血《きゅうけつ》こん虫でもむしり取るようにサニーをわしづかみにし、やすやすと引きはがした。つかまれたままもがくサニーを、モロウシーアが地面におろす。

「あいつは合格《ごうかく》だ」モロウシーアはツナミを指差《ゆびさ》しながら、世話係たちに言った。三頭は、ドラゴンの子たちがこうげきされている間も、まったく動こうとはしなかった。

グローリーも。

スターフライトも。

クレイは、石筍《せきじゅん》そっくりに擬態《ぎたい》しているスターフライトのとなりに、よろよろと立ちあがった。クレイの視線をさけ、スターフライトがうなだれる。

「それと、あいつも合格だ」モロウシーアはクレイのほうをあごでしゃくってみせた。ケストレルが鼻を鳴らす。

自分が合格？　クレイはとまどった。自分のこうげきは、まったく歯が立たなかったのだ。本物の戦とうだったら、なんの役にも立ちはしない。仲間を守ろうと立ち向かったあのときでさえ、自分の中でねむっているはずの怪物を引きだすほどの怒りを感じることはできなかった。モロウシーアがみんなの心を読めば、クレイになどだれも期待していないのがすぐにわかるはずなのに。

「だがこいつは……」モロウシーアは武器《ぶき》としてはなんの役にも立たないサニーのしっぽを、そして奇妙《きみよう》な黄金のうろことモスグリーンのひとみをながめ回した。「様子見だ」

「おれたちは予言のとおりにしたんだ」デューンが言い返した。「この子の卵は一か所に固まった他の卵たちとは別に、砂漠《さばく》にうまっていたんだよ。予言にあるとおりにね」

世話係がドラゴンの子たちの卵をどこで見つけたか話すのは、これが初《はじ》めてだった。サニーはうれしそうにデューンの顔を見たが、彼はモロウシーアの黒い目に見つめられてだまりこんでしまった。

「そしておまえだ」モロウシーアがスターフライトのほうを向いた。「おまえはナイトウイングの能力《のうりよく》を使って、おれがあのシーウイングをきずつける気がないのを読み取ったな。

もしかしたら、今日おれが来るのも予見していたのだろう。ならば、おれがとなりのどうくつにおまえを連れていってふたりだけで話をしようとするのだって、もちろんわかっているだろうな」

クレイは身ぶるいした。モロウシーアと**ふたりだけで話をする**など、聞いただけで心臓《しんぞう》が止まってしまいそうだ。がっくりと首をうなだれたスターフライトを見て、クレイは彼もまったく同じ気持ちなのだと感じた。かわいそうに思いながら、学習室に向かう二頭のナイトウイングを見送る。モロウシーアは入り口で立ち止まると、世話係たちをふり返った。

「**あの娘**《むすめ》については、あとで話すとしよう」グローリーを見て言ったわけではなかったが、全員が彼女のほうを向いた。どうくつの先に消えていくモロウシーアの足音を聞きながら、グローリーが耳をぴくりと動かし、少しだけ顔をあげた。

今のはどんな意味なんだ? クレイは不安《ふあん》になった。いったいどんな話があるというのだろう?

「まったくばかなシーウイングだよ!」ケストレルはものすごいいきおいで飛んでいき、ツナミの鼻先を引っぱたいた。「初めて会うドラゴンにあれこれ不満《ふまん》を言って! わたしたちの顔をつぶしてさ! わたしたちだって、なにもかも犠牲《ぎせい》にしてあんたたちのめんどうを見てるんだ。自分のことばかりぐだぐだ言うんじゃないよ!」

「そんなにいやなら、あんたもやめちゃえばいいでしょ？」ツナミが言い返した。

「わたしたちは、君たちの安全を守ってるんだよ」ウェブスがわって入った。ケストレルよりもおだやかな声だったが、地面をばたばたと打つ青緑色の彼のしっぽを見て、クレイはウェブスも頭にきているのだと思った。「このどうくつから君たちをださずにいるのは、それが目的《もくてき》なんだよ。〈平和のタロン〉は予言を実現《じつげん》させるため、君たちを守り続《つづ》ける。ここから外にでようものなら、数えきれないほどのドラゴンが、君たちの命をねらっておそいかかってくることになるんだ」

「そうしたらどんなことになるか、考えたことがあるのか？」デューンが言った。

「わたしたちの仕事は、あんたたちの命を守ることよ」ケストレルが続く。「それだけ。予言のほうは、勝手に実現するわ」

「りょうかい、りょうかい」ツナミが言った。「やれやれ、おかげさまで人生は最高《さいこう》よ。本当にありがとう」

ケストレルがシュウシュウと、炎をはくときの音をもらし始めた。クレイがツナミのしっぽをつかみ、川のほうに引きもどす。

「みんな感謝《かんしゃ》してるわ」サニーがケストレルの目の前に飛びだした。後《うし》ろ脚《あし》で立ちあがっているが、ふつうのドラゴンの半分の背たけもない。金色の耳がピクピクと動いた。「死んじゃうより、生きてるほうがずっといいもの！　こうして守ってくれて、本当にうれしい。本当だよ」

「さてと」ウェブスがケストレルとデューンに、自分たちのどうくつのほうをしめした。

「ちょっと話をしなくちゃいけないな」

「そろそろ、**あっち**の話も終わってるころだろうしね」ケストレルがけわしい顔で言うと、三頭は飛《と》び散《ち》った石筍のかけらをふみつけながら立ち去っていった。

ツナミはいらだちまぎれにフンと鼻を鳴らすと川に飛びこみ、怒りにまかせてぶくぶくとあわをはきながら川底《かわぞこ》へとどんどん深くもぐっていき、そこで丸くなった。

どうくつを静けさがつつみこんだ。サニーとクレイはちらりと顔を見あわせ、それからグローリーのほうを向いた。

レインウイングのグローリーは自分のまわりできれいにしっぽを丸めたまま、さっきとまったく変わらないすがたでそこにすわっていた。クレイは、自分もあれくらい落ち着いていられたらいいのにと思った。グローリーはまるで、なにごともなかったかのような顔をしている。

「だいじょうぶかい?」クレイは声をかけた。彼女の前に回りこんですわり、表情をじっとうかがう。サニーがグローリーのとなりにやってきて、むらさき色の翼に自分の小さな金色の翼をこすりつけた。

「もちろんだいじょうぶ」グローリーが答えた。「だって、ああなるのはみんなわかってたじゃない？　ケストレルたちには昔っからほめられたことなんてなかったもの」

「でも、グローリーはすごいじゃないか」クレイは力強く言った。「ケストレルたちにはわからないだけ――」

「ううん、わかってるじゃない。レインウイングだって」グローリーは肩《かた》をすくめてみせた。「気にしちゃいないわ。わたしをここに連れてきたのは、世話係の責任《せきにん》だもん」

「なんでわたしたちといっしょにモロウシーアと戦《たたか》わなかったの？」サニーが質問《しつもん》した。「そうしてたら、グローリーだってみんなと同じくらい勇かんで強いって、思い知らせることができたのに」

「わざわざそんなことする意味ある？」グローリーが答えた。「あれは考えるまでもなく試験《しけん》だったし、わたしはとっくに落第してたんだもの」うろこにおおわれた背中についたスカイブルーのまだらもようがみゃく打ち、だんだんと他のうろこのむらさきや金色を飲みこみながら全身に広がっていった。

「とにかく、予言のこともモロウシーアに言われたことも、ぼくたちは気にしないさ」クレイがたのもしく言った。「君はぼくたちにとって、五頭めのドラゴンの子だ。だれにも代わりなんてできやしないよ」

　グローリーはうかない顔で「すごくやさしいのね」と答えるとあくびをして「わたし、昼寝《ひるね》する」と言った。

「え、今？」サニーがおどろいた。「そんなことしてる場合？」

グローリーはいつでも昼ごはんを食べると二時間ほど昼寝をするのだが、モロウシーアが来ている間は起きていたほうがいいのではないかとクレイは思った。あの大きな黒ドラゴンにいねむりなど見つかったらと思うと、それだけでおそろしい。彼は学習室に続くどうくつを見つめた。ナイトウイングのテレパシー能力は、どのくらい遠くまでとどくのだろうか？　岩ぺきがあっても心を読むことができるのだろうか？

「つかれてるのよ」グローリーがいらだった声で言った。「それにどうせあいつらにはまけ者だと思われてるんだしね。わたしがなにしてようが、もう関係ないわ」

クレイは、グローリーがなまけ者なんかではないのを知っていた。世話係たちがまったく目をとめてくれなくたって、戦とう訓練でもドラゴンの戦争《せんそう》の歴史《れきし》の勉強でもだれよりもよくがんばっているのだ。たぶん昼寝をせずにいられないのは、なにかレインウイングの習性《しゅうせい》なのだ。とはいえ、それでいったいなにが変わるのか、クレイにはわからなかった。昼寝から起きてきても、グローリーはねる前と変わらずとげとげしいのだ。

「なにかすごいことがあったら起こしてよね」グローリーが言った。「でも、本当にすごいことじゃなくちゃだめだよ。サニーにとってすごいことじゃなくて」グローリーが仲良《なかよ》さそうに鼻先でつつくと、サニーはひどいことを言うなとばかりの顔をつくり、おどけてさけんでみせた。

「わたしだって、**なんでもかんでも**すごいと思うわけじゃないってば！」サニーがばさばさと羽ばたいた。「それに、みんながすごいと**思わなさすぎ**なのよ！」

「じゃあこう考えてみようよ。どうくつをでて予言を実現させる。すごいよね。川で、変《へん》な白いカニをつかまえる。こっちはすごくない。わかった？」グローリーはそう言うとサニーをつつき、すっかり青くなったしっぽをのばして自分の部屋に引っこんでしまった。

　サニーはクレイを見て、目をぱちくりさせた。

「わかってるってば。あのカニはほんとに変だし、見れてよかったよ」

「でしょ？　そうだよね？」サニーが言う。

「あれが見られるなら、ねむってるときに起こされたっていいくらいだよ」クレイはやさしくつけ足した。

「ふふ、そうでしょう。あ、わかった。だからみんなを差《さ》しおいて自分だけで半分も食べちゃったんだね」サニーはそう言うとお気に入りの石筍のところに行き、あちこちにあいたあなに爪を引っかけてよじ登り始めた。

　クレイは、となりに転がる岩の上に登った。「ねえサニー、ここからにげだせるとしたらどう思う？」

　サニーはぴたりと動きを止めると、おどろいたように緑の目を大きく見開いてクレイの顔を見た。「このどうくつからでるっていうこと？　世話係たちとはなれて？　無理《むり》よ、そんなことできるわけないわ。みんな、予言どおりにしなくちゃいけないもの」
「ほんとにそう思う？」クレイは答えた。「あ、ぼくたちもそう思ってるってことだよ」おどろいたサニーが石筍から落ちそうになったのを見て、あわててつけ足す。「でも世話係たちがぼくらよりも予言のことをわかってない可能性《かのうせい》もあるじゃないか。もしかしたらぼくたちは外にでて、自分たちなりのやりかたで戦争を止めなくちゃいけないかもしれないんだ」

サニーはてっぺんにちょこんと腰《こし》かけると、石筍にしっぽをまきつけ、後ろ脚でバランスを取った。どうくつの天井からたれさがっている鍾乳石の、するどい先端《せんたん》に向けて手をのばす。「あんまりいい考えだとは思わないな。予言にしたがっていれば、きっとなにもかもうまくいくわ」かぎ爪の先がいちばん低い鍾乳石をかすめたが、体の小さなサニーにはまだ手がとどかなかった。いらだちのため息をついて、またすわり直す。

クレイは、グローリーのどうくつからとどくやわらかな青い光をじっと見つめた。**予言にしたがう。**けれど、本物の予言にはグローリーもふくまれているはずだと、彼には思えてならなかった。

もし予言がまちがっていたら、どうするのだろう？

5

ずいぶんと時間がたってからようやく、スターフライトがこそこそとみんなのいる中央どうくつにもどってきた。すぐ後ろから、モロウシーアもついてきている。予知能力《のうりょく》もテレパシー能力も持たないクレイには、スターフライトが真実を話してしまったのかを知るすべはなかった。スターフライトは他のドラゴンの子と同じく、ふだんとまったく変《か》わらない様子だ。だが、モロウシーアに真実を話せるような度胸《どきょう》など、だれが持っているというのだろう？

巨体《きょたい》のモロウシーアはサニーにもクレイにも声をかけず、世話係《マインダー》たちのどうくつに入っていった。スターフライトはふたりのほうをちらりと見ると、自分の部屋に向かって歩きだした。

クレイは急いでそのあとを追った。

「どうだった？　なにを話したの？」

「それを話すわけにはいかないんだ」スターフライトがけわしい声で答えた。そしてどうくつのまん中にすわりこんでやや翼《つばさ》をたれ、ゆかに転がっているまき物をあれこれと手に取ってなにかをさがし始めた。

「こっちにあるよ」クレイはそう言うと自分のねる岩のはりだしの下に転がっている、銀色の文字がならんだ太いまき物をつついた。スターフライトはかぎ爪《づめ》を一本のばしてまき物をひっかけると、それを翼の下にしまって自分のねどこに持っていった。鼻の上にしっぽをたらすようにして体を丸め、まき物を読み始める。

「そんなにひどい目にあったのかい？」クレイは声をかけた。『ナイトウイング物語』はスターフライトのいちばんのお気に入りで、なにか腹《はら》のたつことがあったり、他のドラゴンの子たちとけんかをしたりすると、必《かなら》ずこのまき物を読むのだ。

スターフライトのしっぽの先がピクピクと動いた。「勉強しなきゃいけないことが、おいらには山ほどあるんだよ」

「でも、もうなんでも知ってるじゃないか！　ピリアじゅうさがしたって、君ほど頭がいいドラゴンの子なんていやしないよ。モロウシーアのやつだって君の心を読んだらそのくらいわかるはずだよ」

スターフライトは、なにも答えなかった。

「あいつ、君のこと気に入ってるように見えたけどな」クレイは続《つづ》けた。「君はナイトウイングなんだし、いずれ偉大《いだい》で高貴《こうき》なドラゴンになるとか、そんな感じのこと言われたんじゃない？」

スターフライトは、うんざりしたように鼻から長い息をはきだした。「そうだよ。ぴったりそのとおりのことを言われたよ」

「へえ、だったらいいじゃないか。いつになったら能力が手に入るか、教えてもらえたのかい？」

スターフライトはかぎ爪でまき物のはしをちぎりながら、いじくりまわした。自分でも気づかないうちにまき物をやぶってしまうほど取りみだすスターフライトなど、クレイは見たことがなかった。はげましの言葉をかけてあげたかったが、どんなことを言えばいいのか、まったく思いうかばなかった。

「とにかく、君はレインウイングじゃないんだ」と、なんとか口にする。「モロウシーアのやつ、グローリーのことはなにも言ってなかった？」

スターフライトは岩のはりだしから、むずかしい顔をつきだした。「ほとんどなにも。ただ、あのレインウイングのことは気にするな、自分にまかせておけ、ってさ」

クレイは、地面から冷《つめ》たいものがのぼってきて体じゅうに広がっていくように感じた。

「どういう意味？　あいつ、グローリーになにする気なんだ？」

「おいらが知るわけないだろ」スターフライトは、またまき物に顔を向けた。「もしかしたら、家に帰されるのかもね。おいらたちの中で、いちばんラッキーなのはあの子かもしれないよ」

クレイは、もうれつにいやな予感におそわれた。世話係たちが、すんなりとグローリーを解放《かいほう》するなんてありえない。なにせ何年もずっと、このひみつの場所でひっそりとくらしてきたのだ。

「こっそりたしかめなくちゃ。あいつらの計画をつき止めるんだ」クレイはぱっと立ちあがったが、出口に向かいかけて立ち止まり、いまいましげに片足《かたあし》で地面をふみ鳴らした。「ああ、やっぱりだめだ。行ったところでモロウシーアのやつにばれるに決まってるじゃないか」

「そのとおり」スターフライトがうなずいた。「君が大げさにあれこれ心配してるのなんて、あのドラゴンにはお見通しさ」

「ぼくが大げさにあれこれ心配してるなんて、なんでわかるんだよ」クレイはむっとした。

「もしかしたら、冷静沈着《れいせいちんちゃく》かもしれないだろ」

スターフライトは、おもしろそうにふきだした。モロウシーアが来てから楽しげな声をもらしたのは、これが初《はじ》めてだ。クレイは心配でたまらなかったが、それでもやはりうれしかった。

「ちょっと、なにするの？」サニーの声が、中央どうくつのほうからひびいてきた。不《ふ》安《あん》そうなうわずった声だ。「いったいなんなの？」重いドラゴンの足音と、ガチャガチャという不気味《ぶきみ》な音が聞こえる。「やめて！　まって！　ひどい！」

　なにかが水に落ちる大きな音がした。

　クレイはスターフライトをすぐ後ろにしたがえて中央どうくつにかけこんでいったが、恐怖《きょうふ》におののいて立ち止まった。両手で長い鉄の鎖《くさり》を持ったケストレルとデューンが川岸に立っていたのだ。その背後《はいご》には、しっぽでサニーをつかまえたモロウシーアがいた。サニーはそれをふりほどこうともがいていた。

　すると、川からウェブスがあらわれた。身もだえするツナミをらんぼうに岸にあげる。ケストレルとデューンは手にした鎖をツナミの首にかけると、さらに片脚《かたあし》にまきつけた。それから三頭の世話係たちは、ツナミを天井《てんじょう》までとどく大きな岩の柱まで引きずっていった。デューンがその柱にぐるぐると鎖を二回まきつけると、ツナミはもう三歩くらいしか動けなくなってしまった。

　ケストレルは鎖のはしを手に取って炎《ほのお》を浴《あ》びせた。すると鉄の鎖が真っ赤にやけてとけ、ぶくぶくとあわだちながらすっかりくっついてしまったのだった。

　ツナミがつかまった。

　あっというまの出来事で、クレイには止めることはおろか、なにが起きているのかもまったくわからなかった。わけもわからずさけび声をあげながら突進《とっしん》を始める。

「ツナミを放せ！」クレイは鎖をつかんだが、熱《あつ》い鎖に手をやかれ、すぐにはなしてしまった。

「こんなことして、後悔《こうかい》するよ」ツナミがいどむように言って、後《うし》ろ脚《あし》にまかれた鎖を引っぱったが、そうすると首にまかれた鎖がどんどんしまるばかりだった。苦しげにあえぎ、鎖から手をはなす。「自由の身になったら、覚《おぼ》えてなさいよ……あたしの一族に話したらどうなるか……〈運命のドラゴンの子〉をこんな目にあわせたと世界じゅうが知ったらどうなるか……」

「そんな一族の話なんて、あんたの妄想《もうそう》だよ」ケストレルがあざ笑《わら》った。「あっちはあんたのことなんて気にしちゃいないんだから。予言が本当になるときがおとずれて、あんたがまだ生きてて、〈平和のタロン〉の下にいること。大事なのはそれだけなんだ。そうやってしばらく川からでてれば、自分がどれほどめぐまれてるか思い知るだろうさ」

「どうしてこんなことをするの？」サニーがさけんだ。「ツナミは優秀《ゆうしゅう》よ！　すごいドラゴンなのよ！　世界をすくえるドラゴンがいるなら、それはツナミよ！」

「よく聞けよ、ちびのサンドウイング」モロウシーアがきびしい声で言った。「きさまがついていくべきドラゴンの子は、あそこにいるあのスターフライトだ」そう言って、根っこが生えたように自分の部屋の前で立ちつくしているスターフライトのほうをあごでしゃくってみせる。スターフライトはちぢみあがった。「ナイトウイングは生まれついてのリーダーだ。あの小僧《こぞう》は、きさまたちの中じゃ別格《べっかく》なんだよ。あの小僧の言うとおりにしていれば、きさまたちはなにも問題ないのだ」

クレイがスターフライトの先に目をやると、自分の部屋の前で青ざめているグローリーのすがたが見えた。モロウシーアは彼女《かのじょ》を見て目を細めてから、外へと続く出入り口をふさぐ大きな岩のほうを向いた。

「また明日くる」彼《かれ》が世話係たちに声をかける。「すべてきちんと手が打たれているかを……確認《かくにん》しにな」

「わかったわ」ケストレルはそう答え、デューンとともに大岩を横にずらした。モロウシーアはそのすきまに体をねじこむようにすると、後ろをふり返ることもなくやみの中に消えていった。

「これは君のためだ」ウェブスはツナミの前で立ち止まった。ツナミがかぎ爪を立て、彼があとずさる。「わたしたちは君の安全を守りたいだけだよ。こんなやりかたはよくないかもしれない。しかし――」

「だが君たちドラゴンの子は、なにが自分たちにとっていちばんいいのかをわかっていない」デューンは、大岩を元にもどしながら言った。「気に入らないかもしれんが、おまえたちにはおれたちが必要《ひつよう》なんだよ」

「あなたたちみんな、今日は最低《さいてい》だったわね」ケストレルが言った。「今夜は晩飯《ばんめし》ぬきだよ。さっさとねなさい。耳ざわりだから、朝までなさけない声なんてだすんじゃないよ」

「へえ？　他にはなにかある？　ひと晩《ばん》じゅう歌っていたい気分だったらどうしたらいい？」ツナミはいどむように大声で言うと、調子っぱずれの歌を歌い始めた。「**ドラゴンの子がやってくる！　世界をすくいにやってくる！　正義《せいぎ》のドラゴンの子が戦《たたか》うためにやってくる！**」

「おまえのせいだぞ」デューンがウェブスをにらみつけた。「だから、あんなひどい歌を教えるなと警告《けいこく》したんだ」

「**ほら、ドラゴンの子がやってくる！**」ツナミはさらに声をはりあげた。

「もっと鎖を持ってきてやろうか！」ケストレルが、ツナミの耳元でどなった。「なんなら鼻と口にまきつけて、無理《むり》やりだまらせたっていいんだよ！」

ツナミは歌うのをやめて反抗的《はんこうてき》にケストレルをにらむと、また息をすいこんでから口を開いた。

「それとも、お友達《ともだち》をもうひとり、つないであげようか？」ケストレルが言った。「クレイ辺《あた》り、よろこんでひと晩鐘乳石《しょうにゅうせき》からつるされるんじゃないかしら。そうしたらあんたも、ひとりきりですごさなくてもすむわよ」

クレイは、つかまる前にどこか安全なところに身をかくせないかと思いながら、足をもぞもぞさせた。

ツナミは口を閉《と》じると、他のドラゴンたちに背《せ》を向けてごろりと横になってしまった。大きく波打つように動くヒレが怒《いか》りを表していたが、ツナミはなにも言わずだまっていた。

「わかってきたようね」ケストレルはそう言うと赤いうろこにあざやかな炎をうつしながら、自分の部屋へと引き返していった。ウェブスが水にぬれたしっぽで地面に黒々としたあとを残《のこ》しながら、そのあとに続く。

ふたりを追おうとするデューンのしっぽに、サニーが飛《と》びついた。「ツナミをほどいてあげて！　こんなことするの、ほんとはいやでしょう？」

デューンはサニーをふり落とした。「おれたちは、すべきことをしているだけだよ」そう言って、ケストレルたちのあとを追う。

三頭の世話係が行ってしまうと、クレイはもう一度ツナミの鎖を引っぱってみた。どうしようもないほどがんじょうな鎖だ。

「クレイ、やめて」ツナミが小さな声で言った。「あんたにには、やらなきゃいけないことがあるでしょ？　さっさと行きなさいよ！」

クレイは、冷たい水がおそろしくてふるえたが、ツナミの言うとおりだった。今こそ、世話係たちをスパイしなくてはいけないのだ。

川に走り、思いきって飛びこむ。うろたえたサニーのさけび声がくぐもって聞こえる。クレイは流れにさからって、上流の岩ぺきめざして必死《ひっし》に水をかいた。暗やみでも光るツナミのうろこがない今、他のどうくつへとつながっているすきまをさがすのは大変《たいへん》だった。

だがクレイは手でさぐりながらようやくすきまを見つけだすと、そこに体をねじこんだ。心臓《しんぞう》がはれつしそうなほどドキドキしながら、世話係たちのどうくつにでる。クレイはゆっくりと水をかいて浮上《ふじょう》すると、水面から耳をだした。

昨日《きのう》の夜は大きな声の言《い》い争《あらそ》いが聞こえたけれど、今夜はちがう。三頭の大きなドラゴンたちは火の周《まわ》りに集まり、小声で話していた。まるでドラゴンの子たちがどうくつをぬけてぬすみ聞きしにくるのを知っているかのような、ぎりぎり聞こえるくらいのささやき声だ。だが、だれも川からしのびよってくるクレイのほうを見向きもしなかった。

「明日のいつごろだ？」ウェブスがたずねた。

ケストレルはさらに火のそばに身を乗りだした。うろこがいっそう赤くかがやく。「昼にはもどってくるそうよ。それまでにすべて整えておかなくちゃ」そう言って翼に爪を立て、落ちかけていたうろこをむしり取る。しっぽは体の横で、きっちりとどぐろをまいていた。「そのときにまだあの子がいたら大変だわ」

クレイは水中で、こぶしをにぎりしめた。きっとグローリーの話をしているのだ。

「わたしはそんなことをするのはごめんだよ」ウェブスが言った。

デューンがきつい目でウェブスをにらみつけた。「だれもおまえにそんなことは期待していないよ」

「そう。あんたの責任《せきにん》だとしてもね」ケストレルも続く。

「わたしはまだ、五頭そろっている必要があると思っているんだ」ウェブスが言い返した。

「モロウシーアはどうするつもりなんだろう?」

「きっとスカイウイングを連《つ》れてきてくれるんでしょう」ケストレルが言った。「今度は、変《へん》な代役なんかじゃなくてさ」

三頭はしばらくだまりこむと、じっと火を見つめた。

「さて、いつ、どうやるかだ」デューンは表情《ひょうじょう》のない声で言った。「おぼれさせるのが、いちばんかんたんだが」そう言って、ウェブスをにらむ。

「わたしが〈平和のタロン〉にくわわったのは、ドラゴン殺《ごろ》しを**止めるためだ**」ウェブスが答えた。「モロウシーアの言うことに反論《はんろん》はないが、自分の手をよごすのはごめんだよ」

「わたしがやるしかないね」ケストレルが、はりつめた声で言った。「あの子はただのレインウイングだけど、あんたからならにげられるかもしれない」そう言って、途中《とちゅう》からなくなっているデューンの脚《あし》と、ぼろぼろになった翼についた長いきずをつつく。

「だが、そんなことをしてたえられるのか?」ウェブスが言った。「さすがにやりすぎでは——だってわたしたちはみな、なにが起きたのか知っているんだし——」

「ぜんぜんそんな話じゃないわ」ケストレルがいまいましそうに言った。「グローリーはただのレインウイングなの。わたしはどうだっていいわ。好《す》きだと思ったこともない」口から炎の球をはきだし、目の前の火が大きくもえあがる。

「そういうことなら……」ウェブスが弱々しい声で言った。

「今夜、あの子がねむっている間にやるわ」ケストレルが言った。「あそこにしのびこんで、だれにも気づかれないうちに首を折《お》るつもりよ。特《とく》に鎖につながれてるあの子に気づかれないうちにね。わたしを止められるとしたら、ツナミだけだから」

クレイはもうれつな恐怖に体をふるわせ、三頭に気づかれるのではないかとおそろしくなった。ゆっくりと水をかいてあとずさる。そのとき、自分の名がよばれるのが聞こえて彼はその場にこおりついた。

「クレイはどうだ？」デューンが言った。「あいつなら、止めようとくらいはするだろう」

「ああ、まちがいないな」ウェブスがうなずく。「まったく役には立たないが、他の四頭のためにならなんでもするだろう」

「あんな忠誠心《ちゅうせいしん》を持つなど、ただのドラゴンならありえないことだ」デューンが言った。

「ましてや、自分とはちがう種族《しゅぞく》のドラゴンに対してなんてね」

「わたしがなんとかする」ケストレルが言った。「もしあの子の中にねむる狂気《きょうき》が目覚《めざ》めたとしても、わたしを止めることなんてできっこないわ」

クレイはもうそれ以上《いじょう》なにも聞きたくなかった。水中にもぐり、岩ぺきのすきまへと泳いでいく。

どうする？　どうすればいい？　ぼくにできることはないのか？
時間がない。
どうやってグローリーを助ければいいんだ？

6

「うそよ。世話係《マインダー》がそんなことするはずないじゃない」サニーは首を横にふった。

「いや、まちがいなくやるわ」ツナミが言った。「予言のためにそうするのが正しいと思ったら、なんだってするに決まってる」ドラゴンの子たちは、体じゅうのうろこが緑色になったグローリーをいっせいに見つめた。いつものすました表《ひょう》情《じょう》もすっかり消し去り、しっぽをばたばたとふりながらツナミがつながれた柱の周《まわ》りを歩き回っている。

「でも、そんなことさせるわけにはいかないよ」クレイが声をあららげた。まだ息を切らしながら、氷のように冷《つめ》たい水をぽたぽたとしたたらせている。「ツナミだって、そう思うだろ？　みんなで止めなくっちゃ」

「あなたまでまきこまれることはないわ」グローリーが言った。「これはわたしの問題だもの、あなたじゃなくてね」

「でも、止めるっていってもどうやって?」ツナミはグローリーを無視《むし》して、クレイに質問《しつもん》した。「あなたたちみんなが束《たば》になってかかったってケストレルにはかなわないし、そのうえあっちにはデューンもいるんだよ? さらにあたしはこのざまで、なにもできないし」そう言って牙《きば》をむいて鎖《くさり》にかみつき、きつく首をしめつける一本を引っぱる。

「だから脱走《だっそう》するんだよ」クレイが答えた。「君がしたがっていたようにね。今夜君を連《つ》れだして、みんなでにげるんだ。今すぐに」

「にげる?」サニーがうろたえた。

「まじめに聞いて」グローリーが言った。「あなたたちはなにもしなくていいよ。耳の周りのひだに、りんごのように赤いしまもようがうきあがる。「ここになじめないのはわたしだけなんだから。わたしが戦《たたか》うか、それとも……なにかをつき止めてみせる……」

「ぼくたちだってなにかしなきゃいけないに決まってるじゃないか」クレイは大声で言い返した。

「そんなにかんたんに脱走できるなら、おいらたちもうとっくに脱走してるよ」スターフライトが言った。後《うし》ろ脚《あし》で立ちあがったグローリーの向こうまで歩き、入り口をふさいでいる岩をたたいてみせる。「出口はここだけだ。大きなドラゴンにしかあつかえない仕かけでがっちり閉《と》じてある」

「そんな仕かけが?」クレイはおどろいた。

　スターフライトがうなずいた。「空も飛《と》べないデューンがどうやってここからでていってるか知ってるかい？　ここにはまる石を持ってるんだよ」そう言って、石壁《いしかべ》にぽっかりと口を開けたあなを指さしてみせる。「ここに石を入れてなにかを解除《かいじょ》すれば、どうくつの中からこの岩が動かせるようになるんだ。ケストレルやウェブスが外から帰ってくるときは、きっと表にあるレバーかスイッチかなんかを使って開けてるんだろうね」

「そうだったのか……」クレイは、何年もずっとあの岩を転がしてやろうと思っていた自分がとんだまぬけみたいに思えてきた。デューンがなにかを解除してから岩をどかしているのなど、まったく気づかなかったのだ。彼《かれ》が首にかけている奇妙《きみょう》な形の石がなんなのか、うたがってみたことすらなかった。

「じゃあ、デューンの石をぬすんじゃえば？」サニーが言った。

「最悪《さいあく》の考えね」グローリーがすぐに言った。

「まちがいなくつかまっちゃうよ」スターフライトは、やさしい口調で言った。「特《とく》に今夜はモロウシーアのせいで、おいらたちはすごく警戒《けいかい》されてるからさ」

「そうかあ。じゃあ空の——」サニーが口を開いたが、ツナミがすぐにさえぎった。

「その石がなくても岩をどかせる方法《ほうほう》、なにかない？」

　スターフライトは首を横にふった。「外からしかどかせないな。中からじゃ無理《むり》だよ。おいらもそのことは考えたことがあるんだ。信《しん》じてくれていいよ」

「だったら空の――」サニーが言った。

「力ずくで開けることはできないんだね？」クレイがスターフライトにたずねた。「みんなで思いきりおしても無理なの？」

スターフライトは首をふった。今度はグローリーが口を開く。「みんなの気持ちはうれしいけど、わたしのためにそんな危険《きけん》をおかさなくてもいいわ。みんなのことは、モロウシーアのやつも気に入ってるんだから。わたしのことは、わたしだけにまかせておいて」

「やめてよ」ツナミがしかりつけるように言った。「ひとりだけみじめな顔したって、今は意味ないんだから」

グローリーはかっとなった。「**みじめな顔なんて**してない！　意味もなくだれかに死んだりしてほしくないのよ！」

「それはあなたもね」ツナミが言い返した。「もし意味もなく死ぬのが自分だったらどうなの？」

「ふん、気にしないわ」グローリーが言った。「わたしは予言とは関係《かんけい》ないんだもの。どうなったってだれも気にしやしないわ」

「だったらあたしがこの手で殺《ころ》してあげるわ」ツナミがほえた。

「グローリー、ツナミはぼくたちにも関係あるって言いたいんだよ」クレイがわって入った。「いつもみたいに口は悪いけどさ」

「ねえみんな、空のあなはどう？」サニーはふたりの会話の間に、あわてて口をはさんだ。

「学習室のさ。あそこまで飛んでいってあなからでるっていうのは？」

「サニー、ばかなこと言わないでよ」ツナミがため息をついた。

「小さすぎるよ」スターフライトが言った。「おいらたちじゃ通れないってば。ましてやクレイなんてとても」

「でもわたしなら行けるかも」サニーが言った。「わたしが外にでて、スターフライトが言ってたみたいに外から岩を開ければいいじゃない。でしょ？ そうしたらみんなでられるよ」

クレイは自分の翼《つばさ》を彼女《かのじょ》の翼にこすりつけ、しっぽをからませあった。サニーは今日まで逃亡《とうぼう》計画を知らなかったというのに、それでもなんのためらいもなく、いちばん危険な役割《やくわり》を自分から買ってでてくれようとしているのだ。

「そんなことしてもむださ」スターフライトが言った。「悪いね、サニー。前にだれも見ていないときに、おいらもあのあなまで飛んでみたことがあるんだよ」

「あたしも」ツナミが言った。

「わたしも」グローリーが言った。

クレイはたじろいだ。これまでもしょっちゅう天井《てんじょう》のあなを見あげて星々や雲を、そして雨を見つめてきたが、あそこまで飛んでいってでられないか試《ため》してみようとは、思ったこともなかった。他のドラゴンの子たちのほうが、自分よりもずっと真剣《しんけん》に逃亡を考えていたのだ。

「あのあな、君が思ってるよりも小さいんだよ」スターフライトがサニーに言った。「おいらは頭しか入らなかったんだ。あそこからでるなんて無理だよ」

「でられるようなら、世話係たちがほっとくはずがないわ」グローリーが言った。耳からしっぽまでダークグリーンの波をたたせながら、ツナミのとなりに立ち止まる。「あいつら、本当に用心深いからさ。にげ道なんて残《のこ》ってるわけないよ」

「いや、あるはずだよ」クレイは身を乗りだした。どんどん残り時間が少なくなっていくのを感じる。もう、ケストレルがいつグローリーを殺しに来るかもわからない。ドラゴンの子たちが寝静《ねしず》まるまで待つと言ってはいたが、あっさり心変《こころが》わりするかもしれないのだ。みんなに見られていたって、ケストレルはかまわないだろう。

ツナミがちえをしぼっているのが、クレイにもわかった。なにか言いたいことがあるのをこらえているような顔で、彼のほうを見つめている。

「ケストレルたちと話してみるっていうのは?」サニーがおずおずと口を開いた。「もしかしたら説得《せっとく》して、鎖をほどいてもらえるかも」

グローリーが鼻で笑《わら》った。だれも答えなかった。サニーは体の両側《りょうがわ》にぴったりと翼をたたみながら、ため息をついた。

「なにか考えがあるんだね」クレイがツナミに言った。「わかるよ。だって、君はずっと逃亡計画をたて続《つづ》けてきたんだから」

彼女は鎖に爪《つめ》をたてた。「でも危険すぎるわ。やるならわたし」

ツナミがちらりと横に目を向けた。クレイもその視線《しせん》を追う。

川だ。

今までは上流にしか行ったことがない。世話係たちのどうくつにしのびこむためだ。だが下流を見れば川は中央どうくつから通路をぬけて戦《せん》とうエリアに入り、それから……そこから先は、クレイにもわからなかった。戦とうエリアの天井はどんどん低《ひく》くなり、川も見えなくなってしまうのだ。どこに向かって流れているかは知らないが、はるか地底《ちてい》にちがいない。クレイは、戦とうエリアで川にもぐってみたことはない。どこに川が流れていくのか、気にしてみたことすらないのだ。

だが、まちがいなくツナミはなにか知っている。

「川がどこに流れてるか知ってるの？」クレイはたずねてみた。

「ううん。ていうか、壁《かべ》にすきまは見つけたんだけど、世話係のどうくつに続いてるすきまよりもずっと小さいんだよ」ツナミが答えた。「もどれなくなったら困《こま》るから、一度も入ったことなくてね。でも、川がどこかに流れていってるのはたしかだよ」

「そこからでられないかな？」クレイは言った。

「全員は無理ね。あたしくらいのものよ」

「あとぼくだ」

ツナミは首を横にふった。「クレイ、あなたには無理だよ。すきまをぬけた先になにがあるかわからないんだもの。息を止めてられるのだって、せいぜい一時間でしょう？ 空気もないところで立《た》ち往生《おうじょう》しちゃったら、そのままおぼれ死ぬしかないのよ。それにあたしみたいに、暗やみで目が見えるわけでもないしね。なにがあるのかわからないのに、目も見えないまま泳ぐだなんて。行くならシーウイングしかいないわ。このあたししかいないの」

「でも、かりにそこから外にでられたとしてもさ」スターフライトが口を開いた。「どうやっておいらたちのとこにもどってくるんだい？ 自分がどこにいるかもわからないのにさ。外からこのどうくつにもどってくるなんて可能《かのう》なの？」

「天井のあなだ」クレイが、ついに自分ならではの考えを思いつき、顔をかがやかせた。「学習室で火をもやせば、けむりを目印《めじるし》にしてもどってこれるはずだよ。そうしたら入り口はすぐそこだ。開けかたを見つけて、みんなをだしてあげられる」

グローリーの目がいたずらっぽくかがやいた。「ちょうどもやしちゃいたいまき物がいくつかあるのよね」

ショックを受けた顔のスターフライトを見ながら、クレイもおかしそうに「あ、それぼくもだよ」と続く。「あの『ナメクジに似《に》たマドウイングの習性《しゅうせい》』を火に投げこんで、ぼくのことを考えてくれよな」

「くだらない冗談《じょうだん》はやめてよ！」ツナミがさけんだ。「クレイ、あなたは行っちゃだめ。どうしてもよ。そんなことしたら、ほとんどまちがいなく死んじゃうもの」

「でもぼくが行かなかったらグローリーが死んでしまうよ。そうだろう？」クレイは身を乗りだした。「他に方法はないんだよ」

ツナミはうめき声をもらすと、全体重をかけて鎖を引っぱった。がっしりとした鎖の輪《わ》が首のうろこに食いこむ。苦しそうにあえいでツナミがあとずさる。

「でも、昼間にならないとけむりなんて見えないでしょ？」サニーが不安《ふあん》そうに言った。

「その前にケストレルがここに来ちゃうんじゃない？」

クレイの胸《むね》の中で希望《きぼう》がくだけ散《ち》った。その可能性《かのうせい》を考えていなかったのだ。たしかに、まにあいそうもない――そうなれば、すべてはむだになってしまう。

グローリーがほほえみ、体をおおううろこが温かなバラのようなピンク色に変わった。

「わたし、どうすればいいかわかった。スターフライトの作戦《さくせん》よ」

「石のふりをして、だれにも気づかれないように祈《いの》るってこと？」ツナミがいじわるっぽく言った。

「ちょっと！」スターフライトがさけぶ。

「まさしくそのとおり」グローリーは、地面にかがみこんだ。すると、まるで岩が彼女を生きたまま食《く》らうかのように、彼女のうろこが灰色《はいいろ》と茶色と黒に変わり始めた。あざやかな美しい色がどんどん消えていく。グローリーの下に広がるごつごつとした岩の地面が完《かん》全《ぜん》に再現《さいげん》され、すっかりすきとおってしまったかのようだ。

グローリーがまぶたを閉じると、そのすがたが完全に消えた。

「すごい」サニーはあっけにとられた。「そういう力があるのは知ってたけど……だからって……こんな……」

「世話係たちは、わたしにこんなことができるなんて知らないわ」グローリーの声がいきなり石筍《せきじゅん》のてっぺんから聞こえたものだから、みんなは心臓《しんぞう》が止まりそうなほどおどろいた。「レインウイングについての授業《じゅぎょう》がぜんぜんなかったのはラッキーだったね。わたしはすみっこのほうにかくれ場所を見つけるよ。クレイ、わざわざ危険をおかして川に飛びこむことなんてないよ。わたしがこうしてればいいんだからさ」

「そうしてるって、どのくらい？」スターフライトがたずねた。「君がうえ死にするまでかい？　それともぐうぜん世話係のだれかが君につまずくまで？」

「さっきツナミが言ったとおりだよ」クレイは言った。「なんとかみんなでここを脱走しなくちゃ。それもできるだけ早く」

サニーは不満《ふまん》そうにツナミの顔を見て「どうしてみんな、今までわたしにだまってたの？」と言った。けれど、だれも答えなかった。

「やれやれ、わかった」グローリーがため息をついた。少しはなれたところに、緑のひとみがまたあらわれた。まっすぐにクレイを見つめている。「わたしのためだけにするんじゃなければ、もう好《す》きなようにするといいわ。わたしはクレイがもどってくるまでじゃまはしないから」

クレイは、自分のうろこまでバラ色に変わってしまうような気がした。グローリーが信《しん》頼《らい》してくれたのだ。自分ならできると、彼女が信じてくれたのだ。

グローリーを助けてみせる。みんなを助けてみせる。

まずは、死なずに川を泳ぎきらなくては。

7

「もう、最悪《さいあく》」ツナミが小さな声で言った。「ほんと最悪」自分をつなぐ鎖《くさり》を翼《つばさ》でたたく。

「こっちも最悪」グローリーの声が言った。

「シー！」スターフライトが川岸からふたりをにらみつけた。クレイは浅せに入り、体をぬらす冷《つめ》たい水にふるえている。炎《ほのお》もいっしょに水の中へ持っていけたらいいのにとクレイは思った。なにが待ち受けているのかわかればいいのに。本当に、本当に、ひとりきりで行くのはおそろしい。

だが、やらなくてはいけない。グローリーがすがたを消したどうくつのはしに目をやる。

「本当にそうするしかないの？」サニーはばちゃばちゃとしっぽで川をたたきながら言った。「もうちょっと時間があれば、ぜったいなにか思いつくのに」

「時間なんてもうないんだよ」クレイは答えた。

「流れに身をまかせていくんだよ」スターフライトが言った。「もしもこの川が外のどこかにつながっているのなら、必《かなら》ず川が連《つ》れていってくれるからね」

もしも。クレイは心の中でくり返した。

「息ができるところを見つけたら、必ず止まってひと休みするんだ」スターフライトが言った。「川から顔がだせなくなっても、パニックになっちゃだめだ。酸素《さんそ》を早く消費《しょうひ》しちゃうからね」

クレイは、もうパニックになっている気分だった。どこで呼吸《こきゅう》ができるかわからない暗やみの中を泳いでいくのだと思うと、おそろしくて体がこわばってしまう。

ふと自分の体に翼がこすれるのを感じて、クレイは横を向いた。渦《うず》をまく川に立つ彼《かれ》のとなりに、ぼやけたすがたのグローリーがいるのがわかった。

「かくれて」彼は小声で言った。

「ありがとう、クレイ」グローリーも小さな声で言った。「こんなこと言うのはいやだけど……でも、四頭の仲間《なかま》がいなかったら今日までがんばることなんて、とてもできなかったと思う」

「それはぼくもさ」クレイは答えた。グローリー、サニー、ツナミ、そしてスターフライトがいなかったら、この山の底《そこ》でのくらしはどんなにみじめだったろう。

「おいらもだよ」スターフライトが言った。

サニーがうなずいた。自分のしっぽをグローリーのしっぽとよりあわせ、クレイの手にふれる。スターフライトがもう片方《かたほう》の手にふれた。

「がんばってね」グローリーがそう言って川からでると、またすぐにかげの中にとけこんでいった。

「本当に、本当に気をつけて、クレイ」ツナミが言った。思わず身を乗りだした彼女《かのじょ》の両《りょう》脚《あし》を、首を、鎖がきつくしめる。「だめだったらすぐに引き返して。あぶないのにどんどん進んじゃだめだからね」

「ぜったい死なないで」サニーはクレイの首に両うでをまきつけ、翼で彼の翼をたたいた。

「みんなも気をつけて」クレイはそう言ってひとつ深呼吸《しんこきゅう》し、続《つづ》けざまにもうひとつ深呼吸した。「あんな岩、あっというまに開けてみせるよ」もうぐずぐずしていられない。クレイは仲間たちにうなずくと川に飛《と》びこんだ。

泳ぎだすと体が少し暖《あたた》かくなったが、戦《せん》とうエリアにさしかかるころにはもううろこに氷が固《かた》まっているのを感じた。岩ぺきの斜面《しゃめん》が川の中に入っている、おくの壁《かべ》まで泳ぐ。クレイは少し水面にうかぶと、川の流れに身をまかせた。そしてもう一度息をすいこみ、また水にもぐっていった。

戦とうエリアの壁にゆらめく松明《たいまつ》の炎をたよりに、黒々と口を開けたすきまをさがす。ツナミの言うとおりだ。世話係《マインダー》のどうくつに続くすきまよりもずっとせまい。もっと横長の形をしてはばも広く、ほえるドラゴンの歯のようにするどくとがった岩がならんでいる。中をのぞきこんでみても、見えるのは暗やみばかりだ。

片《かた》うでをつっこんでみても、なにもふれなかった。黒々とした水が周《まわ》りを流れていく。

クレイは水面から顔をだすと人生でいちばん長く、そしていちばん深く息をすいこみ、どうかこれが最後《さいご》の息つぎになりませんようにと祈《いの》った。頭上を水がおおい、おそろしい絶望的《ぜつぼうてき》な静《しず》けさがつつみこんだ。クレイはそれを頭の中からふりはらった。

すばやく足で水をかき、さっきのあなまでもどると、クレイはわれ目の両側《りょうがわ》の岩に手をかけて体を固定《こてい》した。ぴったりと翼をたたんで体につけ、頭からあなにもぐりこんでいく。続けて肩《かた》が、そして翼が、痛々《いたいた》しく石の歯にけずられるようにして入っていった。頭上に見つけた岩のさけ目に手をかけ、体を引っぱるようにして進んでいった。

翼が入り口をぬけたと思ったとたん、腰《こし》がつっかえてしまった。後ろ足をばたばたさせて、なにか引っかかるところをさがす。そして体を横向きにして、できるだけ平たくなって岩ぺきにへばりついた。必死《ひっし》にもがきながらスターフライトの言葉を思いだす。**パニックになるな。パニックになるな。パニックに——。**

その瞬間《しゅんかん》、とつぜん腰が自由になった。いきおいあまったクレイは回転して逆《さか》さまになり、翼をばたつかせながらなんとか体勢《たいせい》を取りもどした。両方の翼が岩にこすれる感触《かんしょく》がした。おそるおそる、暗やみに手をのばす。

周りからは岩ぺきや天井《てんじょう》がせまってきていた。ひどくせまく、そのため流れも速い。泳ごうとしなくても、どんどん前に流されてしまう。もう戦とうエリアからどのくらいはなれたのかも、すっかりわからなくなっていた。辺《あた》りは真っ暗やみだ。

水面に浮上《ふじょう》しようとして水をかくと、岩の天井に痛《いた》いほどのいきおいで頭がぶつかった。空気はない。川の水で満《み》たされたせまいトンネルがあるだけだ。もどろうとしたときに体の向きを変《か》えられるような場所があるのかすらわからない。

でももどったりするものか。もどれるものか。

クレイはせまいトンネルの中、必死に後ろ足で水をけり、翼をばたつかせながら泳ごうとした。頭から壁にげきとつしないよう、前脚《まえあし》をのばして様子をさぐる。そんな彼をあざ笑《わら》っているかのように、耳元で水がごぼごぼと音をたてた。今まで感じたことがないほど、心臓《しんぞう》の音が大きく聞こえる。

曲がりくねったトンネルをどれだけ泳いでいるのかもうわからなかったが、やがて、胸《むね》が痛くなってきた。これまでまるまる一時間息を止めたことなどなかったのだ。**一時間息を止められる**とみんなが知っているのは、いくつかのまき物にそう書いてあったからでしかないのだ。もし訓練《くんれん》しないと一時間もたないのだったら、どうしよう？　大人のマドウイングにしかできないんだったらどうしよう？　まだ自分の肺《はい》が成長《せいちょう》しきっていなかったらどうしよう？

もしこんなところでひとりおぼれ死んでしまい、仲間たちにその運命が知られることもなく、グローリーがケストレルに殺《ころ》されてしまいでもしたら、クレイはこのピリアで最《もっと》も役立たずのドラゴンになってしまう。

パニックになるな。

クレイは歯を食いしばると、もう何度そうしたかわからないが、また水面を目指してみた。頭上は相変《あいか》わらずかたい岩におおわれている。だが、その傾斜《けいしゃ》からすると、どうやら道が上に向かい始めているようだ。本当だろうか？　クレイは翼をのばして天井にふれながら、泳ぐスピードを速めた。

トンネルはまちがいなく広くなってきていた。もう両側の壁にも体がふれない。そして、頭上の岩天井もいつのまにかなくなった。流れる水のいきおいも弱まっている。まるで大きく開けた水たまりでも泳いでいるかのような気分だ。クレイは翼で水を打ち、しっぽでも水をかいてスピードをあげながら水面を目指した。どうやら思っていたよりもずっと深いところを泳いでいたようだった。

それにしても……頭上に見えるのは星だろうか？　クレイは興奮《こうふん》して思わず口いっぱいに水を飲みこんでしまった。もう外にでていたのだろうか？　水面のはるか上に、なにかがきらめいているのが見えるのだ。小さな光の点がいくつも、まるで天井のあなから見た星々のようにまたたいている。

頭が水面からでた。クレイは思わずさけび声をあげ、何度も何度も大きく深呼吸した。こんなにも空気がありがたいものだとは。

だがさけび声は、すぐ壁に当たってはね返ってきた。相変わらず地底《ちてい》のにおいしかしないし、聞こえるのもただ岩につつまれた静けさと、遠くでこだまする自分の声だけだ。

クレイは水面にぷかぷかとうかんでいた。水はとてもゆっくりとだが、まだ流れていた。はるか上のほうと、水たまりの両側、ずっと遠くの岩ぺきでまたたくいくつもの光をのぞいて、辺りには暗やみが広がっている。

光虫《こうちゅう》だ。

外にでたわけではなかったのだ。ここは数えきれないほどの光虫が住む、地底の空洞《くうどう》なのだ。

ふしぎなこん虫はみゃく打つように、緑色の光を放っていた。虫たちは光をともした触《しょっ》角《かく》をたらしており、頭上に広がる星々のカーテンのようなきらめきが、クレイの周りの水面にもうつっていた。そのうす明かりのおかげで、遠くの壁にアーチ形のあながあいているのが見えた。

外にでられたわけではないことにクレイはがっかりしたが、とにかく息はできる。彼はスターフライトの助言にしたがい、たっぷりと休けいをとった。あまりにも水が冷たかったせいで感覚《かんかく》がまひしており、しっぽの先も、翼のはしもわからない。上に向けて炎をはこうとしてみたが、すっかり胸も冷《ひ》えきっており、ほんの小さな火しかでなかった。もう一度あの水の中にもぐるなど、クレイは考えただけでもたえられそうになかった。

覚悟《かくご》を決めて深々と息をすいこみ、もう一度飛びこむ。

しかし、クレイはがくぜんとしてしまった。あの水流が見つからないのだ。どこから入ってきたのかもわからない。このどうくつから川が流れだしているのかすらわからないのだ。このおだやかな水たまりが終点だったらどうしよう？　あのはげしい流れにさからい、仲間のところまで泳ぎきることなどできるのだろうか？

だが水面から顔をだしてみたクレイは、自分が流されているのに気がついた。ゆっくりとしてはいるが、たしかに流れがあるのだ。クレイは翼を大きく広げてしっぽをまっすぐにたらし、しばらく流れに身をまかせると、自分がどちらに向かって流されていくのかをたしかめた。そしてまたうきあがると、ぎりぎりまで頭を水面からだしておこうと決め、そちらの方向へと水をかいて泳ぎだした。

どうくつのおくまでくると、光虫たちが放つうす明かりに照《て》らされ、水たまりの水が流れだす河口《かこう》が見えた。天井は相変わらずずっと上のほうだ。しばらくは息をしながら泳いでいくことができる。

クレイは翼で水をかいて進んでいった。頭上でかがやく光虫たちはまるで数えきれないほどのもえるひとみのようで、きれいでありながら不気味《ぶきみ》でもあった。だが、ごつごつとした岩となにも見えない暗やみしかなくても呼吸もできないあの水中よりは、ずっといい。

しばらくそうして進んでいくと、また水の流れが速くなってきた。川からつきだす岩に翼がこすれ、光虫たちもどんどん少なくなっていく。まるで戦とう訓練のケストレルのように、暗やみがクレイにのしかかってきた。

そのとき、ほえるような声が聞こえた。

クレイの耳がぴくりと立つ。今のはドラゴンの鳴き声だろうか？　とっさに、グローリーとクレイがいなくなっていることに気づいたケストレルの、怒《いか》りのさけびかと思った。だが、そんなものなどもう聞こえないほど遠くに来ているのは彼にもわかっていた。

ふと不安《ふあん》が胸をかすめる。自分とグローリーがいないのに気づいたら、ケストレルはいったいなにをするだろう？　みんなに――特《とく》にツナミに――ばつをあたえるだろうか？　反撃《はんげき》できないよう、鎖でがんじがらめにしてしまうのではないだろうか？

すっかり不安にとらわれていたクレイがはっとわれに返ると、あのほえ声がさっきよりも大きくなり、川の流れもみるみるはげしくなっていた。いきなり、川からつきだした岩にげきとつする。クレイは苦痛《くつう》につらぬかれながら水中でぐるぐる回転し、なにかつかまることができるものをさがした。

また別《べつ》の岩にぶつかり、はね返り、さらに別の岩にげきとつする。もう自分では止められないほど、川の流れは速くなっていた。さっきのほえ声に向かって、引きずられるかのようにクレイは流され続けた。

クレイはものすごい衝撃《しょうげき》とともに川からつきでた岩に衝突《しょうとつ》すると、かぎ爪《づめ》を一本残《のこ》らずそれに食いこませた。川がどとうのように流れ、いてつく水が彼を連《つ》れ去《さ》ろうとしっぽを、翼をつかむ。クレイは全力で川からはいあがろうとした。そしてようやく肩で息をしながら岩によじ登ったのだった。

自分が立っている岩がどのくらい大きいのかをたしかめようと、おずおずとしっぽを回してみる。大きい岩だ——クレイの手がとどかないところまで広がっている。自分が岸に立っているのがはっきりするまで、クレイはじりじりと前に進んでいった。となりの傾斜は、川から遠ざかるようにあがっている。

ふと、その斜面をちょろちょろと流れ落ちてくる小さな流れが、自分のうでのそばで川に流れこんでいるのに気づいた。うつむき、頭をふりしぼって考える。川からあがることはできたが、体の芯《しん》までつきさすような寒さだ。骨《ほね》にまきつき、しつこくまとわりついてくる。

炎をだすことができないかせきこんでみたが、むだだった。ドラゴンの中には、いつでも体の中に炎を宿すものがいる——スカイウイングやナイトウイングは、いつでも好《す》きなときに炎をはくことができるのだ。シーウイングとアイスウイングは、炎がはけない。そしてマドウイングたち他のドラゴンは、条件《じょうけん》がそろわないと炎がだせない——そしていちばん必要《ひつよう》なのは、熱《ねつ》なのだ。

何度も炎をはくのに失敗《しっぱい》し続けるうちに、クレイは自分がどれほどだめかののしるケストレルのはき捨《す》てるような声が聞こえる気がした。**今は忘《わす》れるんだ。つき止めなくちゃいけないことがあるだろ。**彼は心の中で言った。

今まで滝《たき》を見たことはないが、あのほえ声のような音の正体はそれではないかと思った。だが、なにも見えないこんな暗やみの中で滝にそうぐうするなどごめんだ。たとえ上を飛んでこえようとしても、なにも見えないのだからなにかにぶつかって墜落《ついらく》してしまうにちがいない。

だが、川をはなれるわけにはいかない――はなれられるわけがない。

クレイは爪《つめ》を一本だして流れ落ちてくる水にふれると、川よりも少しだけ温かいのに気づいておどろいた。いったいこれは、どこから流れてくるのだろう？　上から……そして上というのは地上の、外の世界のほうから流れてくるということだ。

外のにおいがするのではないかと胸をおどらせながら、クレイは息をすいこんだ。だがうっすらとにおってくるのは、くさった卵《たまご》のにおいだけだった。

クレイは覚悟を決めた。この流れはどこかに続いている。滝ではないどこかへと。クレイは翼を広げてどうくつの壁にふれると、ぬめった岩で何度も足をすべらせながら、流れにさからって登り始めた。

やがて、ゆくてに岩だながあらわれた。それによじ登り、水しぶきをたてながら流れよりも深い水たまりに飛びこむ。くさった卵のにおいはさっきよりも強烈《きょうれつ》になってきていた。クレイがざばざばと進んでいくと、水が深くなってきた。そのとき、下腹《したばら》のうすいうろこを切りさかれるような、するどい痛みを感じた。思わず声をあげ、また岩だなに飛《と》び乗《の》る。頭上にのばした翼がなにかぬめったものにふれ、翼のすじにさっきと同じ、つきさすような痛みを感じた。あわてて翼を引きよせたが、ぬめったなにかはまるでうろこにかみついた大きなヒルのようにいっしょについてきた。まるでデューンのしっぽについた毒《どく》ばりにさされまくり、皮ふをうら返されてしまったかのようだ。

あまりの痛さにクレイは悲鳴をあげ、斜面をかけおりて川にもどろうとした。だが、足元を流れていたはずの水の流れを感じない。なにも見えないまま、クレイはむきだしの岩の上でよろめいた。苦痛から必死にのがれようと、滝の音がするほうに飛びこんでいく。なにかかたいものに頭がぶつかり、クレイはどうくつのゆかにたおれた。

気を失《うしな》いながら、クレイは思った。**だめだ、失敗した……。**

8

こおりつくように冷《つめ》たい水が頭にかかった。体が川に落ちた瞬間《しゅんかん》、さけび声をあげながらクレイは目を覚《さ》ました。力強い手が肩《かた》をつかみ、水中の彼《かれ》をゆさぶる。

おそろしさに手脚《てあし》をばたつかせ、あわや流れにさらわれそうになる。なぞのドラゴンが彼の頭をつかんで水から引きあげ、さけんだ。「あばれないで！　助けてあげてるんだから！」

クレイはわけもわからず固《かた》まり、ゆさぶられるにまかせた。痛《いた》みはまだ残《のこ》っているが、うろこについたあのねばつく毒液《どくえき》は水が洗《あら》い流《なが》してくれた。パニックがおさまり、正気がもどってくる。クレイは水面から顔をだした。

「ツナミ！」クレイは羽をばたつかせて暗やみに水しぶきをたてながら、彼女《かのじょ》をつつもうとした。

ツナミの爪《つめ》が背中《せなか》に食いこんでくる。「お願《ねが》いよ、クレイ。動くのをやめて！」そう言うと彼女は自分のしっぽを使い、クレイのしっぽを水の中にもどした。「この白いやつらの正体は知らないけど、ものすごくくさいし、たぶんあんたのうろこをはがそうとしてるのよ。全部落ちるまで、水の中にいなさい」

ツナミはクレイの手を引いて岩にかけさせ激流《げきりゅう》に飲まれないようにすると、彼の頭からさらに水をかけた。彼はツナミのすがたを――というよりツナミらしき黒いかげを――見ようと目をこらしたが、それでもなにも見えないほどの暗さだった。自分にくっついている、冷たくぬれた彼女のうろこの感触《かんしょく》に集中する。本当にツナミがいるのだ。

「どうやってにげたの？」歯をがちがち言わせながらクレイはたずねた。流れの音がはげしくて、さけばないとおたがいの声も聞こえない。

「炎《ほのお》でね」ツナミが答えた。「ケストレルの炎で鎖《くさり》がくっつくなら、もっと強い炎なら切れるはずって思ったの。もちろんケストレルはあたしが炎なんてはけないのを知ってたけど、いつもどおりドラゴンの性質《せいしつ》だかなんだかで、あたしたちはぜったいに助けあったりしないって思いこんでたのね。でもサニーとスターフライトが協力《きょうりょく》してめちゃくちゃ熱《あつ》い炎をだして、鎖の輪《わ》をひとつだけとかしてくれたのよ。で、全速力であんたを追いかけてきたってわけ」

クレイは彼女の手のとなりにある岩に頭を乗せた。まるでうろこの間のきずが、苦痛《くつう》の歌でも歌っているかのような気分だ。「そうだったのか。こっちはごらんのとおり、今のところ最高《さいこう》さ。成功《せいこう》までもうひと息だったんだけど」

「そうだね」ツナミが笑《わら》った。「ほっといてもすぐに目を覚まして、自力で川にもどるはずだったのよね」そう言って自分の翼《つばさ》でクレイの翼を軽くたたいてみせる。

クレイには、本当にそんなことができたかどうかわからなかった。けれど、なさけないことは言えない。

「光虫《こうちゅう》は見た？」クレイは話題を変《か》えた。「すごくなかった？」

「そう？　あたしのほうがすごいよ」一瞬《いっしゅん》の間を置いて、アクアマリン色をしたツナミの下腹《したばら》からしっぽのしまもようにかけてが、光を放ち始めた。

どうくつの様子がぼんやりとうかびあがる。クレイは、なにかが見えるのがこんなにうれしかったことはなかった。

「ありがとう。まったく不公平《ふこうへい》だよな。君たちは暗くても目が見えるのに、残りのぼくたちは**光るうろこがない**と見えないんだから」

ツナミはばつが悪そうに首をうなだれた。「でもまあ、ものを見るために光るわけじゃないんだけどね」

クレイは水中で両脚《りょうあし》としっぽをのばした。うろこのぬめりは消え去っていたが、冷たい川につかっていてもまだ痛んだ。「そうなの？」クレイは、痛みを忘《わす》れようとして言った。

「じゃあなんで光るのさ？」

「それは……そうね……」ツナミが口ごもった。クレイは、そんな彼女を見るのは初《はじ》めてだった。なんだか本当に知りたくなってくる。

「教えてよ」クレイはツナミに水をかけた。

「またいつものくせってわけね」彼女が言った。「まじめなことを忘れるために、ばかな話をしてるんでしょう?」

「ちがうってば!」クレイは首を横にふった。「疑問《ぎもん》を声にだしてみただけさ。まじめな話をさけてるのは君のほうだよ」

「もう、わかったよ!」ツナミは顔をしかめた。「暗やみの中で光るのは、他のシーウイングをさそうためなの。そうやって恋人《こいびと》とか、あれこれ選《えら》ぶのよ」そう言ってクレイの頭を水中におしこむ。「ほらね、質問《しつもん》して後悔《こうかい》したでしょ?」

クレイは本当に、少しだけ後悔していた。ツナミがみんなを置《お》いて、かっこよくうろこをかがやかせた他のシーウイングのところに去っていってしまうところを想像《そうぞう》すると、クレイはどんよりと暗い気持ちになった。

「じゃあ上には行けないのか」クレイがため息をつく。「あの滝《たき》はどうする?」体のきずをツナミに心配してほしくない。痛みが消え去るまで、がまんするしかないのだ。

ツナミがにやりと笑った。「飛《と》びこんじゃえばいいのよ! 高さはどのくらいなの?」

「下にとがった岩がごろごろしてたらどうするんだよ?」クレイはさけんだ。「お願いだから、まずは滝の様子を見させてよ」

「わかった。見に行ってみよう」ツナミはクレイをはなして水に飛びこむと、あっというまに流れに乗っていった。彼女のうろこが放つ光がみるみる遠ざかっていく。クレイはあわてて岩をつかんでいた手をはなし、あとを追った。

「ツナミ！」とさけんだが、滝のごう音の中ではとどくわけがない。川底《かわぞこ》に転がる岩が腹《はら》にぶつかり、クレイは水をすいこんでしまった。息をつまらせてせきこみながら、ぼんやりと遠くに見える光を追って水をかく。

とつぜん光が消え、クレイはまた暗やみの中に取り残された。「**ツナミ！**」大声でよんでみる。

その瞬間、クレイは目の前がいきなりぱっと開けるのを感じた。直感で両手と翼をさっと広げる。片手《かたて》の爪がつきだした岩にふれ、それにあわててだきついたとたん、体が宙《ちゅう》ぶらりんになった。

滝のてっぺんで宙づりになっていたのだ。

岩に爪を食いこませて必死《ひっし》にしがみつきながら、すでにまっ暗やみにつつまれているのに思いきり目をつぶる。毒《どく》にやられたはだがうろこの下でのびきり、激痛《げきつう》が走る。ツナミはどこまで落ちていってしまったのだろう？　はるか下のほうでつぶれているツナミの死体が目に見えるようだ……。

と、なにかが足をたたいた。

「ちょっと、気をつけてよクレイ！」ツナミの声が、彼をどなりつける。「あぶないじゃないの！　かぎ爪《づめ》でさされるところだったよ！」

クレイはまぶたを開いた。

滝はごう音をたてながらすぐ横を流れおり、彼が爪を立てているところのやや下のほうで、あわになって落ちていく。ツナミはその滝つぼで水しぶきをあげて回転しながら、しっぽを使ってクレイに水を浴《あ》びせた。

「つかまってて！」彼女がふざけてさけぶ。「なにがあってもはなしちゃだめだからね！」

「ははは」クレイは笑うとしっぽを下にのばして水の中に入れて、岩がないかたしかめてから飛びこんだ。うきあがった彼の頭を、静《しず》かに滝の水が打つ。「短い滝だって知ってたな？」とふくれっつらをしてみせる。

「かもね」ツナミがにやりと笑った。「そう、もちろん知ってたわ。さけび声が聞こえたときにここまで来て、それからあなたのとこに引き返したから」

「よかったよ。さけんでおくものだね」クレイは言ったが、こう思わずにはいられなかった……。**あそこでさけんでなかったらどうなってたんだろう？　ツナミと会えなかったらどうなってたんだろう？**

「さあ行こう。川はあっちに流れていってるよ」ツナミが言った。水かきのついた足を動かし、クレイの前から泳ぎだす。彼はそれを追うと滝つぼからまた別《べつ》の、両側《りょうがわ》を岩にはさまれたせまいトンネルに入った。

「でも……」クレイは首をかしげた。耳がぴくぴくと動く。「あんなに小さい滝から、あんなに大きい音がするかな？　前のほうにもっとなにかあるんじゃない？」どうくつの中には奇妙《きみょう》な音がこだましていた。あの小さな滝の音が大きくなって聞こえているのか、それとも他になにかあるのか、クレイにはわからなかった。

と、ツナミがいきなり翼を大きく広げて泳ぐのをやめ、天井《てんじょう》を見あげた。「今の見た？」

クレイは暗やみに目をこらした。ツナミのうろこが放つ光は、そんなに遠くまではとどかない。天井からつりさがっているはずの鍾乳石《しょうにゅうせき》すら、彼からは見えなかった。「なにも見えなかったけど」

「コウモリがいたんだよ！」ツナミが興奮《こうふん》したようにしっぽで水面をたたいた。クレイのもとに、大きな波がおしよせてくる。

クレイは必死に顔をだして息をすいこんだ。「コウモリ？　なんでコウモリのせいでぼくをおぼれさせたりするのさ？」前に、天井のあなからコウモリが入りこんできたことがあった。学習室をばたばたと飛《と》び回《まわ》るものだから、サニーがデューンにたのんでつかまえ、外ににがしたのだ。クレイは、サニーの目がとどかないところでデューンが食べてしまったのではないかとほとんど確信《かくしん》していたが。

「だって、外から入ってきたに決まってるじゃない！」ツナミが言った。「コウモリは外にでてエサをさがすのよ。コウモリがでたり入ったりできるってことは、あたしたちにもできるってことじゃない。きっと出口が近いんだわ」

「コウモリはぼくたちよりずっと小さいよ」クレイが言ったが、ツナミはもう泳ぎだしてしまっていた。不安《ふあん》になり、水中で翼を広げてみる。痛みはまだ残っていた。うろこの下で、小さくするどい歯にそこらじゅうをかみつかれているようだ。

「見て！　光だ！」ずっと先のほうでツナミがさけんだ。

クレイは追いつこうとして、あわただしく羽ばたいた。スピードをました水の流れもあとおししてくれる。

だが、例《れい》の音がさらに大きくなったようにも聞こえる。

川のカーブを曲がると、遠くにひとつ、銀色にかがやく光の輪《わ》が見えた。ツナミの黒いかげがそこに向かって進んでいる。

クレイは目をうたがった。あれは天井のあなからながめた月の明かりだ。本当に出口はあったのだ。それを自分たちが発見したのだ。

もう足で水をかいてはいなかったが、いきおいをました水の流れに乗り、クレイは光に向かってぐんぐん進んでいった。どうしてこんなに流れが速いのだろう？　もしかしてまた滝があるのだろうか？

やみをつんざくさけび声が聞こえ、ツナミのすがたが消えた。

おいおい、また冗談《じょうだん》だろう？　冗談であってくれ！　クレイは必死に泳ぎながら祈《いの》った。

月明かりに照《て》らされた出口が目の前に大きく口を開け、とつぜん彼はなにもない中空に飛びだしていた。

川はどうくつから飛びだし、ものすごい高さの断崖絶壁《だんがいぜっぺき》から真下に向かい、まっすぐに落ちていたのだ。

落ちてしまうと思ったクレイは、あわててめいっぱい翼を広げた。

飛んでいる！

9

クレイは前にも飛《と》んだことがあった。どうくつの中で少しだけ、鍾乳石《しょうにゅうせき》をかわしながらぐるぐると羽ばたいただけだったが、あんなものはこれにくらべれば、とても**飛んだ**などとはいえない。

なにもかも、**なんと巨大《きょだい》なんだろう**。

どこを見回しても果《は》てしなく、満《み》たすこともできないほど広い空がどこまでも広がっている。夜ではあったが、ずっとどうくつぐらしでゆらめく松明《たいまつ》の炎《ほのお》しか明かりを知らない彼《かれ》にとっては、三つの月の光は目もくらむほどだった。周囲《しゅうい》ではごつごつとした山々のいただきが空に向かっている。遠くのほうに、海原《うなばら》のきらめきが見えたような気がした。

それに星々だ！

天井《てんじょう》のあなから星を見て、星とはどんなものかを知った気でいた。それがまさか、こんなにたくさんあるのだとは。まるでやみ夜にかかった銀のあみのようだ！

クレイは永遠《えいえん》に飛び続《つづ》け、月までだって行けるような気がした。そんなことをしようと思ったドラゴンなど、今までにいただろうか？

ぼくたちはこれが恋《こい》しかったんだ。ずっとずっと……。

うろこのすきまから伝《つた》わるするどい痛《いた》みも、彼の興奮《こうふん》を覚《さ》ますことはできなかった。

「こんなの信《しん》じられる？」そうさけび、宙《ちゅう》がえりする。「ツナミ！　すごいと思わない？」

だが、答えはなかった。

クレイはしっぽをふって宙がえりをやめるとその場に止まり、あわてて周囲の空を見回した。ツナミのすがたがどこにもない。自分を置《お》いてどこかに飛び去ってしまうなどありえないのに……どうしてしまったのだろう？

もしかしたら、遠くの海原に行ってしまったのだろうか。自分のふるさとを見つけ、がまんできなくなってしまったのだろうか。友達《ともだち》を見捨《みす》てるようなドラゴンじゃないのは知っているが、彼女《かのじょ》が水の世界にもどりたいと心の底《そこ》から願《ねが》っているのもまた、クレイは知っていた。

水平線に目を向けると、彼女が見えた。ずっと下のほう、必死《ひっし》に羽ばたいているがきりもみしながら落ちていっている。

なにかがおかしい。

どうやら、片方《かたほう》の翼《つばさ》しか動いていないようだ。

クレイはさっと向きをかえると、ツナミめがけて矢のように飛んでいった。翼をぴったりと体につけ、恐怖《きょうふ》と戦《たたか》いながら急降下《きゅうこうか》していく。風がびゅうびゅうと顔にふきつけてくる――風だ！　ずっと、こんなものだとは思っていなかった。本物の風はまるで生きもののようだ。彼の体勢《たいせい》をくずそうとしっぽをつかみ、視界《しかい》をうばおうと目にふきつけ、落ちるのをじゃましようと翼の中にまで入りこんでくる。まるでつららのようにするどいかぎ爪《づめ》で、すはだを切りさかれているかのようだった。

滝《たき》と断崖《だんがい》が光のように目の前を通りすぎていく。落ちるのが速すぎないだろうか？　地面がぐんぐんせまってくる。かげと月明かりがまざりあい、クレイが見たこともない、そしてなにがなんだかわからない形になっていく。どのくらい遠いのかも、いつツナミに追いつけるのかもわからない。こんな距離《きょり》、地底《ちてい》では体験《たいけん》したことがなかったのだ。

ちゃんと止まれるのだろうか？　止まっても無事《ぶじ》ですむだろうか？

だがツナミを見おろしてみれば、まだばたばたともがいている。まだ地面にげきとつしてはいないのだと思うと、クレイは勇気《ゆうき》がわいてきた。

落ちる、落ちる、落ちる。ツナミがみるみる近づいてくる。

クレイは彼女を追いこすと、本能的《ほんのうてき》に翼を広げた。まるで壁《かべ》にぶつかったようにぴたりと落下が止まり、次の瞬間《しゅんかん》、もう一度ものすごい衝撃《しょうげき》におそわれた。今度は重いシーウィングが真上からぶつかってきたのだ。

クレイはもんどりうって、あわや頭の上にいるツナミを落としてしまいそうになったが、たがいにしっかりとしがみついた。クレイは首にだきつくツナミをかかえたまま大きく広げた翼で羽ばたき、必死に宙にうき続けた。そのまま上昇《じょうしょう》できるほどの力はないが、少なくとも落ちるスピードをゆっくりにすることくらいはできる。

ツナミがさけび声をあげ、クレイは背中《せなか》のうろこになにかがこすれるのを感じた。直後、まるで何本もの爪《つめ》に翼としっぽが引っかかれたかのような衝撃があり、ふたりの落下がいきなり止まった。おたがいに回したうでがほどけたとたん、今度は枝《えだ》や葉をはでに散《ち》らしながら木々の中をばさばさと落ち、地面にげきとつする。

クレイはそのまま、しばらく息ができなかった。鼻先でツナミのしっぽがばたばたと動いている。クレイはそれをおしのけると、痛む体を引きずるようにして起こした。ツナミは地面に大きく翼を広げ、あおむけに転がっている。それをよく見たクレイは、自分の思ったとおりだったことに気づいた。あざやかな青い翼が片方、まるで肩《かた》からもぎ取られかけたかのように折《お》れ曲《ま》がってしまっている。

片手《かたて》をのばしてふれ、ふたりそろって顔をしかめる。

「それどうしたの？」

「鎖《くさり》からぬけるときにやったんだわ」ツナミが答えた。「たぶん関節《かんせつ》がはずれちゃったんだと思う」

「それでも追いかけてきてくれたの？」クレイは目を丸くした。「けがしてるって言ってくれたらよかったのに」

ツナミは肩をすくめ、ほほえんだ。「川じゃたいして痛くなかったのよ。でも飛ぼうとしたら……」

「土だ！」とつぜんクレイがさけんだ。**「ぼく、土の上に立ってる！」**地面に爪を立て、深々とつきさしてみる。鼻からつま先まで、全身に興奮のふるえが走る。

ツナミも体を起こし、クレイを見つめた。「どうしたの？」

「すごいよ！　なんてやわらかいんだ！」クレイはまたさけぶと土をつかみ取り、彼女に投げつけた。

「ちょっと、やめてよ！」ツナミは無事なほうの翼で自分を守りながらさけんだ。

クレイは草の上に大の字になり、脚《あし》のまわりで掘《ほ》り返《かえ》された土や、うろこにくっつく土の温《ぬく》もりを感じた。草木と土と、大地にしみこんだ太陽のにおいにクレイはどうにかなってしまいそうなほど興奮していた。あの山の底にある冷《つめ》たいむきだしの岩とはまったくちがう。ここの大地はやさしく、温かく、そして命に満ちあふれている。目の前をもぞもぞとミミズがはっていくのを見つけ、クレイはさっとつかまえた。

「さてと、これでおあいこだね」ツナミが言った。「あたしはあなたを助けた。そしてあなたもあたしを――」

「川の音だ！」クレイははね起きると、体をゆすって土を落とした。飛《と》び散《ち》る土をツナミがよける。「川と土ってことは、泥《どろ》があるぞ！」そうさけんでくるりと向きを変《か》え、川の音が聞こえるほうに向かって木々の間をかけていく。

ツナミが追いかけていくと、クレイはもう川岸の泥だまりの中で楽しそうに転げ回っているところだった。「あんなによごれて大よろこびするドラゴンなんて、めったにいないわね」ツナミは顔をしかめた。

「ぼくの仲間《なかま》たちならぜったいよろこぶよ」クレイは、皮肉を無視《むし》して答えた。「こんなに温かいの、生まれて初《はじ》めてだよ」爪が痛くならないのも、うろこがむずがゆくないのも、翼がかわききってしまったように感じないのも、一歩足をふみだすたびになにかがつきさされるんじゃないかとおびえずにすむのも、生まれて初めてだ。うろこのすきまから泥が入りこんできて毒《どく》の痛みがやわらぎ、まるで泥にいやしてもらっているかのようだった。クレイはうっとりとため息をつきながら、川岸の泥だまりのおくまで転がっていった。

「まったく」ツナミは楽しげにぼやいた。「まだマドウイングの巣《す》にもどったわけでもないのにさ。あたしは、海に帰ったってあんなにはしゃげるかどうか」

「はしゃぐに決まってるよ」クレイはいきなり確信《かくしん》に満ちた、勇《ゆう》かんで自信《じしん》たっぷりの顔つきになった。「飛べるようになったらなおさらさ。翼、治《なお》せないかな？」そう言って首をのばし、ツナミのきずを観察《かんさつ》する。

ふたりを見おろすようながけから滝が流れ落ちており、その向こうにはさらに高い山々が見えた。三つの月は、もうずいぶんと低《ひく》くなっている。もうすぐ朝だ、とクレイは思った。朝がきたら、仲間たちがあげる目印《めじるし》のけむりをさがすのだ。だがツナミが飛べなかったら、ここに残《のこ》していくしかない……しかしそんなことをしたら、近くを飛ぶ残《ざん》ぎゃくなドラゴンにすぐさま見つかり、かんたんにえじきにされてしまうだろう。

クレイは、戦争《せんそう》が起きている世界に飛びだしてきたのだと思いだしながら空を見あげた。なのにここは、こんなに平和に見える。どんなに危険《きけん》な世界かなんて、大人のドラゴンたちから聞いた話でしか知らないのだ。彼らの話を聞いていると、まるで世界じゅうが大きな戦場《せんじょう》になっているように感じたというのに。こうして戦争なんて見えも聞こえもしない、それどころか他のドラゴン一頭も見かけない静《しず》かな野原に立っていると、ふしぎな気分になった。

だが〈平和のタロン〉には——そしてさらに言うなら〈運命のドラゴンの子〉たちには——あちこちに敵《てき》がいるのはクレイにもわかっている。三頭のサンドウイングの王女は予言を忌《い》みきらい、じゃまする者があれば手当たりしだいに殺《ころ》そうとしているのだ。そして、〈運命のドラゴンの子〉たちを見つけたらひどい目にあわせてやろうとしているドラゴンだって山ほどいるのだ。

ツナミは首をのばして、関節がはずれてしまった自分の翼を見た。「治せるはずだよ。

前にまき物で読んだことがあるし。思いっきり関節を元どおりにはめちゃえばいいの。走って木にぶつかったらいけるんじゃないかな」そう言って辺《あた》りの木立を見回し、いきなり手近な木のみきに向かってかけだす。

クレイはあわてて泥だまりから飛びだして追いかけると、ツナミが木に衝突《しょうとつ》してしまう前にしっぽをつかまえた。

「ちょっと！　はなしてよ！」ツナミがどなって、クレイに牙《きば》をむいた。「自分で治せるんだから！　こうすればうまくいくの！」

「スカイウイングみたいにがみがみ言うなよ。木にげきとつするなんて、最悪《さいあく》だよ。ぼくに見せてごらん」

ツナミは翼を開くと、ぶつぶつこぼしながら野原にすわりこんだ。クレイはしげしげとツナミを観察しながら周《まわ》りを一周《しゅう》すると、不自然《ふしぜん》にずれてしまった翼と肩のラインをじっと見つめた。

「じっとしててくれたら、ぼくにはめられると思うよ」

「本当にそんなことできるの？」ツナミはたじろいで、じわりとあとずさった。

「走って木にぶつかるよりましだよ。しっかり地面に爪を立てて、体が動かないようにしてくれる？」

ツナミは地面をつかみ、ぎゅっと目を閉《と》じた。クレイは前脚《まえあし》で、そっと彼女の肩をなぞった。関節がはずれているところは、すぐに見つかった。やさしく手をふれ、まちがいなくそこかちゃんとたしかめる。そして骨《ほね》をつかむと、すばやく、そして思いきり元どおりにはめた。

「痛い！」ツナミがさけんでのけぞった。力強いしっぽがムチのように飛んできて、うっそうとしたしげみにクレイをはじき飛ばす。

「ごめん！　ごめんってば！」しげみの中でもがきながら、クレイはさけんだ。「ほんとにうまくいくと思ったんだよ」そう言って、きょとんとして止まる。ツナミが両方の翼をのばして広げながら、くるりと回ってみせる。完璧《かんぺき》に元どおりになっている。

「うまくいったね」ツナミが笑《わら》った。「ちょっと痛かったけど、これでもう動けるよ。けっこうやるじゃない、クレイ」そう言って、枝にからまったクレイのしっぽをほどいてやる。「ぶっ飛ばしちゃってごめんね」

クレイは答えようと口を開いたが、ツナミはとつぜん彼の口をおさえてだまらせた。耳を立て、片手をあげる。

「あれ、なに？」彼女がささやいた。

クレイは見回そうとしたが、ツナミにしっかりと鼻先をにぎられている。彼はかわりに耳をそばだててみた。

森のおくから自分たちのほうに近づいてくる大きな音が聞こえる。

10

「大きさからしてドラゴンじゃなさそうだね」ツナミが小声で言った。

クレイにもあらあらしい息づかいとぱきぱきと枝《えだ》が折《お》れる音が聞こえていた。捕食者《ほしょくしゃ》というよりも、獲物《えもの》のほうがたてる音だ。クレイは自分の鼻をつかむツナミの手を引きはがし、ささやいた。「食っちゃえないかな」どうせ太陽がのぼるまでは仲間《なかま》たちを助けに行くこともできないのだし、あのどうくつで身につけた狩《か》りの力を試《ため》してみたかった。

ふたりの目の前、月に照《て》らされた野原に、背《せ》が低《ひく》く青白い、おかしな生きものがよろめきながらでてきた。毛むくじゃらの頭のてっぺんは、せいぜいクレイの肩《かた》くらいの高さしかない。二本足でどちらの脚《あし》も細く、ぶらぶらとたらした平べったい両手にはかぎ爪《づめ》もついていない。生きものは片《かた》うでで大きなドラゴンのかぎ爪のようなとがった刃《やいば》を持ち、もう片方《かたほう》のうでにごわごわしたふくろをかかえている。

生きものはツナミとクレイを見つけると手にしたものをどちらも投げだし、長く甲高《かんだか》い悲鳴をあげた。クレイは、天井《てんじょう》のあなからときどき聞こえてくる鳥の声みたいだと思った。

「ゴミあさり《スカベンジャー》だわ」ツナミがうれしそうにさけんだ。「見てよ、クレイ！　初《はじ》めて外にでたのに、もう本物の、生きてるゴミあさりと出会っちゃった！」

「すごく小さいんだな」クレイも楽しそうだ。「それに、今もまさしくゴミをあさってるとこみたいだよ」そう言って手をのばし、ごわごわしたふくろをつついてみる。生きものはまた悲鳴をあげると、両うでで頭をおおいながらあとずさった。

「もっとおっかないんだと思ってたのに」ツナミはがっかりした様子で、ゴミあさりを見おろした。「本当にこんなやつがオアシス女王を殺《ころ》したの？　うそでしょ？」そう言って、ゴミあさりが持っていた鉄の刃をつまみあげた。ふつうのドラゴンの爪の四倍くらいの長さだ。「たしかによくとがってるけど、それにしたって……きっと女王は、よっぽどの悪運に見まわれたのね」

「食っちまおうか？」クレイは舌《した》をちろちろとのぞかせた。

「スターフライトの話じゃ、絶滅《ぜつめつ》しかけてるってことだったわね」ツナミが言った。「でも、あたしたちがこんな戦争《せんそう》にまきこまれたのもこいつらのせいだしね。好《す》きなだけ食っちゃっていいんじゃない？」ツナミは刃をふり回しながら、ゴミあさりをにらみつけた。

ゴミあさりは必死《ひっし》にうでをのばしてふくろと刃のほうをしめしながら奇妙《きみょう》な声をあげた。

まるでふたりになにか伝《つた》えようとしているかのように、ドラゴンのような身ぶり手ぶりもまざっている。

「ふくろの中身を持ってけって言ってるんじゃないかな」クレイはふくろを持ちあげてみた。宝石《ほうせき》やアクセサリーがどさどさとこぼれ落ち、キラキラと光りかがやきながら野原に転がる。金のアクセサリーにまざって、大きなルビーが三つ、そして白いダイヤモンドがいくつか見えた。

「財宝《ざいほう》だわ！」ツナミがさけんだ。らせんもようが彫《ほ》られ小さなサファイアがちりばめられた、銀のメダルを手に取る。

「グローリーが見たら大よろこびするぞ」クレイが言った。

「あたしだって！」ツナミが顔をかがやかせた。「あの子をよろこばせるためにお宝《たから》を持って帰ろうとしてるのはわかってるけど、あたしのほうが先に見つけたんだからね」

「わかったよ」クレイはなだめるように声をかけた。「それよりもさ、この財宝全部持っていけると思う？」

「どう考えたって無理《むり》ね」新しい声がした。「わたしと戦《たたか》って勝てれば話は別《べつ》だけど、オススメしないわよ」クレイより少し大きなオレンジ色のメスのスカイウイングが、音もなくゴミあさりの後ろにおり立った。角が二本生えており、それをけむりの輪《わ》が囲《かこ》んでいる。ゴミあさりがまた悲鳴をあげると、彼女《かのじょ》はかがみこみ、ゴミあさりの頭を食いちぎってしまった。

「うげえ」と声をもらし、すぐにそれをはきだす。頭が野原を転がっていき、残《のこ》された体は首から血をふきだしながらたおれる。

「まったく、ひどい話だわ。まず、どろぼうどもがいつでもこのわたしの美しい宝物《たからもの》をぬすもうとすること。次に、つかまえたところでまったくおいしくもないこと」そう言うとオレンジのドラゴンは死体をつついた。「すじばっていて、魚みたいな味でさ。おええ」

クレイは大きくなっていく血だまりからあとずさった。もう食欲《しょくよく》はすっかりなくなっていた。

「だれなの？」ツナミが質問《しつもん》した。戦ってまで手に入れる価値《かち》があるかを見定めるかのように、手にしたメダルをひっくり返している。

オレンジのドラゴンは黄色い目を糸のように細めてツナミをじっと見つめた。クレイはルビーやこはくで飾《かざ》られた黄金の鎖《くさり》かたびら〔鎖で作られたうすい防具《ぼうぐ》。服の下などに着る場合もある〕が、ドラゴンの首の周《まわ》りにかかっているのに気づいた。両目の上には小さなルビーがずらりとならび、翼《つばさ》のふちはさらにたくさんのルビーがきらめいている。正体こそわからないが、このドラゴンは山ほど財宝を持っている。つまり、えらいドラゴンにちがいないということだ。

「わたしを知らないの？」オレンジのドラゴンが言った。「わたしもまだまだね。深くきずついたわ。もっと表にでたほうがいいのかしらね。それともあなたのスパイのうでがいまいちなのかしら、シーウイングのお嬢《じょう》さん？」

「あたしはスパイなんかじゃない！」ツナミが言い返した。「ここがどこかも知らないくらいなのに。あたしたちはずっと……つかまってたのよ。ついさっきにげだしてきたところなの」

オレンジのドラゴンが、クレイのほうに首を向けた。「シーウイングとマドウイングがいっしょにねえ。当ててみようか。わたしの地下牢《ちかろう》にはいなかったわね……わたしの記憶《きおく》力《りょく》がひどくないかぎりたしかだわ。ということは、だれにつかまっていたの？ ブレイズかしら？ いやブレイズは牢屋《ろうや》なんて持っちゃいないに決まってるわ。だれからも愛《あい》される自分を演《えん》じるのが大好《だいす》きなんだもの。イメージにあわないわ」

クレイはもう一歩あとずさった。自分の地下牢を持っていると聞いて、おそろしくなってしまったのだ。「ツナミ」声を殺して言う。「財宝を返すんだ。もう行こうよ」

「マドウイングが頭を使うだなんて、これはそうそう見られる光景《こうけい》じゃないわね」オレンジのドラゴンが言った。そしてゴミあさりの死体をまたぎ、草の上に赤い足あとをつけながらツナミに近づいていった。鼻のあなからチロチロと小さな炎《ほのお》がのぞき、白いけむりがもくもくと立ちのぼったかと思うと、角の周りにできたけむりの冠《かんむり》がいっそうぶあつくなった。

「わかったわ」ツナミがメダルをさしだした。「めんどうはきらいだからね」

「あら、それはわたしもよ」オレンジのドラゴンが言った。「だから、めんどうばかり続《つづ》くと**すごく悲しい**気持ちになってしまうの」手をのばし、メダルが乗ったツナミの手を痛《いた》いほど強くにぎりしめる。クレイは近づこうとしたが、オレンジのドラゴンがすばやく炎をはきだしたものだから、あわててまたしりぞいた。ドラゴンがツナミをにらむ。「わたしの宝物には、**だれも**手をふれてはいけないのよ」

「知らなかったのよ！」ツナミが言った。「あなたがだれかすら知らないのに！」

「あらまあ。言ってなかったかしら？　わたしの名前はスカーレット。けれど命がおしいなら、**女王陛下**《へいか》とよぶことを強くオススメするわ」

クレイは青ざめた。彼《かれ》ですら知っている名前だ。

ふたりはスカイウイングの女王と向かいあっていたのだ。

11

目の前のドラゴンはクレイが思っていたよりも小さく、ケストレルより小さかったが、スカイウイングの女王をあなどるわけにいかないのは、クレイにもわかっていた。なにせ今や死体となった勇《ゆう》かんでおろかしい十四頭もの挑戦者《ちょうせんしゃ》をしりぞけ、三十年も玉座《ぎょくざ》についているのだ。彼女《かのじょ》はこのピリアで最《もっと》も長くその座《ざ》につく、最もおそろしい女王なのだ。〈運命のドラゴンの子〉たちの命をねらいかねない最悪《さいあく》のドラゴンであるのは言うまでもない――なにせ予言を忌《い》みきらい、六年前にスカイウイングの卵《たまご》をわってしまった、あのバーンと手を組んでいるのだから。

クレイは、他にもスカーレットについて学んだことを思いだそうと頭をふりしぼった。だが、うかんでくるのは恐怖《きょうふ》だけだった。

スカーレット女王はツナミの手をはなし、自分の首にメダルをかけた。クレイのほうを向き、彼《かれ》の鼻すじを爪《つめ》でなぞる。

「しかしふしぎだねえ、マドウイングよ。わたしたちは味方同士《どうし》じゃないか。なんでこのわたしがわからなかったんだい？」

「さっきあたしが言ったように――」ツナミが口を開いた。スカーレット女王はさっとしっぽをふってそれをさえぎった。

「わたしはこのマドウイングに聞いているのよ。おびえきってふるえているようだけれど、ほら、言ってごらん」

「ええと……その……」クレイは口ごもった。「ぼくたちはずっと山の底《そこ》で……なんていうか、ずっと……」女王の背後《はいご》でツナミがにらみつけてきた。あまりしゃべるなと言いたいのだ。だが、いったいなにをどう言えばいいのだろう？

そびえたつ山々をふと見あげると、もうその輪《りん》かくが金色にかがやき始めていた。太陽がのぼるのだ。仲間《なかま》たちを助けに行かなくては。それも急いで。ケストレルが、目に入るドラゴンの子に怒《いか》りをぶつけ始めてしまう前に。

「ぼくたちはただ、通りかかっただけなんです」クレイはスカーレット女王に言った。疑《ぎ》念《ねん》を表すかのように、彼女のまぶたの上にならんだルビーの列が弓なりに曲がる。「ええと……お目にかかれて光栄《こうえい》です……その……とても……」だが、**とてもこわいです**という言葉しかクレイには思いつかなかった。「もう行かなくちゃ」とあわててつけ足す。

「もう？」女王が答えた。「それは残念《ざんねん》だこと。お話の途中《とちゅう》で放りだされるのは好《す》きではないのよ。あなたたちについては、知りたいことが山ほどあるというのに」そう言って爪の先でクレイのあごの下をかりかりと引っかく。「あなたたちの行く場所は、空の上にあるわたしの宮殿《きゅうでん》よ。すごいでしょう? すごくないなんて言わないでね、きずついてしまうから。あなたたちこそ、わたしがさがし求《もと》めてきたものなのよ」

なにを言っているのかクレイには見当もつかなかったが、どのみちすっかりうろたえきっているせいで答えられなかった。親しみなどちらりともうかんでいないこはく色の目を見あげながら、生まれて初《はじ》めて、もしかしたらなにもかもケストレルの言うとおりだったのではないかと考えた。あのまま山の底にかくれ、外の世界にいる悪《あ》しきドラゴンたちに見つからないようにしているべきだったのではないかと。

スカーレットの後ろで、ツナミがするどくとがったゴミあさりの刃《やいば》を高くかかげた。彼女とクレイの目があう。クレイは、ツナミも同じにちがいないこおりつくような恐怖を感じた。スカイウイングの女王をこうげきしたらふたりとも今すぐに、自分たちににくしみをいだく新たな、そしておそろしい敵《てき》を持つことになってしまうのだ。

だが、女王に自分たちの正体をばらすわけにはいかない。そんなことをすれば女王はきっとふたりを捕虜《ほりょ》にするか、仲間のバーンに売《う》り飛《と》ばすか、さもなければ予言を台無《だいな》しにするために殺《ころ》してしまうだろう。しかし、彼女といっしょに行くわけにはいかない——山の底で待つ仲間のところにもどらなくてはいけないのだ。

クレイは小さくうなずいた。**やるんだ。他に道はない。**

ツナミは女王のしっぽめがけて刃をふりおろすと、うろこのうすい弱点をつらぬき、そのまま地面にくしざしにしてしまった。

怒りと痛《いた》みに女王がほえる。そしてさっとふり返るとあちこちに炎《ほのお》の球をはきだした。

「飛んで！」ツナミがさけんだ。炎の球をかいくぐり、クレイのしっぽをおす。クレイは翼《つばさ》を広げると、炎に爪をこがされながらも一気に空へ舞《ま》いあがった。ツナミがとなりで羽ばたいている。ぎごちないが、力強い羽ばたきだ。

「女王が自由に動けるようになるのなんて、すぐだよ」ツナミが大声で言った。「急いで山の頂上《ちょうじょう》まで飛んで、さっさとまいちゃおう！」

ふたりは、がけに開いたあのあなから流れだす滝《たき》をひと息に飛びこえた。そのまま山の頂上まで行き、深緑の木々やしげみがまばらな岩だらけの高台にでる。だがそこまで飛んでもまだとてつもなく高く考えられないほど大きな山々が、ふたりを見おろしているのだった。北から南まで、ギザギザにとがった山頂《さんちょう》がドラゴンの歯のようにならんでいる。

なにもかもあまりにも雄大《ゆうだい》で、クレイはすっかりのまれていた。こんなにも広い山の中で、どうやって仲間たちをさがせというのだろう？　それにまた会えたとしても、こんなにも大きな世界をどうやってすくえというのだろう？

ツナミは前にでて木々をぬうようにかわして低《ひく》く飛びながら、谷間を見つけて飛びこんでいく。彼女の羽ばたきはどんどん力強くなっていった。太陽の光が山々に広がり、クレイは目がくらんだ。こんな明るさにはなれていない——そして、まだほんの日の出にしかすぎないのだ。これから日がのぼり、もっと明るくなる。

「あった！」ツナミはそうさけぶと、山の横にできたくぼみを頭でしめした。ぐるぐると旋回《せんかい》しながら小さなどうくつの外にある岩だなにおりる。そこからながめると、さっきの高台やいくつもの谷や山頂がふたりを囲《かこ》むようにして広がっていた。滝のとどろきが遠くからかすかに聞こえてくる。スカーレット女王の気配はどこにもない。

「あんなことするなんて、信《しん》じられないよ」クレイがツナミに言った。

「やらなきゃだめだったわ。でしょ？」ツナミは答えたが、いつものような確信《かくしん》に満《み》ちた声ではなかった。不安《ふあん》な様子で爪でエラをかき、どうくつが本当にからっぽかたしかめようとかげの中に足をふみ入れる。

クレイははげましてやりたかったが、自分も不安でたまらなかった。まぶたを閉《と》じ、のぼってくる朝日に顔を向ける。うろこを通してぬくもりがしみわたり、骨《ほね》まで暖《あたた》かい気分になる。

「自分のすがたを見てみなよ」ツナミがどうくつの中から声をかけた。「本当に光ってるわよ。マドウイングが、こんなにたくさん色を持ってるなんておどろきね」

クレイは目を開き、自分を見おろしてみた。ずっと、ただの茶色だと思っていた——地味な茶色のうろこと、なんの変《へん》てつもない茶色の爪。角からしっぽまで味気ない泥《どろ》の色なのだと。それが今こうして生まれて初めての太陽の光を全身に浴《あ》びてみると、うろこのすきまやおくが金色やこはく色のかがやきを放っているのに気づいたのだ。元の茶色さえもよりゆたかに、より深くなったように見え、まるでウェブスがいちばん重要《じゅうよう》なまき物をしまっているマホガニーの木のみきのようだ。

「すごいや」クレイは目を丸くした。

「すごくすてきだよ」ツナミがからかいながら、光の中にでてきた。クレイは思わずさけび声をあげそうになった。太陽の光が自分だけでなく、ツナミまですっかり変《か》えてしまっていたからだ。ツナミはまるで宝石《ほうせき》で飾《かざ》られたかのようで、サファイアとエメラルド、そして夏の木の葉と海原《うなばら》でできたドラゴンみたいだった。

クレイはグローリーと、あの暗いどうくつの中でもあんなにも美しい彼女のすがたを思った。さんさんとふりそそぐ太陽の下で彼女を見られる者などいはしない。そんなことをしたら目がくらみ、彼女と話もできなくなってしまう。

グローリー。クレイは目を細めて山はだをながめた。どうくつにつながっているように思える岩山やあなや岩の層《そう》が、あちらこちらに見える。自分たちがすごしてきたあのどうくつが外からどんなふうに見えるのか、彼には想像《そうぞう》もつかなかった。数えきれないほどの山々が見えるが、合図のけむりはまだどこにも見当たらない。

太陽はもう地平線からすっかり顔をだし、三つの月を追いはらいながらゆっくりと空にのぼっている。赤いものがいくつか、遠くの山々のてっぺんを飛び回っているのが見えた。クレイは最初鳥《さいしょ》だと思ったが、その周《まわ》りにいなずまのように炎が走るのを見て、ドラゴンなのだと気づいた。

まちがいない。ここはスカイウイングのなわばりなのだ。自分たちがすごしてきたひみつのどうくつのありかは、スターフライトの言っていたとおりだったのだ。だが、怒りくるったスカイウイングの女王が自分たちをさがし回っているにちがいない今、どうやってこの山《さん》みゃくからにげればいいのだろう？

ツナミが彼の肩《かた》に手をかけた。「あそこ！」そうさけび、指さす。

斜面《しゃめん》を中ほどまでくだったところに口を開けたあなから、細いけむりの柱が立ちのぼっていた。クレイはさっと舞いあがると、急いでそのあなへ飛んでいった。あなはぶあつい枝《えだ》におおわれてかくしてあり、すぐとなりにおりることは不可能《ふかのう》だ。だがあなはたしかにあいているし、天井《てんじょう》のあなの形もよく似《に》ているように見えた。

きっと仲間たちだ。

ツナミもとなりに飛んできた。あなの中をなんとかのぞこうと、ふたりでけむりの周りを飛び回る。

「きっとスターフライトとサニーだよ」クレイが言った。「ぼくたちの真下にいるんだ！」

けむりからは、古い紙のにおいがした。かわいそうに、スターフライトが大切にしているまき物をいくつかもやしたのだろう。

「あとひと息だね。でも入り口を見つけなくちゃ」ツナミが言った。「すぐ近くに通路がのびてきてるはずよ」旋回しながら、しげみの周りに広がるごつごつとした岩の地面におりていく。そして、学習室から入り口の通路への距離《きょり》でも測《はか》るかのように、ツナミは歩き回り始めた。

クレイは地面にはおりず、ぐるぐると飛んでいた。はずれてしまったツナミの翼を見たときと同じ、妙《みょう》な感覚《かんかく》にとらわれていた——リラックスして見てみれば、すっきりとすべてが理解《りかい》できるような気持ちになっていたのだ。あの地底《ちてい》のどうくつならば、何百万回も歩き回ってきた。自分の爪よりもよく知っているのだ。

まだかすかな滝音は聞こえているし、地底の川がどちらに流れているのかは想像がつく。クレイは学習室から中央どうくつへと続《つづ》く通路を頭の中で想像し、ごつごつとした岩の上に地図をかいてみた。

「こっちだ！」ツナミに声をかけ、地面におりていった。「入り口をふさいでいたあの岩は、きっとこの真下だ。てことは、あそこから外につながる通路はあっちということになる——」そう言ってふり返る。

「谷だわ」ツナミが言った。少しはなれたところで岩を切りさくように、大きなさけ目が走っている。下をのぞいてみると、ごろごろと小石の転がる砂《すな》まじりの泥の地面に一本のせせらぎが流れているのが見えた。「入り口はきっと、この下のどこかだね」

クレイは翼を広げ、ゆっくりと谷底《たにぞこ》におりていった。着地すると同時に、足の指の間から泥がにゅるりとでてくる。胸《むね》の底から怒りがこみあげてきた。どうくつのこんな近くに泥も太陽も、そして暖かで新鮮《しんせん》な空気もあったのだ。なぜあの世話係《マインダー》たちは一度もみんなを表に連《つ》れだしてくれなかったのだろう？　この谷にちょっとおでかけするだけでも、ずいぶんくらしはちがったはずなのに。

どうせ、安全のためだと言うのだろう。遠くのスカイウイングに見つからないよう、ドラゴンの子たちを守るためなのだと。

だが本当は、世話係たちがドラゴンの子を信用《しんよう》していないからなのだと、クレイは思った。飛んでにげてしまうと思われていたのだ。みんながばかなことをしてだれかに見つかってしまうにちがいないと思われていたのだ。

クレイは爪を立て、泥の地面に深々とつきさした。ドラゴンの子たちはみな、信頼《しんらい》を勝ち取るチャンスすらもらえなかった。生まれたときに他のドラゴンの子たちをこうげきしたクレイなどは、信頼される価値《かち》もなかったのかもしれない。彼の中の怪物《かいぶつ》がいつでてきてもおかしくないと、世話係たちは警戒《けいかい》していたのかもしれない。だがサニー、グローリー、スターフライト、そしてツナミを何年もあんな暗やみに閉じこめていい理由など、どこにもありはしない。

ツナミが大きな音をたてててとなりにおりてくると、前のほうに積《つ》みあがっているコケにおおわれた岩をあごでしめした。

「あそこから調べてみよう」

ふたりはせせらぎに入ると、じゃぶじゃぶと水をはねながら進んでいった。

前方の土の中に、クレイがなにかを見つけた。翼をあげ、止まるようツナミに合図する。

「見てよ、ドラゴンの通り道だ！」

川岸に深々とドラゴンの足あとが残《のこ》り、その間にしっぽを引きずったあとが一本残っている。そして、とつぜん空に舞いあがったかのように、どちらもいきなりとだえているのだった。

クレイはおずおずと、自分の足をその足あとに重ねてみた。他のドラゴンとくらべると小さく見える。

「あたしたちのどうくつから続いてるのだとしたら」ツナミが言った。「いや、まちがいなくそうだと思うけど……だとしたらケストレルのにちがいないわ」

「どうしてそんなことが？」

ツナミは、自分の足を足あとのとなりにならべた。「どこにも水かきがないでしょ？ていうことは、シーウイングじゃない。昨日《きのう》モロウシーアがつけたにしては新しすぎる。

それに、足が四つあるからデューンでもないわ」

「すごい。本当だ！」クレイは、なんだかまぬけになった気持ちだった。

「でていった足あとだけで、帰ってくる足《あし》あとがないわ」ツナミは興奮《こうふん》で声をおどらせた。

「もしかしたら今朝、あたしたちをさがしにでたのかも。もしまだ留守《るす》にしてるなら、みんなを外にだすのにこんなチャンスはないわ」そう言うと、足あとを逆《ぎゃく》にたどりながら川岸をかけだした。「ほらクレイ、急いで！」

クレイはあわててツナミを追いかけた。足あとは転がる岩をぬって続いている。ふたりは大きな岩に登ると、谷の横手に暗いトンネルが口を開けているのを見つけた。ほとんど完璧《かんぺき》にかくされていて、この角度からでないととても見つかりそうにない。

「ここだ」ツナミが声を殺して言った。

「なんでもっとちゃんと足あとをかくさなかったんだろう？」クレイは不安になった。

「ワナだったらどうする？」

「ワナなわけないわ」ツナミは自信《じしん》たっぷりに言った。「あたしたちがみんなのところにもどってくるの、ケストレルは知らないんだもの。そんなふうに考えたりしないわ。もしあいつがあたしたちなら、なにも考えずにみんなを置《お》き去《ざ》りにしてにげてくでしょうよ」

クレイは、たしかにそのとおりだと思った。ケストレルは、ドラゴンが約束《やくそく》を守ったり仲間を気にかけたりすることなどないと信じきっているのだ。

「あわててあたしたちをさがしに行ったってだけだよ」ツナミが笑《わら》った。クレイは不安そうに空を見あげた。足あとをかくす慎重《しんちょう》さもなくしているのなら、きっとケストレルは**ものすごく**おこっているにちがいない。

ツナミがトンネルにおりていき、クレイもそのとなりに追いついた。暖かくて炎をだす必要《ひつよう》もないので、トンネルを照《て》らせるくらいの、小さな火をはく。じりじりと進んでいくと、やがてツナミのしまもようが光を放ち始めた。

トンネルは急に右に折《お》れ、次に左に折れ、何歩か急なくだりになった。だがすぐにまっすぐにもどり、もう一度だけ曲がり角を曲がると、そこで終点になった——大きな灰色《はいいろ》の岩が見える。

クレイの心臓《しんぞう》が大きくみゃく打った。本当に見つけたのだ。自分を閉じこめていた牢獄《ろうごく》を、外からながめているのだ。

12

ツナミは後《うし》ろ脚《あし》で立ちあがり、壁《かべ》に手をふれながら進んだ。「どこかに岩を動かす装置《そうち》がないかと思ってね」

クレイは自分の横にのびる壁に向かって、もう一度炎《ほのお》をはいた。天井《てんじょう》までいくつかみぞが走っているだけで、ただの平らな壁だ。みぞを爪《つめ》でがりがりこすってみる。だが、爪が痛《いた》くなっただけでなにも起こらなかった。

大岩の周《まわ》りのにおいをかぎ回り、おしてみたが、内側《うちがわ》から試《ため》してみたときと同じく、岩はびくともしなかった。

「スターフライトの言うとおりだといいんだけど」落ちこみそうな気持ちをおさえながらクレイは言った。「こっち側《がわ》から開けられますように」

「開けられるよ」ツナミが力強く答えた。「きっとレバーかなにかがあるはず……」何歩かあとずさり、大岩のてっぺんを見あげる。

「あとは呪文《じゅもん》とかね」クレイが言った。「魔法《まほう》の呪文で開けるんだったらどうする？　ぼくたちが持ってないお札《タリスマン》とかさ」

ツナミはしばらくしかめっつらで大岩をにらみつけていたが、やがて首を横にふった。「魔法をかけるには〈命のドラゴン〉が必要《ひつよう》だけど、もう何世紀《なんせいき》もそんなドラゴンなんてかえっちゃいないわ。そもそも存在《そんざい》するかどうかすらあやしいしね」

魔法と命のドラゴンの授業《じゅぎょう》でクレイが覚《おぼ》えているのは、そのドラゴンが物体を支配《しはい》する力を持つということだけだった。それを覚えているのは、授業のあとスターフライトが一日じゅう得意《とくい》げに鼻をつんと上に向け、ナイトウイングは伝説《でんせつ》にでてくる命のドラゴンなんかよりずっと強い魔力《まりょく》を持っているんだと言い続《つづ》けていたからだった。

「そんなにすごいドラゴンなら、ナイトウイングはなんでだれにも見つからないようなひみつの場所でくらしているんだい？」クレイはたずねてみた。

「そんなのかんたんさ」スターフライトは得意げに言った。「すごい力をいくつも持ってるし、他のドラゴンに劣等感《れっとうかん》を持ってほしくないからだよ」その顔は、**劣《おと》っているのが本当だったとしてもね**、と言っていた。

クレイは鼻で笑《わら》った。「すごい力って、どんなのだよ？」

「言うまでもないだろ？」スターフライトは、ムカついた様子で答えた。「テレパシーだろ？　予知能力《のうりょく》だろ？　すがたを消す力だろ？　どうだい？」

「君はすがたなんて消せないだろ」クレイは言い返した。「体が黒いから、かげの中にいると見えづらいだけさ。そんなの能力なんて言わないよ。ぼくだって見えなくなるぜ、泥《どろ》だまりの中に入ったらね」

「ああ、そうとも。おいらたちはやみ夜にどこからともなくあらわれるんだ！　まるで空が落ちてきたみたいに、君たちめがけておそいかかるんだぞ！」そして、ゆうゆうと翼《つばさ》を広げてみせたのだった。

「でもやっぱり能力じゃないよ。ただうす気味悪いだけじゃないか」

「**うす気味悪くなんかないよ！**」スターフライトは声をうわずらせてさけんだ。「高貴《こうき》でりっぱなんだよ！」そう言ってひとつ深呼吸《しんこきゅう》し、また先を続けた。「それにおいらたちは、未来《みらい》が見えるたったひとつの種族《しゅぞく》なんだからね、悪いけどさ」

「まあ、たしかにナイトウイングが雲の中から舞《ま》いおりてこなかったら、ぼくたちにはただのうわさ話だとか、どうとでもとれるあやふやな予言とか、そんなもんしかなかったよ」クレイはねどこにしている岩のはりだしから鼻先をつきだし、スターフライトを見た。「つまり、**君たち**は超能力《ちょうのうりょく》なんて持ってないって言いたいのさ。めちゃくちゃ頭がいいだけでね」

「ふん、いつか本当に力を身につけるさ」スターフライトはふくれっつらをした。「きっと、ナイトウイングの大人しか持たない能力なんだよ。おいらを笑《わら》い物《もの》にしてないで、ちゃんと勉強しろよ！」

「笑い物になんてしてないよ」クレイは言い返した。ともあれ、スターフライトの勉強のじゃまをしようとしていたのは事実だ。もっとも、成功《せいこう》したことなどないのだけれど。

クレイは大岩の下の地面を引っかいてみた。スターフライトに会いたいのは本当だった。それどころか、彼《かれ》を心配していた。クレイ、ツナミ、そしてもしかしたらグローリーのすがたが消えていることに気づいたケストレルは、どんなにつらくみんなに当たったことだろう？　スターフライトとサニーにけがをさせるようなことはないといいが……そう信《しん》じられるだろうか？

と、爪がなにかに引っかかった。クレイは岩の地面に腹《はら》ばいになり、大岩の下をのぞきこんだ。長くがんじょうな棒《ぼう》が岩の下にはさまり、その場から動かないようにしている。

「あったぞ」彼は小声でツナミをよんだ。両手で棒をにぎりしめ、引きぬこうとしてみる。何度か試しても棒はぬけなかったが、横にならら動かせることにクレイは気づいた。そこで横に思いきりずらしてみると、大岩が転がり始めた。あわてて手を止めてツナミの顔を見あげる。

「ウェブスとデューンが待ちかまえていたらどうしよう？」

「止められっこないわ。こっちは五頭もいるんだもの……いっせいにかかれば勝てっこない。あたしたちを閉《と》じこめておく方法《ほうほう》はただひとつ、出口をふさいでおくことだけよ。開いてしまえば……みんな自由になれる」ツナミは長い息をはきだした。

「よし」クレイは歯を食いしばった。「やってみよう」

思いきり棒を横におす。大岩は小さな音をたてて地面をこすりながら、ゆっくりと横に転がっていった。中央どうくつの景色《けしき》が目に飛《と》びこんでくる。外から見るのは奇妙《きみょう》なもので、クレイのしっぽにふるえが走った。

川岸に、ぽつんとうずくまるかげがひとつあった。両手を川の水にひたしている。大岩が動くとそのかげが動き、灰色《はいいろ》をおびた緑のひとみが大きく見開かれた。サニーだ。

「シー！」ツナミはサニーに向かいながら小声で言った。サニーがぱっとはね起き、翼を開く。そして顔をかがやかせながら両手を口元に当てた。

「やったのね！」小さな声で言う。

クレイは世話係《マインダー》のどうくつに続くトンネルに目をやった。ツナミの言うとおりウェブスとデューンには止められないにしても、ぼやぼやしていて見つかりたくはない。「他のみんなは？」彼も小声でたずねた。

「わたし、スターフライトを連《つ》れてくるね」サニーは学習室に向かっていった。「グローリーは……知らない」そう言って天井にならぶ鍾乳石《しょうにゅうせき》を見あげる。クレイは不安《ふあん》におそわれた。グローリーはだいじょうぶなのだろうか？　すがたを消している間に彼女《かのじょ》の身になにか起きていたら、いったいどうすればいいのだろう――見えないままになってしまうのだろうか？　鍾乳石から落ちたり岩の層《そう》にぶつかったりして、けがをしてはいないだろうか？　もしも――。

「ここよ」耳元でささやく声がした。やわらかな翼がクレイの翼にふれ、すらりとしたグローリーの体と毛の生えた耳が目の前にあらわれた。うろこが灰色と黒から、暖《あたた》かな金色をおびたオレンジに変《か》わる。深い青の斑点《はんてん》がついている。

「無事《ぶじ》だったんだね」クレイはほっとして、思わず彼女のしっぽに自分のしっぽをからめていた。

グローリーは体をこわばらせたが、いつものようにさっとにげたりはしなかった。代わりに、自分の鼻先でそっとクレイをつついた。「もちろん無事よ。知ってるでしょ、わたしひとりでもだいじょうぶだから」

そして、緊張《きんちょう》のとけたクレイががっくりしたのを感じたのか、つけ足した。「でもわたしのために、ものすごい危険《きけん》までおかしてくれてありがとうね」

「まかせといてよ」クレイはうれしそうに答えた。

グローリーは後ろにさがると、学習室から続くトンネルの出入り口によろよろとスターフライトがすがたをあらわした。

「ケストレルがかなりおこってたわよ」グローリーが言う。「わたしはただかくれて聞いてただけだったけど、サニーとスターフライトは大変《たいへん》だったんだから」

クレイが気づくと、ツナミとサニーがもうスターフライトにかけよっていた。彼が足を引きずっているのを見て、クレイは青ざめた――ケストレルにぶたれたか火あぶりにされたか、ひどいけがをおわされたかしたのだ。

だが、スターフライトがよろよろしているのは大量《たいりょう》のまき物を背負《せお》っているからだと気づいた。

「ちょっと、やめなさいよ」ツナミがまき物をうばい取ろうとする。「そんなのいらないってば。それにもう千回は読んでるんでしょ?」

「いや、必要になるかもしれないよ」スターフライトは、うばわれかけたまき物を引っぱった。「安全な食べ物とか、いろんな種族の習慣《しゅうかん》とか、嵐《あらし》の中を飛ぶ方法とか、いろんなことが書かれてるんだから」

「君が教えてくれたらいいじゃないか」クレイが言った。「どうせいっしょに行くんだからさ」

「でもおいらがなにか大事なことを忘《わす》れちゃってたらどうするんだよ?」スターフライトはむっとした。

「へえ。ほんとになにか忘れたりするようなら、もっとかわいげあるんだけどな」グローリーが笑った。

「大事なことはただひとつ。今すぐここからでることだけだよ」ツナミが言った。「ウェブスとデューンが目を覚《さ》ましちゃう前にね」

「それに、ケストレルが帰ってくる前に」クレイがつけくわえる。

「あらあら、それは**すごい話**だこと。ケストレルも関係《かんけい》しているの？　ずっとずっと長いことさがしていたのよ」

五頭のドラゴンの子たちが、さっとふり返った。

入り口に立っているのは、スカーレット女王だった。その背後《はいご》ではいろんな体格《たいかく》のスカイウイングたちが道をふさいでいる――みんな大きく、みんなちらちらと炎をはき、みんなすっかり頭にきている。

だが、スカイウイングの女王はその中でも特《とく》にひどくおこっていた。

13

「ケストレルに会わなくなって、もう……七年かしら？」スカーレット女王は、ひとみにうかぶ怒《いか》りにはにつかわしくない声で言った。「さぞかし楽しい再《さい》会《かい》になるでしょうねえ」後ろで、ぱたぱたとしっぽをふっている。「わたしの大きらいなドラゴンたちが一か所にせいぞろいだなんて」

女王にいちばん近いところにいるドラゴンの子はクレイだった。仲《なか》間《ま》のほうに一歩あとずさり、翼《つばさ》を広げる。女王が仲間をしとめる気なら、まずは自分が壁《かべ》になってみせる。どうか爪《つめ》がふるえているのがばれませんようにとクレイは祈《いの》った。

「あたしたちをつけてきたんだね」ツナミが声をしぼりだした。

「あら、そんなことする必《ひつ》要《よう》なんてなかったわ」女王が答えた。「だれかがかわいらしいけむりの合図で、わたしに場所を教えてくれたんだもの。おかげでまったく迷《まよ》わずにすんだわ。すばらしい考えね」

ぼくの考えだ。これはぼくの失敗《しっぱい》なんだ。クレイは心の中でおののいた。**ぼくがスカイウイングをよびよせてしまったんだ。**

「あ……あなたはだれなの？」サニーがおびえながら言った。

「ああもう、だんだん腹《はら》が立ってきたわね」女王が言った。「あなたたちは、このわたしのなわばりにいるのよ。あなたたちがくらしているここは、このわたしの山の下なの。何百マイルにもわたり、わたしよりえらいドラゴンなんて一頭たりともいやしないの。それがどうして、どいつもこいつもわたしのことを知らないの？」首を弓なりに曲げ、宝石《ほうせき》をちりばめた翼を広げてみせる。

「スカイウイングのスカーレット女王……」スターフライトは息をのんだ。地面につくほど低《ひく》く頭をたれ、両手を組む。

「わかってきたようね」女王はのしのしとどうくつに入ってきた。「まったく、うす暗いところね」女王は辺《あた》りを見回すとまき物が詰《つ》まったスターフライトのふくろを見つけ、炎《ほのお》をはいた。あっというまにまき物がもえあがる。

スターフライトはその場でこおりついたように固《かた》まりながら、もえあがるまき物の山を見つめていた。クレイは彼《かれ》とサニー、そしてグローリーをまとめて守ろうと、じりじりと横移動《いどう》した。自分の体がもっと大きかったら！

「あら大変《たいへん》」スカーレット女王が、目をこらした。「あなたはナイトウイングじゃないの！」まるで木の葉のようにクレイをはらい飛《と》ばし、スターフライトのあごをつかむ。クレイは体勢《たいせい》を立て直すと女王のほうに向かいかけたが、じゃらじゃらと鳴る鎖《くさり》かたびらの音を聞き、その顔にうかぶおそろしい表情《ひょうじょう》を見て、思わず足を止めてしまった。

「十歳《さい》にもならないナイトウイングとは」スカーレット女王はそう言うと、まるで夕食の牛を値《ね》ぶみするようにスターフライトにぐるりと回らせた。「すごい話じゃない！　ナイトウイングはふつう、ドラゴンの子どもを世にだしたりしないものよ。なみはずれて優秀《ゆうしゅう》で完璧《かんぺき》な自分たちの種《しゅ》が、わたしたちにけがされたりしたら困《こま》るものね」女王が顔にけむりをふきかけ、スターフライトがせきこむ。「目の前でナイトウイングを見るのなんて初《はじ》めてよ。すごいすごい！　さあ、わたしがなにを考えているかわかるかしら？」

　スターフライトの顔には、純粋《じゅんすい》な恐怖《きょうふ》がうかんでいた。

「ちょっとむずかしすぎるかしらね」スカーレット女王が楽しそうに言う。「じゃあヒントをあげましょう。わたしはねえ……どうしてナイトウイングとシーウイング、それにマドウイングがわたしのなわばりで山の下にかくれてなんているのかしら、と思っているのよ。それにマドウイングったら、あっちの二頭を守ろうとしているようじゃないの？」

そう言って女王は、グローリーとサニーのほうにさっとしっぽをふってみせた。スターフライトににじりよる女王を見て、クレイの全身にふるえが走った。「あの予言とやらとなにか関係《かんけい》あったりはしないわよね？」

「いったいなにごとだ?」デューンがうっとうしそうな声で言いながら、足を引きずりどうくつに入ってきた。スカイウイングたちのすがたを見て立ち止まる。その黒い目がゆっくりと女王に向くのを見たクレイは、生まれて初めてデューンの顔に恐怖がうかんでいるのに気がついた。

「ウェブス!」そうさけび、不自由《ふじゆう》なその体で女王めがけて突進《とっしん》していく。

「やめて!」サニーが金切り声でさけんだ。「殺《ころ》されちゃう!」

だが、デューンには聞こえないようだった。女王につかみかかり、スターフライトの前から投《な》げ飛《と》ばす。「この子たちに手をふれるな! かぎ爪《づめ》をはぐことは、二度とゆるさんぞ!」

女王はくるりと宙返《ちゅうがえ》りすると、デューンに向かいあうように着地してうなり声をあげた。

「そいつらはもうわたしのものさ」おそろしい声でそう言って、今度は自分からデューンに飛びかかる。

そしてスカイウイングの兵隊《へいたい》が女王のほうにかけだしたその瞬間《しゅんかん》、ウェブスがどうくつにかけこんできた。立ち止まりもせずに兵隊の中につっこんでいく。そしてしっぽをふり回して三頭をたおし、他の一頭の腹にかぎ爪をつき立てた。ウェブスが戦《たたか》っているのを見るのは、クレイにとって初めてのことだった。彼がおそろしいドラゴンだとは、考えたこともなかったのだ。

「さがってろ」クレイはサニーに声をかけると、グローリーにもさけんだ。「君はかくれてなきゃだめだ！」

「あなたがみんなのために命を投げだそうとしてるのに、またすがたを消してろって言いたいの？　そんなのごめんよ」グローリーはそう言い返してクレイをおしのけると、すでにウェブスといっしょに戦っているツナミのあとに続《つづ》いた。クレイはサニーを岩の上におしあげ、自分も追いかけた。

「待って、わたしも戦う！」サニーがさけんだ。「だめなの？」

「この子たちは神聖《しんせい》なドラゴンの子だぞ」デューンは女王の手で石筍《せきじゅん》にたたきつけられながらどなった。女王のほうが小さいが力はとてつもなく強く、そのうえデューンは古きずのせいで動きがにぶい。息を切らし、きずだらけの翼をいびつにゆらしながら立ちあがった。「この子たちは〈運命のドラゴンの子〉だぞ。手だしはゆるさん！」

「けれど、もしこの子たちと遊んであげるのがわたしの運命だったらどうするの？」女王はかぎ爪をふりかざし、デューンの途中《とちゅう》から切れてなくなっている脚《あし》に切りつけた。デューンがさけぶと同時に新しいきずが口を開き、いきおいよく血がふきだす。「ああ、でもそうだ。忘《わす》れていたわ」女王が言った。「わたし、運命なんて気にしちゃいないのよ。予言だのなんだの、ナイトウイングのたわごとだってどうでもいいわ」

デューンの翼に爪を立て、さらにきずを大きく切りさく。「それにその子たちはこのわたしをとことんおこらせて、あげくににげたのよ。知らないのなら教えてあげるけど、わたしには本当にそんなことばかりでね。でも最後《さいご》には、必《かなら》ずうらぎり者を見つけだすの。たとえ七年の長きにわたり待つことになろうともね」女王はデューンの首をわしづかみにし、壁におしつけた。「そうよねえ、ケストレル?」

クレイがよろめいた。スカイウイングに強烈《きょうれつ》な一撃《いちげき》をくらってたおれ、しっぽと翼を両《りょう》脚《あし》でふみつけられてしまった。戦いは一瞬《いっしゅん》止まったかに思えた。クレイは組みふせられながら、どうくつにケストレルが飛びこんでくるのに気づいた。

「あわれなあわれなスカーレット」とげとげしい声でケストレルが言った。「みんなにうらぎられてばっかりで。ほら、わたしが来たよ。他の役立たずどもは放してやりなさいな」ドラゴンの子たちのほうなど見ようともしない。

クレイが首をひねると、ツナミと目があった。まさか自分たちを助けるためにケストレルが身を投げだそうとは、まったく、まったく、考えてもみなかった。もしかしたら、ドラゴンの子たちの命を守るというのは本心だったのだろうか。どれだけ自分たちをきらっていようとも、それだけを目的《もくてき》としていたのだろうか。

「ケストレル」女王が言った。「まるで命令《めいれい》してるみたいじゃないの。命令にそむいてばかりだったあなたが、今度は命令をだすほうに乗りかえたのかしら?」

「戦う気はないわ」ケストレルは、冷《つめ》たくかたい声で返した。「わたしがいっしょに行ってあげる。その子たちは放っておきなさい。ここの子たちは、スカイウイングとまったく関係がないのだから」

「行ってあげる？　選《えら》ぶ権利《けんり》があると思ってるだなんて、笑《わら》えるじゃないの。こちらには血わき肉おどるような裁判《さいばん》の用意があってね、それが終わったら血わき肉おどる処刑《しょけい》が続くのよ。けれど、このちびドラゴンのことなら……」女王がクレイと仲間のほうにさっとしっぽをふる。「こんなごほうびをわたしにあきらめさせようだなんて、無理《むり》な相談よ」

「そいつらはごほうびなんかじゃない」ケストレルが言い返した。「役立たずだよ、一頭残《のこ》らずね」

「それに、わたしなんて見た目だって変《へん》だし」サニーが岩のてっぺんから言った。

女王の口からちろちろと舌《した》がのぞき、角のまわりのけむりがいっそうこくなった。「ちょうどわたしのなわばりに、新しい血が必要なのよ。のがしたりなんかしたら、悲しくてたまらないわ。きっと立ち直れないほど落ちこんでしまうわ」

クレイは自分にのしかかるスカイウイングをおしのけようとしたが、相手はあまりにも大きかった。必死《ひっし》にもがくクレイを、ろくに見おろそうともしない。今こそ、**ぼくの中の怪物《かいぶつ》をよび覚《さ》ますときなのに**。クレイは心の中で言ったが、力も、どうもうさも、そして怒りも、まったくこたえてはくれなかった。

「全員連《つ》れていきなさい」スカーレット女王が命令した。「ただし、こいつだけは別《べつ》よ」

そう言って、まるで死んだハトでもゆさぶるようにして、デューンを軽くゆすってみせる。デューンは目玉を飛びださせながら、女王のうでに爪を立てた。「飛ぶこともできないドラゴンなんて、使いものにならないからね。おまえが自ら命を断《た》っていないのがふしぎなくらいだね、サンドウイングよ。けれど、このわたしが代わりに命をうばってやるから安心おし」

「やめて！」サニーがさけびながらふたりに飛びかかった。

だが、もう手おくれだった。ぽきりとかわいた音をひびかせながら女王がデューンの首を折《お》り、その体をゆかにどさりと落としたのだ。

「デューン！」サニーが悲鳴をあげた。スカーレットの前をかけぬけて彼の横にかがみ、両手でゆさぶった。「デューン、目を覚ましてよ！」

兵隊からにげだそうにもクレイはおそろしさのあまり動くこともできなかった。デューンが死んだ……それもぼくのせいで……。けむりで合図するのはぼくが言いだしたことだ。ぼくがスカイウイングをよびよせたせいで、デューンが殺されてしまったんだ。

まだだれか、ぼくのせいで死んじゃうんだろうか？

いきなりケストレルが、スカイウイングの兵隊に飛びかかった。ウェブスをつかんでいる兵隊を引きはがす。「タロンに連絡《れんらく》を！」彼女《かのじょ》はそうさけび、ウェブスを川のほうにつき飛ばした。

だれかが止めようとするよりも早く、ウェブスは斜面《しゃめん》をかけおりて川に飛びこんだ。大波が岩におしよせ、すべてのドラゴンに水しぶきがかかる。クレイがまばたきをしている間に、ウェブスはすっかり水中深くすがたを消していった。

クレイは、自分がぬけたあの長く細いわれ目のことを考えた。あんなところをウェブスが通れるのだろうか？　外にでられるのだろうか？

「なんとなんと、〈平和のタロン〉とはね！」スカーレット女王は頭についた水を爪ではらった。「空の宮殿《きゅうでん》までおしかけてきたらいいのに。きっとものすごく楽しいはずだもの。わたしたちにみな殺《ごろ》しにされるところなんて最高《さいこう》でしょうとも」

スカイウイングの兵隊が鎖を持ってきて、ドラゴンの子たちを一頭ずつぐるぐるまきにしていった。クレイはグローリーの目をちらりと見て、「かくれろ」と口だけ動かして伝《つた》えた。彼女が首を横にふる。

「だめよ。わたしもいっしょに行く」グローリーが小声で言った。

鎖の重さで翼も頭もうなだれたまま、みんなはトンネルをぬけて外に連れだされた。空にはすっかり太陽がのぼり、山々に黄金の光を投げかけていた。

クレイが見あげると、なにか黒いものがぐるぐると円をえがいて飛び、クレイたちを見てから飛び去っていったような気がした。もしかしたらモロウシーアではないかと思ったが、だとしたらみんなを助けようとしないのも当然《とうぜん》だった。ナイトウイングは、自分の爪をよごしたりしない。予言をもたらし、他のドラゴンになにをすべきか伝えはするが、戦争《せんそう》にはくわわらずに争《あらそ》いをさけるのだ。

クレイの胸《むね》が痛《いた》んだ。自由はもう目の前だったというのに、前よりもはるかに最悪《さいあく》の事態《じたい》になってしまった。地底《ちてい》ぐらしはまるで牢獄《ろうごく》みたいだった……だが、スカイウイングの女王のかぎ爪にとらわれたくらしは、そんなものではないのだ。

第2部

空の王国《スカイキングダム》で

14

女王の捕虜《ほりょ》たちは、空にとらわれた。

最初《さいしょ》の日、クレイは一日じゅうまぶたを閉《と》じていた。両脚《りょうあし》の感覚《かんかく》がなくなるほどきつく、足元の岩をつかみ続《つづ》けていた。ちらりと下——目がくらむほどずっと下にある地上——をのぞいただけで、気を失《うしな》って落ちてしまうのではないかとおそろしくなる。

翼《つばさ》を開くことができないよう〈空の翼《スカイウイング》〉の道具でがっしりと閉じられてしまっている今、落ちれば死はまぬがれない。恐怖《きょうふ》におそわれ、苦痛《くつう》を味わい、全身の骨《ほね》がこなごなになって死ぬのだ。

だが、もしかしたら落ちて死ぬほうがましなのかもしれない。スカーレット女王がみんなをどうする気かわからないが、クレイはそんな気がしていた。

クレイは、高くそびえる岩の塔《とう》のてっぺんにとらわれていた。ぐるぐる歩いて横になるくらいの広さしかない平たい岩だ。壁《かべ》はない。屋根もない。あるのは果《は》てしない青空と、昼も夜もごうごうとふきつけてくるものすごい風だけだ。

二日目、顔に大きな肉のかたまりがぶち当たった。

腹《はら》がへって死にそうだったクレイは、思わず目を開けた。仲間《なかま》とはちがうすがたをしたメスのスカイウイングが一頭、クレイのいる岩のまわりをぐるぐると飛《と》び回《まわ》っていた。自分よりひとつかふたつ年上だろうか、と思った。角はすっかりのびているが、歯はまだするどくて白く、欠《か》けたりよごれたりしていない。ちらちらと光を放つ銅《あかがねいろ》色の翼には金色の血管《けっかん》が走っており、口だけではなくうろこの間からもけむりを立ちのぼらせているように見える。彼女《かのじょ》は飛び回るのをやめると、クレイの前で宙《ちゅう》に止まった。おどろき見開かれたふたつの目は、まるでけむりの中でもえる青く小さな炎《ほのお》のようだ。スカイウイングの目はふつうオレンジかこはく色、それか黄色のはずだとクレイは思った。もしかしたらこのドラゴンにもサニーのように、なにか他のドラゴンとちがうところがあるのだろうか？

目の前には、黒こげになったなにかの死体が転がっていた。血のしみを見たとたん、クレイは首が折《お》れたデューンのすがたを思いだし、岩から首をだしてはいた。

するど、メスのドラゴンがいきなり笑《わら》い声《ごえ》をあげた。「気持ち悪うい。下に兵舎《へいしゃ》がないのが残念《ざんねん》だわ。ゲロがおにあいなのに」

クレイは思わず、下を見おろした。

彼《かれ》がいる岩の塔の牢獄《ろうごく》は、ぐるりと輪《わ》を作るように立つ百本の塔のひとつでしかなかった。ほぼすべての塔のてっぺんに、クレイと同じようにドラゴンがとらわれている。そして同じように、翼の外側《そとがわ》のふちを金具でがっしりととめられているのだった。その輪の中心には岩でボウルのようなくぼみが作られており、底《そこ》に砂《すな》をしきつめ切りたった壁で囲《かこ》んだ、まるで水のぬけた湖のようだった。壁の上には舞台《ぶたい》を見おろすことができるよう観客《かんきゃく》たちのためにたくさんの椅子《いす》とバルコニー、そしてあなぐらがあった。

塔の下にはただ岩が転がっているだけだった。だが塔のてっぺんにいるクレイからは、山の頂上《ちょうじょう》に広がる大きなスカイウイングの宮殿《きゅうでん》の中心部が見えた。スカーレット女王の巨《きょ》大《だい》な宮殿は、その山頂《さんちょう》にあるこい灰色《はいいろ》の岩をほって作られていた。宮殿の半分はトンネルやどうくつの中にあり、残《のこ》りの半分は空の下で、大勢《おおぜい》の衛兵《えいへい》たちがひしめきあっている。山はだには炎の色のドラゴンたちがおり、宮殿の新しい建物《たてもの》をまだほり続けていた。すっかり砂ぼこりや泥《どろ》にまみれ、〈泥の翼《マドウイング》〉とたいして変《か》わらないすがたになっている。

戦争《せんそう》のするどいかぎ爪《づめ》が、この国をズタズタにしていた。くずれた塔や、あちこちやけこげた壁や、半分ほどがドラゴンの骨で埋《う》めつくされた谷間が見えた。今こうしてながめているクレイの前でも、二頭のスカイウイングが深紅《しんく》のドラゴンの死体を運び、谷に捨《す》てていく。二頭は死体に火を放つとしばらく上空にとどまり、けむりの中でおたがいの翼をこすりあわせた。そしてくるりと向きを変えて飛び去り、死体はやがてもえつき、灰《はい》と黒くこげた骨だけが残った。

はるか東を見ると、青くかがやく海原《うなばら》が細く見えた。

そして両脚と首には細い鉄線がまきつけられているのにも、クレイは気がついた。ここに到着《とうちゃく》したばかりのときはあまりのおそろしさにひどく取りみだし、スカイウイングたちになにをされているのかもまったくわからなかったのだ。

クレイの首についた鉄線は、他の囚人《しゅうじん》の首と手首へとのびており、みんながつながれていた。クレイの左に向けてのびる鉄線は、となりの房《ぼう》で鼻の上にしっぽを乗せてねむっている銀色の〈氷の翼《アイスウイング》〉につながっている。右にのびる鉄線はイライラしている〈砂の翼《サンドウイング》〉につながっており、彼がぐるぐると歩き回るものだから鉄線がいつでもぶるぶるとふるえている。最後《さいご》の三本目は輪の反対側《はんたいがわ》にのびており、いったいだれにつながっているのかわからなかった。闘技場《アリーナ》の上にはりめぐらされたクモの巣《す》のような鉄線の中に消え、とらわれたドラゴンたちをみんなつなぎあわせているのだ。

女王の囚人たちが空を飛んでにげるには、みんながいっせいに舞《ま》いあがらなくてはいけない……だがそんなことをしたら百頭の囚人たちがぶつかりあい、どうにもならなくなってしまうだろう。そんなに遠くまでにげられるわけがない。もし一頭が塔から落ちたらどうなるのだろう、とクレイは思った。引きずられるますますべてのドラゴンがいっしょに落ちてしまうのだろうか。

「ねえ、食べないの？」さっきのスカイウイングが周《まわ》りを飛び回りながらたずねた。

「おなかすいてない」クレイは翼の中に顔をつっこんだ。ばさばさと、何周《なんしゅう》か飛び回る彼女の羽音が聞こえた。

「もしかして好《す》きじゃない？」彼女がたずねた。「マドウイングがなに食べるか知らないのよ。マドウイングが来るなんて初《はじ》めてだからさ。だって、戦争じゃわたしたち味方同士《どうし》でしょ？　ひどい話よね。それをつかまえて閉じこめちゃうだなんて。でもあなたは〈平和のタロン〉なんだから、わたしたちがどうしようとマドウイングたちも気にしたりしないわ。ほら、なんか食べなくちゃだめだよ」

「どうしてさ？」クレイは翼から頭をださずにたずねた。

「だって、わたしが殺《ころ》す前に死んじゃったらいやだもの」彼女があまりにもさらっと言ってのけるものだから、クレイは一瞬《いっしゅん》なにを言われたのかもわからなかった。翼の下から鼻先をつきだし、彼女を見る。

「マドウイングと戦《たたか》ったことないんだよね」そう言って、器用《きよう》に鉄線をさけながらまたぐるぐると周りを飛んでみせる。「なんていっても味方同士だからさ。だから、すごく興味《きょうみ》あるんだ。〈海の翼《シーウイング》〉やアイスウイングと戦うのとは、ぜんぜんちがうんだろうな。でも女王陛下《へいか》は、まずつまんない囚人とあなたを戦わせるおつもりよ。それで死んじゃったら、わたしが戦えなくなっちゃう」

「そいつは悲しいね」クレイが答えた。

「でしょう？　ぜんぜんつまんない。でも、最高《さいこう》に楽しいのは〈夜の翼《ナイトウイング》〉との戦いだろうな。そんなのだれも見たことないよ。心を読まれて、なにもしないうちにこうげきを読まれちゃったらどうする？」彼女が翼をかたむけ、クレイの下に飛びこむ。「とりあえず**あいつ**は食べてるよ。ねえ、女王陛下はもしかしたらあなたたち二頭を対戦《たいせん》させるおつもりじゃないかな。でもそれじゃあ、わたしはどっちかとしか戦えなくなっちゃうわ。ねえ、あなたならナイトウイングに勝てると思う？　たぶん無理《むり》じゃない？　でしょう？」

「スターフライトと？」クレイが言った。「無事《ぶじ》なの？　ここにいるの？」立ちあがり、囚人たちの輪の外をきょろきょろと見回す。下さえ見なければ、わりとだいじょうぶだ。

きっとシーウイングたちだろう、青や緑のドラゴンが何頭か見えるが、どれも遠すぎるせいでツナミかどうかまではわからなかった。とらわれのドラゴンたちはほとんどがシーウイングとアイスウイング、そしてサンドウイングだった――きっと戦争捕虜なのだろう。赤やオレンジのスカイウイングも何頭かいた。たぶん、なにかで女王を不愉快《ふゆかい》な目にあわせてしまったのだとクレイは想像《そうぞう》した。

真夜中のように黒いドラゴンは、クレイのほぼ反対側にとらわれている一頭だけだった。あまりにも遠すぎる。クレイからだと顔までは見えなかったが、スターフライトだという確信《かくしん》があった。じっとすわりこみ、いつものように頭をたれ、**ふるえあがった石筍《せきじゅん》の姿勢《しせい》**

をとっていたからだ。

もしスターフライトに心を読むことさえできれば！　クレイはアリーナの向こうまでメッセージをとどけられたらいいのにと心の底から願《ねが》った。だが、なにを伝《つた》えればいいというのだろう……いつもからかったり、スターフライトのお気に入りのまき物をかくしてしまったり、ガリ勉を笑《わら》ったりしたことをあやまって終わりかもしれない。

「あの子が見える？」スカイウイングの娘《むすめ》が言った。「ひとことも口をきいてくれないのよね」

クレイは鼻で笑った。「なんでもいいから、なにか教えてくれってたのんでごらんよ。焦土時代《スコーチング》のころにどうやってドラゴンたちが種族《しゅぞく》を作ってゴミあさりからピリアをうばい取ったか、とかさ。そうしたらもう、話しだして二度と止められないぜ」

「やってみる」スカイウイングは、クレイの冗談《じょうだん》にも気づかないような顔で言った。クレイは目を細めて彼女を見た。ただでさえ塔のてっぺんは光がまぶしすぎるのに、彼女の銅色のうろこに反射《はんしゃ》すると、さらにまぶしい。

「君はだれなの？　見はりかい？」

「まさか、ちがうわ。わたしはペリルっていうの」彼女は得意《とくい》げに言った。「女王陛下のチャンピオンよ。あなたの名前は？」

「ぼくはクレイ。ぼくと戦うってどういう意味？　なんで戦わなくちゃいけないの？」

「え、まじめに言ってるの？」ペリルは目を丸くした。「まさか、ずっと岩の下とかでくらしてたんじゃないでしょうね？」

「だいたいそんなとこだよ」クレイは苦笑《にがわら》いした。

「本当に？」彼女は興味深《きょうみぶか》そうに首をかしげ、少し考えこんだ。「わかった、教えてあげる。下にあるのは、女王陛下のアリーナなの」そう言って、下に見えるボウル状《じょう》のものを長くとがったしっぽで指す。「あそこでは女王陛下のお楽しみのために、ほとんど毎日戦いがおこなわれるのよ。で、ずっと勝ち続ければ自由の身になれるってわけ」

「ずっとって、何回くらいさ？」

「さあね。自由の身になったドラゴンなんていないもん。だいたい何回か勝つと、女王陛下の命令《めいれい》でわたしがでてってみんな殺しちゃうからさ」翼をゆらし、彼女が肩《かた》をすくめる。

「わたし、ほんとに強いんだ」

強いうえに、頭がどうかしてるのかもな。クレイは心の中で言った。**何頭殺したんだろう？　数えてるんだろうか？　胸《むね》は痛《いた》まないんだろうか？**

「なにさがしてるの？」ペリルがたずねた。クレイはスターフライトを見つけてからほかの囚人たちのことも見回してみていたのだが、小さな金色のドラゴンも、他のドラゴンたちとはちがう色のドラゴンも見つからなかった。サニーとグローリーはどこにいるのだろう？

「ぼくといっしょにここに連《つ》れてこられたドラゴンたちだよ……。どこに連れてかれたか知らない？」

「あのシーウイングならあそこだよ」ペリルはくるくるとクレイの上に舞いあがると、彼とスターフライトのちょうど間くらいにいる深い青のドラゴンを指さした。ツナミのしっぽが怒《いか》りでぱたぱたと動いているのを、クレイもすぐに見つけた。

「戦いの相手としてはつまらないドラゴンね」ペリルが言った。「山ほどシーウイングと戦ってきたけど、あいつらの技《わざ》さえ見切ってしまえば楽勝だもん」

ツナミは、君が見たことない技を使うよ。クレイは思った。「じゃあ〈雨の翼《レインウイング》〉のほうはどう？」

ペリルはクレイのほうに首をつきだしてきた。「ここにレインウイングがいるの？」

「戦ったりしたらだめだよ」クレイはあわてて言った。「レインウイングは身を守れないからね……そんなの不公平《ふこうへい》だよ」

「わたしは、女王陛下に言われたとおりにするだけ。でもレインウイングなんて一頭も見てないいな。アリーナには連れてこられてないよ」

「あと、サンドウイングもいるんだ」クレイはさらに続けた。「すごく小さくて金色で、見た目も変わってて――」

「そんなドラゴン見たことないわ。でも、よかったら目を光らせておくね」ゆっくりと後ろに宙返《ちゅうがえ》りし、翼の先でちょこんと彼にふれる。「さあ、もう行ってウォームアップしなくちゃ。応援《おうえん》しててよね！」ペリルはアリーナに向かって飛び始めたが、すぐにさっと向きを変えて引き返してきた。「ねえ、話してくれてありがとう、クレイ。そんなドラゴンめったにいないんだ」そう言うと今度は彼の頭の上を飛びこし、クレイが返事も考えつかないうちに飛び去っていってしまった。

銅色のかがやきを放ちながら、ペリルが下の砂地《すなち》へとおりていくのが見える。アリーナには何頭かドラゴンがいて、ゆかをはいたり壁をチェックしたり、座席《ざせき》の警備《けいび》をしたりしていた。クレイは、どのドラゴンもあわててペリルから遠ざかろうとしているのに気がついた。ペリルが向かう先々で、まるで彼女が見えない毒《どく》の雲でもまとっているかのように、ドラゴンたちがどんどんにげだしていくのだ。彼女を見ようとするドラゴンすら、一頭もいない。

だがペリルは、ちらりとも気にした様子を見せなかった。みんなが道を開けるのなどわかっていたような顔で、のしのしとアリーナを歩き回る。その目はずっと、ひとつのどうくつからつきだしてアリーナを見おろす、いちばん大きな岩のバルコニーだけに向けられていた。さっとしっぽをふった彼女が、アリーナの壁に口を開けた暗いあなの中にすがたを消していく。

クレイは低《ひく》くふせて岩のふちからのぞいてみた。しっかりとゆかをつかみ、めまいとはき気を必死《ひっし》におさえる。ウサギの死体が放つにおいも強烈《きょうれつ》だった。ここから死体を投げたらスカイウイングの兵隊《へいたい》に命中させられるだろうか、とクレイは考えてみた。最後に食べてから、どのくらい時間がたったのだろう――あれは地下どうくつにモロウシーアがやってくる前だっただろうか？　気の遠くなるほどの昔なのだろうか？　だが、いつもなら底なしの食欲《しょくよく》も、今はすっかり雲がくれしているようだった。

見ているとドラゴンたちがどんどん座席に着いていった。ほとんどスカイウイングばかりだが、うすい黄色と白のサンドウイングのすがたもあちこちに見える。マドウイングまでが何頭かまざっている！　クレイはどきりとした。仲間たちだ！　ここにつかまっているのを知ってくれているのだろうか？　たとえ〈平和のタロン〉の一員でも、自分を自由にするよう女王に言ってくれるだろうか？

そう。マドウイングとスカイウイングは、戦争の味方同士だ。クレイはずっとそれが覚《おぼ》えられなかったのだが、もう二度と忘《わす》れられそうになかった。**もしスターフライトがぼくを鎖《くさり》で塔につないで下のアリーナで武闘会《ぶとうかい》を開いてくれてたなら、きっとぼくは歴史《れきし》の授《じゅ》業《ぎょう》で優等生《ゆうとうせい》になっていただろうな。**

客席《きゃくせき》が満員《まんいん》になるまでずいぶんと時間がかかったが、やがて太陽が真上から熱く照《て》りつけるころになると、二頭の番兵《ばんぺい》たちが大きな音でラッパをふき鳴らした。すべてのドラゴンの目がアリーナに集まる。スタジアムじゅうのドラゴンが頭をさげ、翼をたたみ、両手を組み、物音たてずにそのときを待った。

広々としたバルコニーにスカーレット女王がでてきて翼を広げ、オレンジ色のうろこに太陽の光をきらきらと反射させた。集まったドラゴンはみな炎をはくときの音をたてて女王をむかえた。クレイにとっては、ケストレルが自分に向けて炎をはこうとしているときにしか聞いたことのない音だ。スカイウイングが敬意《けいい》をしめすためにこの音をたてているのだと、しばらくクレイは気づかなかった。

女王の周りにいるドラゴンたちに目をこらす。大きなスカイウイングの衛兵がバルコニーぞいにならんでおり、他の衛兵が二頭、太陽の光の中へとなにかをおしながらでてくるのが見えた。まるで葉っぱのついていない木のみきのように見えた。あわい灰色をした一本の大理石からほられた、四本の枝《えだ》を持つしなやかな木だ。その枝には、深紅のバラの花びらのような色のドラゴンが、みきにしっぽをまきつけて腰《こし》かけていた。太陽の光を浴《あ》びた瞬間《しゅんかん》、はじけるようにして他の色がそのうろこに広がっていく——黄金のかがやきがおりなす星座《せいざ》や、うずまくむらさきの銀河《ぎんが》や、うすい青の星々がうつろう星雲のようだ。

クレイが思わず息をのんだその瞬間、アリーナに集まった群衆《ぐんしゅう》がさけび声やざわめきをあげ始めた。

あのドラゴンはグローリーだ。太陽を浴びたグローリーは、クレイが思っていたよりもずっとまばゆいすがたをしていた。

彼女は細い銀の鎖で、大理石の木につながれていた。かぼそくてかんたんにちぎれそうな鎖だが、グローリーはまったくにげようと思っていない様子だった。観客たちを無視《むし》して太陽に向けて長く首をのばしたかと思うと、また枝の上で体を丸めてまぶたを閉じてしまったのだった。

衛兵たちはグローリーを乗せた木をバルコニーの片《かた》すみに置《お》いた。女王が前に歩みでる。

「さあみなさん？」ずるがしこく笑うような女王の声がアリーナに、そして上空の囚人たちにひびきわたった。「わたしの最新《さいしん》の芸術品《げいじゅつひん》はどうかしら？」

芸術品だと！ クレイはかっとなった。**グローリーのことを、まるで壁にかけるタペストリーみたいに言うじゃないか。感情《かんじょう》や想《おも》いや運命や、大事にしてくれる友達《ともだち》だってグローリーにはいるっていうのに！**

しかし、グローリーはなぜ抵抗《ていこう》しようとしないのだろう？

それにサニーはどこにいるのだろう？

ドラゴンたちが拍手《はくしゅ》し始めたかと思うと、アリーナはすぐに羽音や手をたたく音でいっぱいになった。

「さあ、闘士《とうし》たちを中へ！」女王が大声で命令した。

トンネルからペリルが飛びだしてきて、観客に手をふる。クレイは、拍手が小さくなったのに気がついた。ドラゴンたちはまるで、本当に彼女を応援していいのかどうか、よくわからないような様子なのだ。

スカイウイングの衛兵が三頭、クレイの右にとらわれているサンドウイングのところに飛んできた。一頭の衛兵が毒を持つしっぽをつかみ、さされないようしっかりとおさえる。サンドウイングは大声でわめきちらして抵抗したが、残る二頭の衛兵が彼をつなぐ鉄線をはずし、岩だなのまん中にあるフックにつなぎ直した。

サンドウイングはまだ翼をしっかりととめられていたが、クレイはもしかしたら飛びおりてしまうのではないかと思った。だが衛兵たちはがっしりとサンドウイングをかかえると、またおりていき、アリーナのまん中に広がる砂地に落としたのだった。

ペリルが目をかがやかせながらサンドウイングのほうを向いた。

もうすぐあのドラゴンが目の前で殺されてしまうのだ。クレイは胃《い》の底からはき気がこみあげてきた。

15

クレイは見たくなんてなかった。けれど、いつかペリルと戦《たたか》わなくてはいけないのだとしたら、彼女《かのじょ》の戦いぶりを見ておかなくてはいけない。遠くにいるツナミとスターフライトのほうに目をやる。とらわれている他のドラゴンと同じく、ふたりもすっかりアリーナにくぎづけになっているようだ。

スカイウイングの司会者《しかいしゃ》がひとりアリーナの中央に立ち、大きな音をたてて翼《つばさ》を打ちつけ、すべての観客《かんきゃく》を静《しず》かにさせた。それを見とどけ、女王に頭をさげてから、大きな声で言う。「四つの戦いに勝《か》ち残《のこ》ったサンドウイングのホライゾン。おろかしくもブレイズ軍《ぐん》の兵士《へいし》であったこのドラゴンが、ここに女王陛下《へいか》のチャンピオン、ペリルとの戦いにいどむ。爪《つめ》を立て、かまえよ！　始め！」

向かいあうペリルとサンドウイングを残《のこ》し、衛兵《えいへい》があっというまにアリーナから飛《と》びだした。ホライゾンはいかくするようにするどい音を口からもらしながら、壁《かべ》ぎわまでさがって体をちぢめた。

ペリルはその銅色《あかがねいろ》の翼に太陽の光をきらめかせながら、じりじりと彼《かれ》に近づいていった。長いしっぽがヘビのように砂《すな》をはう。相変《あいか》わらず、うろこからけむりが立ちのぼっているように見えた。

ホライゾンは一瞬腰《いっしゅんこし》を落とすと、いきなりペリルの頭を飛びこえてアリーナの反対側《はんたいがわ》へとにげた。飛びこえざまに爪で切りつけたりこうげきしたりする様子もない。毒《どく》ばりつきのしっぽをふろうとすらしない。ただ、にげただけだ。

あいつ、どうしてあんなにペリルにビビってるんだ？　クレイは不安《ふあん》な気持ちで考えた。

ペリルはゆうゆうとふり返ると、ホライゾンににっこりとほほえんだ。にげ道をさがし、ホライゾンが黒い目を左右に走らせる。そして、とつぜん壁に口を開けたトンネルにかけだした。

目にもとまらぬ速さでペリルはホライゾンの前に立ちふさがり、彼の胸《むね》を爪で切りさいた。クレイからはただのかすりきずにしか見えなかったが、ホライゾンは苦悶《くもん》のさけびをあげて仰向《あおむ》けにたおれ、砂の上でもがきだした。

ペリルが近づいていき、今度は脇腹《わきばら》を爪で切りさく。ホライゾンがまた悲鳴をあげた。まるで飛んでにげようとしているかのように、金具でとめられた翼がばたばたとあばれる。

ペリルはゆっくりと、やさしくすら見える手つきで翼にふれ、彼の体に手をおしつけた。

ホライゾンのさけび声がいっそう大きくなり、耳をつんざくほど長くひびきわたった。クレイにはまったく理解《りかい》できなかった。彼女はただ手をふれただけだ――他にはなにもしていない。

ペリルがはなれると、ホライゾンのうろこに彼女の手の形をしたこげあとがついているのが見えた。炎《ほのお》をはくことすらせずに、彼のはだに焼印《やきいん》をおしたとでもいうのだろうか。クレイが目をこらしてみると、ホライゾンの体についた切りきずからもけむりが立ちのぼっているのがわかった。ペリルは爪にまで炎を宿しているのだろうか？　そんなことがありえるのだろうか？

しょんぼりとうなだれているスターフライトのほうを見る。そばにいれば、すべてを説明《せつめい》してもらえるのに。

とつぜん、ホライゾンが反撃《はんげき》を始めた。ペリルに飛びかかって両目を爪でおそい、心臓《しんぞう》をしっぽでつく。

ペリルは宙返《ちゅうがえ》りしてその爪をかわすと、砂地《すなち》になぐりたおした。ホライゾンのしっぽについた毒ばりが小さないなずまのような火花を散《ち》らして彼女のうろこにはね返され、次の瞬間《しゅんかん》、あっというまに炎につつまれた。毒ばりがいきおいよくもえあがり、ホライゾンが苦しそうにさけぶ。クレイが見たこともない光景《こうけい》だった。他のドラゴンをもやしてしまうドラゴンだなんて――それも、**ただふれただけ**で。

ホライゾンは炎を消そうとして、バタバタとしっぽで地面をたたいた。ペリルがさっと彼の背後《はいご》に回りこむ。そしてもう一度かぎ爪《づめ》をむきだしておそいかかったが、ホライゾンはすばやくふり向いて彼女の手をわしづかみにした。がっしりと翼でくるむようにしてペリルの体をつかまえ、甲高《かんだか》い声を放ちながら彼女の肩《かた》に顔をおしつける。

ペリルが固《かた》まった。二頭のドラゴンからけむりが立ちのぼり、ホライゾンの翼に黒々とこげあとがつき始めたと思ったとたん、彼の翼が灰《はい》となりくずれ落ちてしまった。ホライゾンがゆっくりと地面にたおれていく。翼を高々と広げたペリルがいっしょに引っぱられていく。

ホライゾンの全身を、もうれつなふるえが走った。彼はペリルのうでをはなすと、ゆっくりと横から砂の上にたおれた。おぞましいやけどが顔をとかし、翼はボロボロになってやけこげた骨組《ほねぐ》みだけが残っていた。手のひらのまん中にも黒こげのあとがついている。

クレイの頭の中に、さっと昔の記憶《きおく》がよぎった。ケストレルの両手にも、にたようなこげあとがあったはずだ。もしかしてまだスカイウイングの国でくらしていたころ、ケストレルもペリルと戦ったことがあるのではないだろうか？　だとしたら、なぜまだ生きていられるのだろう？

ペリルは立ちあがり、ホライゾンの死体を見おろした。不満《ふまん》げなざわめきが起こり、客席《きゃくせき》じゅうに広がっていく。彼女は銅色の翼をゆらしてスカーレット女王のほうをふり返り、見あげた。

女王がため息をつき立ちあがり「やれやれ、つまらない試合《しあい》だったこと」と言った。そしてとらわれのドラゴンたちに大声をあげた。「このあわれなドラゴンよりも、勇《ゆう》かんな者はいないかしらね？」

クレイは、こんなにも臆病《おくびょう》な気持ちになどなったことがなかった。ペリルは彼にとって、まったく新しい怪物《かいぶつ》だ。ホライゾンにはどうしても太刀《たち》打ちできないほどの相手だったのなら、どれほど残酷《ざんこく》な死であろうとも、女王の楽しみのためにじわじわとなぶり殺《ごろ》しにされるより、ひと息に死んでしまうほうがよかったのだろう。

「でも心配はいらないわ」女王が翼を広げながら観客たちに声をかけた。「明日は特別《とくべつ》なショーがあるんだもの。わたしたちがだれも見たことのないようなショーがね！　今度こそ、わたしを楽しませようとしてくれるドラゴンが登場するでしょう。今までの役立たずどもとはちがってね」スカーレット女王は冷《つめ》たい目でホライゾンの死体を見ると、ペリルにまでそのけわしい顔を向けた。ペリルが頭をさげ、砂の地面をじっと見る。

「今日はこれまで！」女王はさっと片手《かたて》をふりアリーナに背《せ》を向けると、さっさと立ち去ってしまった。クレイは勇気《ゆうき》をだして思いきり首をつきだすと、ねむりこけたままふたたびトンネルにおされていくグローリーをながめた。

もしかしたら薬でも飲まされているのだろうか。それとも女王になにかおどしを受けているのだろうか。でなければ病気にかかっているか、他になにかおそろしい理由でもあるのかもしれない。

もう、だれのことを心配していいのかクレイにはわからなかった――グローリー、まだ行方不明《ゆくえふめい》のままのサニー、そして、もしかしたら明日戦わされるかもしれないスターフライト……。女王の「わたしたちがだれも見たことのないようなショー」という言葉は、いったいどんな意味なのだろうか？

たしかにスターフライトは地図や年号や事実や試験《しけん》などには強いが、かぎ爪同士《どうし》をぶつけあう戦いはけっして強いとはいえない。

スターフライトがアリーナで生《い》き残《のこ》ることができるのか、クレイにはまったく予想がつかなかった。

16

山々の向こうに太陽が落ち始めた。クレイはまだ仲間《なかま》のことが心配で、なにかできることはないかと考えていたが、眠気《ねむけ》に負けてしまった。

目が覚《さ》めるとまた生きもののやけたにおいがしていて、ぺこぺこの腹《はら》が音をたてた。ふたつの月はまだ空高く、三つ目ははるか遠くの山のいただきの向こうでぼんやりと白くぼやけていた。クレイの目もようやく、この雄大《ゆうだい》な景色《けしき》になれてきていた。ずっと育ってきたあの〈山の底《そこ》〉とは、まったく正反対の景色だ。

背後《はいご》からただよってくるこげたにおいのほうをふり向いたとたん、クレイはおどろきのあまり岩の上から落ちそうになってしまった。

彼《かれ》のねていた平らな岩のはしっこで、足の周《まわ》りにくるりとしっぽをまいて翼《つばさ》をたたみ、まるでできるだけ小さくなっていようとするかのように、ペリルがちょこんとすわっていたのだ。はしっことはいえふたりの間の距離《きょり》はしっぽ一本分くらいしかなく、うろこが発する熱《ねっ》がクレイのところまではっきりととどいていた。サニーやデューンが放つ、太陽のような温《ぬく》もりとはちがう。ふん火しかけた火山の近くにでも立っているかのような熱気《ねっき》だ。

「よかった、やっと起きた」彼女《かのじょ》はそう言って、ふたりの間に落ちた肉のかたまりをあごでしめした。「今日はちがうもの持ってきたよ。ていうか、わたしが持ってくって衛兵《えいへい》からうばったんだけどね。ちょっとパリパリしてるから、気にいるかわからないけど」そういって、おどけたように顔をしかめてみせる。

クレイは、けむりのしみついたアヒルのようなにおいの獲物《えもの》をのぞきこんだ。食べたいが、ペリルに近づくのは気が進まない。なにかの拍子《ひょうし》にもやされでもしたら、たまったものではない。

「だいじょうぶだってば」ペリルは、彼の心でも読んだかのように言った。「約束《やくそく》する。ここにじっとしてるから」そう言って、ねむりこけている他のドラゴンたちを見回す。「そのへんをぐるぐる飛《と》んでるより、こうしてるほうが目立たないと思ってさ」

とても怪物《かいぶつ》とは思えないような声だ。クレイは昨日《きのう》あそこで見た残《ざん》にんなドラゴン殺《ごろ》しと目の前にいる物静《ものしず》かなドラゴンを、頭の中で重ねあわせようとしてみた。

アヒルを自分のほうに引きよせ、ふた口で平らげる。灰《はい》の味がするし、歯ざわりもひどいものだ。

「すごい。あっというまだね」ペリルが言った。「おかわりいる？」

「いや、だいじょうぶだよ」

彼女が爪《つめ》を一本のばし、岩のゆかをこする。「ここにいたら迷惑《めいわく》？」

「そんなことないよ」そう答えると、ペリルはおどろいたように顔をあげた。「ここで話でもしようよ」クレイが続《つづ》ける。

「わたしがこわくないの？　昨日あんなすがたを見たのに？」

「もちろんこわいさ」クレイは素直《すなお》に答えた。「でも、ハトといっしょにいるより楽しいからね。ハトなんて、どんな巣《す》を作るかとか、だれの頭の上にフンを落とすかとか、そんな話しかしないんだもの」

ペリルはふきだした。最初《さいしょ》に会ったときよりも、だいぶ打ちとけているようだ。月明かりにうかびあがった彼女の顔を、クレイはじっと観察《かんさつ》した。「その……君はだいじょうぶなの？」

ペリルはぱちぱちとまばたきをした。そして質問《しつもん》には答えず「あれはなんだか変《へん》だったわね。そう思わない？」と言った。

「変ってなにが？」

「あのサンドウイングのホライゾンよ。あんなふうに降参《こうさん》するなんてさ」そう言って翼を開いたり閉《と》じたりする彼女を見て、クレイはたじろいだ。「なんであんなことしたんだろう？」ペリルが続ける。「見てられないほどあわれだったわ。遠くにつき飛ばして、もっと戦《たたか》いを続けさせればよかった。女王陛下《へいか》がカンカンだったわ」

「君にかい？　それはひどいね」

ペリルがまた目をぱちくりさせた。「本当にそう思う？」そう言ってから、首を横にふる。「ううん、陛下の言うとおりだわ。他のドラゴンにできないのなら、わたしが戦いをもりあげなくちゃいけないいんだもん」

「なんで女王の言うことなんて聞いてるの？　君はその……戦いが好《す》きなの？」本当は、**殺《ころ》しが好きなのか**と聞きたかったが、答えを聞くのがこわくてやめた。なんの理由もなく何度も何度も殺しをさせられたら、自分なら好きだと思うだろうか？　自分はそんなドラゴンになるべきなのだろうか？　明日あのアリーナでそうしろと言われたら、よろこんでそうするべきなのだろうか？

「もちろん」ペリルがうなずいた。「わたし、戦いが得意《とくい》なの。他はてんでだめだけどさ。それにあの方はわたしの女王陛下で、わたしは女王陛下のチャンピオンなんだよ」

「どうして君が？」クレイは思いきって、本当にしたい質問に近づいてみた。**いったい君になにがあったの？**

「だれもわたしなんて求《もと》めてくれないから」ペリルはあっさりと答えた。「手をふれたがってすらくれないの。まあ、あなたもあれを見たでしょう？　わたし、ふつうじゃない炎《ほのお》を宿して生まれてきたんだよ。ふつうわたしみたいな子が生まれると、スカイウイングは高い高い山の上から落としちゃうんだ。うちの**母さん**もそうしようとしたんだけど、スカーレット女王が助けてくれて、ばつとして**母さん**を殺してしまったの」**母さん**という言葉を口にするとき、ペリルはまるで氷のように冷《つめ》たい目になった。

「ひどい」クレイはかすかな声で言った。

「うん。しかもわたし、いっしょに生まれた双子《ふたご》の卵《たまご》をもやしちゃったんだ。弟の炎を全部すい取って、黒こげにしちゃったの」彼女はあっさりと言ったが、声はふるえていた。

「ぼくは卵からかえったとき、他の卵をこうげきしたんだ」クレイが言った。声にだして言ってみると、なんだか変な気分がした。「まあ、大人のドラゴンたちから聞いた話だけどね。巣の仲間を殺そうとしたんだってさ。覚《おぼ》えてないけど」

ペリルは首をかたむけた。「じゃあわたしたちどっちも、他のドラゴンを殺すために生まれてきたのかもね」そのうれしそうな声を聞いて、クレイは複雑《ふくざつ》な気分だった。**もしかしたら、この子の言うとおりなのかもしれない。ぼくが自分を解放《かいほう》したら、この子みたいな怪物になっちゃうのかもしれない。**

「ぼくはそんなことしたいとは思わないな」クレイは答えた。「戦うのは好きだけど、エサにする獲物しか殺したことなんてないよ」

「女王陛下はわたしに、もっと自分の本性《ほんしょう》にしたがえって言うわ。そうやって育てられたの。本性にしたがうように、殺すためのドラゴンたちをあたえられてね。あなたも本当の自分になったら、今より気持ちが楽になるかもよ」

「自分がそんな怪物じゃないことを祈《いの》ってるよ」クレイは言った。月明かりを浴《あ》びたペリルの表情《ひょうじょう》が変《か》わった。クレイは、自分がきずつけてしまったのだと気づいた。「いや……ちがうんだ……」と口ごもる。いいじゃないか、クレイ。どんなふうに続けるつもりだ？

「ドラゴン殺しが悪いってわけじゃないよ」とでも続けるか？　それとも「君にとってはそれが最高《さいこう》だと思うよ」とでも言う気か？　「つまり、ぼくはそういうふうに生まれたけど、永遠《えいえん》にそのままってことじゃないって言いたかったんだよ。自分で選《えら》べたらいいよな、ってだけだよ。なるべき自分じゃなくて、なりたい自分になるっていうことさ。わかったかい？　君も……ええと……ちがう自分になれるなら、そうなりたいと思ったことはないの？」

「ないよ」ペリルは、足元のゆかを爪で引っかきながら答えた。「今の自分のままでいいって思ってるし、今の自分が好きだからね。あなただって、同じようにするべきだわ」下のほうからなにか音が聞こえ、彼女があわてて立ちあがった。「行かなくちゃ」

「待って」クレイが引き止める。「教えてほしいんだ。明日はだれが戦うの？　女王様に話してもらうことはできない？　あのナイトウイングを戦わせるのはやめてくれるようたのんでほしいんだ。まだまだアリーナで戦えるようなやつじゃないんだよ」

「まじで言ってるの？　陛下が聞いたらカンカンにおこるわよ。あいつが戦うの、見たくてうずうずしてらっしゃるんだから」

「代わりにぼくがやるって言ってくれ」クレイが答えた。「ぼくはいつでも行ける。ぜったいすごい戦いをしてみせるよ」

ペリルは、クレイが言い終わる前から首を横にふっていた。「無理《むり》よ。あなたと話をすることさえ禁止《きんし》されてるんだしね。ここに来たのがばれたらめちゃくちゃおこられるわ。たぶん、あなたはここにつかまってる他のドラゴンたちとはちがうのね」

「そうか……」クレイは口をつぐんで考えた。これは変だ。なぜスカーレット女王は、ペリルが自分と話すのをきらうのだろう？「だけど、それでも来てくれたんだね？」

彼女はどこかばつが悪そうな様子で、爪をいじりまわした。「うん、自分でもなぜかわからないんだけどね。だって、なんかおかしい気がしちゃって。わたし、あなたと話すの好きだよ。陛下はわたしと話をする時間なんて持ってらっしゃらないし、他の友達《ともだち》といえばみんな年よりばかりで、何回も何回も同じ話ばっかりでさ。でもあなたは超《ちょう》すてき」

なるほど。女王の命令《めいれい》だからってなんでもしたがうわけじゃないんだな。こいつは耳よりだぞ。

彼女が目をキラキラさせて自分を見ているのにクレイは気づいた。「ええと……君も超すてきだよ」

ペリルは笑《わら》った。するどく白い歯が月明かりに光る。「いつも女王陛下が言うんだ。わたしなんかを気にかけるのは自分ひとりだって。ありのままのわたしを好きなのは自分だけで、他はだれも好きになんてなってくれないって。でも、あなたはちがう」

ちょっと待ってくれよ。クレイは心の中で言った。ありのままの彼女が好きかどうかなんて、まだわからない。いずれ自分を殺そうと思っているドラゴンと親友になりたいかどうかも、まったくわからないのだ。

けれど、ペリルにもどこか心ひかれる部分はあった——気まずそうで悲しげな様子は、自分にも理解《りかい》できるような気がするのだ。それにもしかしたら、彼女に殺しをやめさせるよう説得《せっとく》するチャンスもあるかもしれない。スカーレット女王が自分と話をさせたがらないのは、それをおそれているからではないだろうか。

しかし今は、スターフライトを助ける方法《ほうほう》を考えなくてはいけない。

「お願《ねが》いだから、女王様にスターフライトのことを話してみてもらえないかな？　自分で思いついたふりをしてみたらどう？　マドウイングだってめずらしいだろう？　だからあいつは後回しにして、ぼくから戦わせるのさ。それに、もしあいつが最初の戦いで死んじゃったら、台無《だいな》しになっちゃうじゃないか。だろう？」スターフライトが死ぬことを想像《そうぞう》すると、それだけで胸《むね》がつまりそうになる。

「そうなると思ってるの？」ペリルは、とらわれのドラゴンたちが作っている輪《わ》のほうを見た。明るい月明かりの下でも、スターフライトがとらわれている石の台はとてもはなれていて、黒々としたそのすがたはよく見えなかった。「あの子は力が使えないの？　心を読んだりとか、ぜんぜんできないの？」

かわいそうなスターフライト。もしかしたら成長《せいちょう》したナイトウイングに囲《かこ》まれて育ったナイトウイングの子なら、今ごろもうすべての能力《のうりょく》を身につけているのかもしれない。スターフライトは、他のナイトウイングとはちがうのだろうか？

スターフライトがなんの能力も持っていないことをペリルやスカーレット女王に知られたくはないが、きっとなにか特別《とくべつ》な力があるはずだと誤解《ごかい》したふたりにスターフライトの命を危険《きけん》にさらされるのもいやだ。

「ナイトウイングの能力は、予測不可能《よそくふかのう》なんだよ」クレイは思いきって言ってみた。「いいかい、あいつはまだじゅうぶんに成長してないんだ。まだ、力の使いかたを学んでるところなんだよ。能力を発揮《はっき》したときにはすごくこわい相手なのはまちがいないけどね」どうかナイトウイングについてスカイウイングが持っている知識《ちしき》が、あのまき物の中身とたいしてちがいませんようにと、クレイは祈った。

「なるほど。納得《なっとく》した」ペリルはそう言うと、宙《ちゅう》でしっぽをぱたぱたと動かしながら考えこんだ。クレイは彼女が放つやけつくような熱気からのがれようと、ばれないように岩のはしのほうまでにげようとした。「わかった」しばらくして、彼女が口を開いた。「やってみるよ」

「ありがとう」クレイは答えた。

ペリルは飛《と》び立《た》とうと翼を広げたが、ふとためらったようにクレイの顔を見た。「あなたはあんなことしないよね？」

クレイには、意味がわからなかった。

「自殺《じさつ》しないよねってこと。ホライゾンがやったみたいにさ」ペリルはそう言ってからせきをした。小さなけむりの輪が鼻からでてくる。

もしペリルと戦うことになってしまったらどうすればいいのか、クレイにはなにも思いつかなかった。地下の川を泳いでいくよりも、よっぽどおそろしく感じる。ペリルの青いひとみにふと目を向けたクレイは、彼女がひどく不安《ふあん》そうな様子なのに気がついた。

「そんなことしないよ」と真顔で答える。あんな死にかたを選ぶなど、とても想像できない。それに、自分にあれほどの勇気《ゆうき》があるとも思えない。

「ああ、よかった。わたしが正々堂々《せいせいどうどう》と殺してあげたいもの。さてと、おやすみなさい」

ペリルはそう言うと空に舞《ま》いあがり羽ばたいた。クレイのうろこに、彼女がたてた熱風《ねっぷう》がふきつけてくる。

旋回《せんかい》しながらアリーナにおりていく彼女を見ながら、クレイはひどく落ち着かない気持ちになっていた。

スカーレット女王を別《べつ》にすれば、ペリルはあの山の外で初《はじ》めて会ったドラゴンだ。今は変わった子だと思っているが、本当はちがうのかもしれない。仲良《なかよ》く話をしたりむごたらしい殺しをしたりするのが、ふつうのドラゴンというものなのかもしれない。

けれどクレイには、そうではない気がしてならなかった。

自分の本性は、彼女の言うとおりなのだろうか？　もし彼女と同じように、ドラゴンを殺して内なる怪物を育てながら成長してきたならば、こんな不安に悩《なや》まされ続けずにすんでいたのかもしれない。もしかしたらケストレルが期待するような強い自分になるため、ペリルみたいにその怪物を自分の一部として受け入れなくてはいけなかったのかもしれない。けれど、そんなことをしても仲間はみんな友達でいてくれただろうか？　それで自分は予言にふさわしいドラゴンでいられただろうか？

たったひとつ、たしかなことがあった。いつであろうとアリーナにでたならば、殺すとはどんな気持ちがするものなのか、すぐにわかることになるだろう。

17

次の朝、血のように赤いスカイウイングの衛兵《えいへい》が三頭、クレイの鎖《くさり》をときにやってきた。

「どうしてさ？」足首の鉄線をはずされながら、クレイはおずおずとたずねた。もう、たとえ落ちても死にはしないと思うようになっていた。多少の痛《いた》みはあるかもしれないが。

「女王陛下《へいか》がふたりにお会いしたいそうだ」一頭が小ばかにしたように言った。

「それ、いいこと？　悪いこと？　牢屋《ろうや》にとらわれるなんて初《はじ》めてなんだよ。まあ、ずっととらわれてたようなものだけど、なんていうか、ぜんぜんちがってさ。こっちのほうがずっと……風が強いし。それに、あっちには女王様なんていなかったんだ。女王様が牢屋のドラゴンと会うのって、よくあるのかい？　もしかして、釈放《しゃくほう》？」

「うるさい、だまれ」さっき質問《しつもん》に答えた衛兵が命令《めいれい》した。

「ああ、わかったよ。ぼくはただ、いっしょに連《つ》れてこられたドラゴンの子たちのことや、またみんなに会えるのかどうかが気になってるだけ――」

別《べつ》の衛兵が、クレイの首にまかれた鉄線をきつくしめあげた。「ひとことでもしゃべってみろ、玉座《ぎょくざ》の間に向かう途中《とちゅう》で**不幸《ふこう》な事故《じこ》**が起きることになるぞ」

クレイは岩から下を見おろし、しっかりと口を閉《と》ざした。どうやらここにいるスカイウイングたちは全員、ケストレルのように感じが悪いようだ。

そう思ったとたん、クレイはすっかりケストレルの心配を忘《わす》れていたのに気づいてはっとした。女王はケストレルに向かって裁判《さいばん》だのなんだのと言い、まるで昔知り合いだったかのように話していた。クレイは衛兵たちにつかまれてアリーナへと降下《こうか》していきながら首をのばし、とらわれのドラゴンたちの中にケストレルのすがたをさがした。だが、塔《とう》の上に赤やオレンジのスカイウイングのすがたは見えても、色も大きさもケストレルとはちがうドラゴンばかりなのだった。

と、スターフライトのすがたが塔の上にないのに気づき、クレイは身ぶるいした。きっと自分がねむっている間に連《つ》れ去《さ》られてしまったのだ――だが、いったいなぜ？

砂《すな》のしきつめられた地面におりてすぐにツナミのほうを見あげてみると、彼女《かのじょ》も三頭のスカイウイングに取《と》り囲《かこ》まれていた。だが、ツナミがたくましいしっぽをふり回しながら抵抗《ていこう》するせいで、三頭とも手だしができずにいる。

ぼくもああすればよかったのか？　クレイは心の中で言った。まったく抵抗しないまま連れてこられてしまったのだ。もしかして今がにげだすチャンスなのかと思いながら、アリーナをこっそり見回してみる。けれど翼《つばさ》は相変《あいか》わらず金具でとめられてしまっているし、アリーナにはひとつしか出口がない。そして衛兵たちが自分を引きずるようにしてその出口に向かっていることを思うと、彼《かれ》らをふりほどいて出口にかけだしたところでなんの意味もないように感じられた。

クレイは引きずられるまま、けむりのたちこめるトンネルを進んでいった。明かりといえば炎《ほのお》のついた松明《たいまつ》と、ときおり頭上の岩の間からもれてくる太陽の光だけだ。トンネルは、三頭のドラゴンがならんだまま翼を広げても通れるほど広かった。山をぬける登り坂で、クレイが塔の上から見ていたあの宮殿《きゅうでん》へと続《つづ》いている。

途中で、岩ぺきに高く細い窓《まど》がいくつもほられた大きなどうくつを通りかかった。太陽の光がすじになり、ゆかに落ちていた。クレイたちが歩いているトンネルとそのどうくつを、大きな水たまりが仕切っている。壁《かべ》のひとつにスカーレット女王の等身大の肖像画《しょうぞうが》が飾《かざ》られ、いかめしくクレイたちを見おろしていた。ゆかに銅《あかがね》色《いろ》のうろこが何枚《なんまい》か落ちているのに気づき、もしかしたらペリルの部屋かもしれないと思った。他にはなにも見当たらない。ふれればもやしてしまうから、彼女は動物の毛皮の上でねむったり、まき物を読んだりできないのかもしれないとクレイは感じた。

だが、もしペリルが戦《たたか》いだけをあんなに得意《とくい》としているのなら、なぜ女王は彼女を戦場《せんじょう》に送らないのだろう？　なぜアリーナでばかり戦わせているのだろう？

たぶんスカーレット女王には、ペリルが自分の言いなりであるというぜったい的《てき》な確信《かくしん》がないのだ。もし外の世界に彼女を解《と》き放《はな》てば、本当は殺《ころ》しなどしなくていいのだと気づかれてしまうかもしれない。でなければ女王の指示《しじ》を待つことなく、自分の殺したいように殺しをし始めてしまうかもしれない。

やがてガチャガチャという物音とあわただしく急ぐドラゴンたちの話し声が、向かう先のほうから聞こえてきた。そして巨大《きょだい》な空間にでると、聞こえたままの光景《こうけい》がクレイの目に飛《と》びこんできた。

クレイが立っていたのは三階ほどの高さがある、手すりもついていない大きなバルコニーだった。四角い広間をぐるりと取り囲むように作られており、クレイが見あげてみると、さらに五階ほどの高さにもバルコニーが作られ、その上には空が広がっていた。どこを見回しても、光にうろこをきらめかせながら急ぐドラゴンたちのすがたが見える。壁には大きな窓がほられているものだから、広間には光があふれていた。ゆかはまるで炎の小川でも流れてもえているかのように見えた。

クレイがもっとよく見てみると、足元のゆかには黄金で作られたドラゴンの足あとが点々とあしらわれているのだった。そのうえ壁には黄金でさまざまなもようがほられていたが、その中には枝分《えだわ》かれして炎や雲のような形になっているものもあった。

クレイは、女王はものすごい金持ちにちがいないと感じた。そのうえこの広間は、彼女が持つ巨大な権力《けんりょく》をも感じさせる。すぐ足元にこんなにも金が見えているというのに、だれもそれをほりだし、ぬすもうとすらしていないのだから。

衛兵たちは、黄金の足あとが続いているほうへとクレイをつき飛ばした。クレイは広間をいきかうドラゴンたちをぬすみ見るようにしながら、足あとをたどっていった。スカイウイングたちはこの巨大な空間の中、たがいの翼やしっぽにぶつからないようにしながら、ひとつの階から別の階へと飛び回っていた。空中で、メッセージの書かれた小さなまき物を交換《こうかん》しているドラゴンたちもいる。水の入ったバケツやきれいに洗《あら》ってある動物の毛皮や大皿にのせた食料《しょくりょう》を運んでいるドラゴンたちもいる。どのドラゴンもとても忙《いそが》しくしているか、とても忙しいふりをしているのだった。

石けん水の入ったバケツをかぎ爪《づめ》でつかんでてっぺんの階へと飛んでいく、オレンジ色をしたメスのドラゴンの子が見えた。そしていちばん上のバルコニーに着くと彼女は他のドラゴンとしっぽをからませあったが、そのとたんにバランスをくずしてしまった。バルコニーから落ちたバケツが風を切る音をたててクレイと衛兵たちの目の前をすぎ、八階から一階まで落ちていく。

すぐにものすごい音がしたかと思うと怒《いか》りくるったドラゴンの大声がし、他のドラゴンたちがぴたりと静《しず》まり返《かえ》った。

怒りくるった、そして**聞《き》き覚《おぼ》えのある**大声だ。

クレイはバルコニーのはしにかけより、下を見おろした。広間の一階に鉄の檻《おり》が置《お》かれ、一頭のドラゴンがまるでリスのようにとらわれているのが見えた。その檻の上にさっきのバケツが落ちて、中のドラゴンが石けん水まみれになっている。

ケストレルだ。彼女は檻の鉄格子《てつごうし》をつかんで怒りくるったようにがたがたとゆらした。広間のドラゴンたちに笑《わら》いが起こる。

だが、クレイに見えたのはそこまでだった。衛兵たちが後ろから彼を引っぱりもどし、また足あとのほうにつき飛ばしたのだ。

あの檻はもしかして、特《とく》にめんどうなドラゴンを閉じこめておくためのものだろうか。だとしたら、ケストレルはいったいなにをしでかしたのだろう。なぜ〈平和のタロン〉に入ったのかも、そしてなぜスカイウイングの国をあとにしたのかも、ケストレルが話してくれたことは一度もないのだ。クレイはずっと、いつも感じの悪いケストレルのことだから追いだされたにちがいないと思っていた。もっとも今となっては、この国こそケストレルにはぴったりなのだとわかるのだが。

そのとき衛兵たちに玉座の間におしこまれ、ケストレルのことを考えているわけにもいかなくなった。

女王は雲の形にほられた大きな岩の上にすわり、そこからドラゴンたちを見おろしていた。女王の正面には、壁があるはずのところに壁がなくて空が丸見えになっており、その下はするどくとがった岩がいくつもならぶ急ながけになっていた。足あとも壁のもようもそこかしこに残《のこ》っていた。まるで黄金を辺《あた》りにはきちらしながらよたよたと歩いていった、巨大なドラゴンでもいたかのようだ。その金にはね返る太陽がまぶしくて、クレイは最初《さいしょ》、目がおかしくなったのかと思った。

やがてそのまぶしさにもなれてくると太陽の光の中に、アリーナでと同じように木の彫《ちょう》刻《こく》の上にいるグローリーのすがたが見えてきた。まぶたを閉じ、今までにクレイが見たこともないほどリラックスしているようだ。深い金色とネイビーブルーのうろこの上、深紅《しんく》のしずくがゆっくりとみゃく打ちながらわたっていくのが見える。見るからにおびえた様子のスカイウイングの兵隊《へいたい》がふたりその前に立ち、クレイのゆく手をはばんでいた。

女王の目の前にスターフライトが降参《こうさん》するかのようにひざまずいていた。クレイは自分をつかむ衛兵たちをふりほどき、友達《ともだち》のとなりにかがみこんだ。

「だいじょうぶか？」と小声で言う。スターフライトは女王を見あげると、小さく首を横にふった。

「そのナイトウイングは、玉座の間にいる女王の目の前で私語《しご》をするなど無礼《ぶれい》だと言っているのよ」スカーレット女王が言った。「最初はこのわたしにおじぎをして、わたしから話す用意ができるまではだまっているのが礼儀《れいぎ》なの。まったく最近《さいきん》のドラゴンの子ときたら、どんな教育をされてるのかしらね？　本当にがっかりするわ」

「ごめんなさい」クレイは小さな声で答えると、スターフライトのまねをしておじぎをした。けれど、彼ほどゆうがに手は曲がらないし、翼もまるでおかしな方向につっぱっているように感じる。クレイは片《かた》うでの下からグローリーをのぞき、そのまま頭を下にしてたおれそうになってしまった。

スカーレット女王はルビーの飾られたまゆをつりあげてクレイを見ると、いかにも不満《ふまん》そうに鼻を鳴らした。

クレイは動かないように必死《ひっし》だった。

永遠《えいえん》とも思えるほどの時間がすぎた。玉座の前にいるドラゴンは彼らの他に、グローリーを守っている衛兵たちと、クレイを連れてきた三頭の衛兵だけだった。サニーがいる気配はどこにもない。

スカーレットは自分のかぎ爪を一本ずつじっくりと観察《かんさつ》した。ときどき、となりの岩に爪をこすりつけてするどくとがらせながら。

やがて、トンネルの外からざわめきが聞こえてきた。その中に大声でののしるツナミの声がしたので、クレイは思わずふり向いた。シーウイングのドラゴンの子を引きずりながら、スカイウイングの群《む》れがまるまるひとつ、こちらに向かってくる。彼女はあの奇妙《きみょう》な鉄線にぐるぐるまきにされ、両手は体の横から動かせず、強力なしっぽも封《ふう》じられてしまっていた。それでもツナミが首をふり回しながら手当たりしだいにかみつこうとするものだから、スカイウイングたちは一度に数歩ずつしか進むことができずにいた。

ようやくクレイのとなりまでツナミをおしてくると、衛兵たちはいっせいにとびのいた。一頭の衛兵が、ツナミにやられたものらしい長い引っかききずとかみあとをつけているのを見て、クレイはざまあみろと思った。

「ようこそいらっしゃい」女王が楽しそうな顔で言った。「あなたを待っていたのよ。どうやら滞在《たいざい》を楽しんでもらえているようね」

「こんなのありえないわ」ツナミがうなった。「こんなふうにドラゴンをあつかうだなんてさ。それもあたしたちをね！　あたしたちは――」

「〈運命のドラゴンの子〉なのよね。うんうん、とってもすごいわね」スカーレット女王が言った。「あなたたちはこの六年間ずっと地底《ちてい》でくらしていたから知らないのだろうけれど、この戦争《せんそう》が終わってほしくない者たちもいるのよ」

クレイのとなりでスターフライトが身じろぎした。なにか反論《はんろん》したいことがあるのだ。だが、スターフライトはなにも言わなかった。

「わたしも個人的《こじんてき》には、この戦争を楽しんでいるのよ」女王が続けた。「戦場でアリーナで戦う闘士《とうし》を山ほどつかまえられるしね。それに、わたしにいどみかかってくるにちがいない連中《れんちゅう》の目をよそに向けさせるのに、戦争は最高《さいこう》に便利《べんり》なのよ。ここ八年か九年か、いどもうとした者すら一頭もいやしないんだもの。おかげで本当に楽ができるわ」

「楽をするためなら、世界じゅうで何百ものドラゴンたちが死んだところでかまわないっていうのね」ツナミがはき捨《す》てるように言った。

女王はあわれみをうかべた目で彼女を見た。「知ったふうな口をきくじゃないの。本当の戦いにでたことはあって？　何百ものドラゴンが死ぬのを見たことがあって？　この戦争について本当に知っていることが、ひとつでもあるの？」

ツナミは何度か口をぱくぱくさせた。「勉強したわ」と強気に答える。「ひどい戦争なんだって、ちゃんと知ってる。つみもないドラゴンたちがたくさん苦しんでるんだってね」

「戦争がひどいことだなんて、口で言うのはかんたんよ」女王はさっと手をふってみせた。「けれど、**戦争をせず**に同じ問題を解決《かいけつ》するほうがずっとむずかしいのよ。ドラゴンともなればなおさらさ。わたしたちにとって争《あらそ》いは自然《しぜん》なこと。あなただって、わたしを知りもしないうちから飛びかかってきたじゃないの」

女王はしっぽを前に投げだした。みにくい切りきずが赤々とついているのがクレイにも見えた。不安《ふあん》と罪悪感《ざいあくかん》におそわれる。彼女をこうげきするより、なにかできることがあったのではないだろうか？　もっと平和な方法《ほうほう》を取っていたならば、こんな目にあわずにすんでいたのではないだろうか？

ツナミはいらだっている様子だった。

「それに、サンドウイングの次の女王はだれがなるべきだと思うの？」スカーレットがたずねた。「バーン？　ブリスター？　それともブレイズかしら？　もう決めているのなら、ぜひとも聞かせてもらいたいものだわね。あの安全な地底のどうくつでたくさんの知恵《ち　え》をつけていろんな体験《たいけん》をして、答えをだしているんでしょうから」

「地底にいたのはあたしたちのせいじゃない」ツナミが言い返した。「あたしたちは、外の世界に**でたかったん**だから」

スカーレット女王がまた楽しげな顔をした。「自分じゃそう思ってるのね。おもしろいじゃないの。まるで自分の力で生きぬいてきたみたいに言って。〈極光《オーロラ》の夜〉に生まれた他のドラゴンの子たちがみんなどうなったか、世話係《マインダー》たちから聞いていないのかしら？」

スターフライトがはっと息をのんだ。彼とツナミが目配せを交《か》わしあったが、クレイには意味がわからなかった。〈極光の夜〉に生まれた他のドラゴンの子について世話係から話を聞かされたことなど、一度もありはしないのだ。

「へえ、聞いていないのね」みんなの顔にうかんだおどろきの表情《ひょうじょう》を見て、スカーレット女王は舌打《した う》ちした。「まあ、くわしい話はしないでおきましょう。でもとても悲しい話よ」

「ちょっとすみません」クレイが口を開いた。スターフライトがだまっていろとでも言うかのように足をふみつけたが、クレイは彼をおしのけた。「痛いな、やめろよ！　質問したいんだ！　お願《ねが》いします、女王陛下。サニーはどこにいるの？　無事《ぶじ》なの？」

「ああ、あのおかしなすがたのサンドウイングのことね。バーンがあの子を見たら、きっとすごく気に入るわ。変《か》わったものを集めるのが好《す》きだから。彼女の宮殿は一見の価値《かち》があるわよ。とてもおそろしいんだから――頭がふたつあるトカゲとか、七本指のドラゴンの手とか、見たこともない白いはだをしたゴミあさり《スカベンジャー》の剥製《はくせい》とかでいっぱいなのよ」女王は身ぶるいしてみせた。「あの変《へん》なドラゴンの子なら、完璧《かんぺき》なプレゼントになるわ」

「バーンにサニーをやるだなんて！」ツナミが怒りくるった。「あたしたちはいっしょにいなくちゃいけないの！」

「わたしは自分が好きなようにするわ」スカーレット女王が言った。「ここはわたしの国だからね」

「グローリーはどうなの？」クレイがたずねた。「あの子はどうかしたの？」

「どうもしやしないわ」女王が答えた。「しいて言うなら、ほとんど完璧な子ね。わたしの玉座の間を飾る、すてきな装飾品《そうしょくひん》よ」

「でもなんであんなに……ねむそうにしてるの？」

「レインウイングはもともとなまけ者の種族《しゅぞく》よ」スカーレット女王が言った。「今までまったく気づかなかったの？　まあマドウイングといえば、頭脳《ずのう》のほうの評判《ひょうばん》はいまいちだものねえ」

クレイはグローリーを見つめた。今、まぶたがぴくりとふるえたような気がする。翼がかすかに動いたように見えたのは気のせいだろうか。ねむっているのか、それとも話を聞いているのだろうか。女王にあんなことを言われてなにも思わないのだろうか？

「あたしたちを解放《かいほう》してもらうわ」ツナミが言った。「予言のじゃまなんてゆるされないし、あたしたちは――」

「うるさいわね」女王が言うと、ひとりの兵隊が長い棒《ぼう》でツナミをついた。「あんたが勇《いさ》ましいのにも、ちょっとうんざりしてきたわ。さあ、よくお聞き。二日後、このわたしの孵化記念日《ハッチング・デー》をむかえて盛大《せいだい》なお祝《いわ》いをすることになっているわ。それであなたたち三頭にはアリーナで、ゾクゾクするようなすごい戦いを見せてもらいたいの。けれど、今日の戦いも最高だってお客さんたちに約束《やくそく》してしまったことだし、あなたたちのだれかが戦って勝利《しょうり》をおさめてくれたら最高ね。さて、そこのナイトウイングの子はどうかしら？　アイスウイングを相手に命をかけた戦いに勝利できるのは、いったいどの子かしらね？」

「ぼくだ」

「あたしだよ」

クレイとツナミが同時に言った。スターフライトはあわれな顔をして、自分の両手を見おろしていた。

「かわいらしいわねえ」女王はクレイたちを見て目を細めた。「けれど、まじめに聞いてるのよ」

「ぼくだ！　ぼくは最高の戦士《せんし》だよ。ぼくにしてくれ」クレイが言った。ツナミがむごたらしく殺されるところなど、とても見ていられるわけがない。それにこの場所からみんなが脱出《だっしゅつ》するには、自分よりもツナミの力が必要《ひつよう》なのだ。

「ふざけたこと言わないでよ」ツナミが言い返した。「いつもあたしに負けるくせに。あたしたちの中では、このあたしが最強《さいきょう》よ」

「いつもじゃないだろ！」クレイがさけんだ。「それに、またただのシーウイングがでてくるより、マドウイングが戦うほうがみんなもりあがるに決まってるよ。でしょう？」と女王にうったえる。

「たしかにね」女王がじっくりと考えながら言った。

「ただのシーウイングだって！」ツナミが怒りをあらわにした。「よくそんなこと言えるわね。あたしが最高の戦士だって知ってるくせにさ！」

「どちらも熱心《ねっしん》で本当にすばらしいわ」女王は翼で拍手《はくしゅ》をしてみせた。「衛兵、この二頭を連れていきなさい」そう言ってしっぽでツナミとスターフライトを指す。衛兵たちはツナミがむきだした牙《きば》をいやそうな目で見ながら、ふたりに近づいてきた。

「こっちの子には……」スカーレット女王が今度はクレイを指さし、残《ざん》にんな黄色い目を細めてみせる。「アリーナで戦う準備《じゅんび》をさせなさい」

18

足でふみしめる砂《すな》の感触《かんしょく》とスタンドから聞こえるドラゴンたちの大歓声《だいかんせい》。クレイは、こんな展開《てんかい》はまったく想像《そうぞう》もしていなかった。

見知らぬドラゴンを相手に自分の戦《たたか》いがどれだけ通用するか、見当もつかない。スカイウイングの衛兵《えいへい》たちが目の前に一頭のアイスウイングを落とすのを見て、クレイは頭が真っ白になった。アイスウイングについて知っていることを、必死《ひっし》に思いだしてみる。

太陽は真上にのぼっており、アリーナは塔《とう》の上よりもずっと暖《あたた》かかった。アイスウイングの氷のような青のうろこから銀色の液体《えきたい》がぽたぽたとしたたっていた。見あげれば、バルコニーで冷《つめ》たい笑《え》みをうかべるスカーレット女王と、そのとなりでのんびりとねむりこけているグローリーのすがたが見えた。

昨日《きのう》と同じスカイウイングの司会者《しかいしゃ》がアリーナのまん中にでてきて、観客《かんきゃく》たちに深々とおじぎをした。「先月おこなわれたブレイズ軍《ぐん》との戦いのあと、われらが女王陛下《へいか》の地下《ちか》牢《ろう》はアイスウイングの戦争捕虜《せんそうほりよ》どもでいっぱいになった。だが、生《い》き残《のこ》ったのはたった九頭。紹介《しようかい》しよう、現在《げんざい》二勝……アイスウイングのフィヨルド！」

フィヨルドはしっぽをふり回し、クレイをにらみながらうなった。

「そしてこちらのコーナーにはめずらしくもマドウイングがいるが、われらの仲間《なかま》ではない。なんとこのドラゴンの子は〈平和のタロン〉に守られ、われらが領地《りようち》で山々の地下にかくれているのが見つかったのだ。さあ、果たしてこの子は〈運命のドラゴンの子〉の一頭なのか？　もしちがえば、この戦いを生き残ることはできるまい！」

観客席《かんきやくせき》に笑《わら》いの波が広がったが、クレイが見回してみると、すぐそばの観客たちの顔には不安《ふあん》な表情《ひようじよう》がうかんでいた。おびえているのだ、とクレイは思った。バルコニーのひとつに大きなマドウイングがすわり、けわしい顔で彼《かれ》を見おろしていた。**止めてくれ！　どうにかしてくれ！　同じ種族《しゆぞく》だろ！**　クレイは必死に祈《いの》った。

だがマドウイングは目をそらしてしまった。とても見たくはないが立ち去ることもできない、とでも言いたげな顔で。

司会者が続《つづ》けた。「もし予言のドラゴンの子たちが本当に伝説的《でんせつてき》なものすごい力を持っているのならば、きっと忘《わす》れられない戦いになるはず。さあ泥《どろ》のドラゴンよ、わたしたちをおどろかせる用意はできているか！　紹介しよう、マドウイングのクレイ！　爪《つめ》を立てろ、牙《きば》をだせ！　始め！」

司会者が舞《ま》いあがり、アリーナから飛《と》びだしていった。「マドウイングの」などと言われたのは、クレイにとって初《はじ》めてのことだった。もしも自分の死を今か今かと待ち望《まのぞ》む二百頭ものドラゴンたち——しかもマドウイングもいるのだ——に囲《かこ》まれていなければ、もっとうれしく感じたのかもしれない。

向かってくるアイスウイングのすがたを見ていると、自分のことを伝説的なものすごいドラゴンだなどとは、とても思えなかった。殺《ころ》すか、それとも殺されるかなのだ。今こそ、自分の中にねむる怪物《かいぶつ》を見つけださなくてはいけない。そして、その怪物が自分の力になってくれるのか、それともあとで死にたいような気持ちになってしまうのか、それをつき止めなくてはいけない。いや、その両方かもしれない。

うすい青をまとったフィヨルドのうろこは、はるか遠くの山々のいただきで空をうつす雪の色だった。それよりも少しだけ深い青の両目に、殺意《さつい》がみなぎっている。頭にはまるでつららの冠《かんむり》をかぶっているかのように、何本もの角が生えていた。首につけられたきずあとは治《なお》り始《はじ》めたばかりで、周《まわ》りのうろこにはまだかわいた血がこびりついていた。シュウシュウと息をもらしながら、つららのようにとがった歯の間からふたつにわれた舌《した》をチロチロとだしている。

「ええと、やあ」クレイは、近づいてくるアイスウイングに声をかけてみた。「フィヨルド、だったね？」

フィヨルドは、舌をのぞかせたまま足を止めた。クレイより頭ひとつぶんだけ背《せ》が高いが、ずっと年上で、ずっとおそろしく見えた。

「アイスウイングに会うのは初めてなんだよ」クレイはじわりとあとずさった。「ていうか、他のドラゴンに会ったことがほとんどなくてさ。氷の色のドラゴンだっていうのは読んで知ってたけど、氷にこんなにたくさん色があるなんて初めて知ったよ。たとえばほら、青とかさ。びっくりしたけど、かっこいい《クールだ》と思うよ。おっと、ははは。今のはダジャレじゃないからね」

上のほうの観客席からブーイングが起きた。「血を！　死を！　かみつけ！」

「おい、おまえは共《とも》だおれになれっていうのか？」アイスウイングがほえた。「さっさとだまっておれに殺されろ」

「それはごめんだね」クレイはよろめきながら、さらに何歩かさがった。と、ちらりとなにか見えた気がして空を見あげる。スターフライトが自分の柱から落ちそうなほど身を乗りだしながら、しばられたしっぽと翼《つばさ》を必死にばたつかせているのが見えた。なにかを伝《つた》えようとしているのだ。だが、いったいなにを言いたいのだろう？

なにか、アイスウイングのことにちがいない。まき物や授業《じゅぎょう》で学んだことを伝えようとしているのだ。

スターフライトがあんなに必死になるのだから、とても重要《じゅうよう》なことに決まっている。

スターフライトが自分の口を指さした。**炎《ほのお》のことか？**　クレイはうたがいの目で、じっとフィヨルドを観察《かんさつ》した。アイスウイングが炎をはけるとは思えない。そんなことができるなら、自分たちの宮殿《きゅうでん》だってあとかたもなくとかしてしまうだろう。

だがフィヨルドが自分の口でなにかをしようとしているのはまちがいない。にっこり笑おうとしているわけじゃないのは明らかだ。

その瞬間《しゅんかん》、フィヨルドの口からきらめくけむりのようなものがもうれつないきおいでふきだした。クレイはぎりぎりのところでかがみ、転がるように横によけた。ほんの少しだけかすった翼からおそろしいほどの冷気《れいき》が伝わってきたので、クレイは思わず全身をふるわせた。

そうだった。いてつく死の息をはくんだ。それは重要に決まってるな。ありがとう、スターフライト！

クレイは、アイスウイングが口からこごえる息をはくことを思いだした。だが、どうやってそれに対抗《たいこう》すればいいのかはまだ思いだすことができなかった。

けれど、炎ならば立ち向かえるはずだ。クレイは思いきり息をすいこむと、かみつこうとするフィヨルドをよけながら、胸《むね》の底《そこ》から熱《ねつ》をよび起こした。フィヨルドがまた口をがばりと開いてクレイに向かってくる。その瞬間、クレイは歯の間から炎をはきだした。

フィヨルドがうしろに飛びのきながら、金具をはめられた翼で自分の口をばたばたとた

たく。クレイの炎が一瞬《いっしゅん》のうちにフィヨルドのうろこがまとう冷気をのみこんでしまっていたが、フィヨルドはさらにはげしく怒《いか》りをあらわにした。

「ごめん」クレイは言った。「ねえ、本当に戦わなくちゃいけないのかい？　もし――」

最後《さいご》まで言い終えることはできなかった。フィヨルドがむきだしのかぎ爪《づめ》をつきだし、クレイめがけて突進《とっしん》してきたからだ。クレイは口を閉《と》じ、するどいかぎ爪をぎりぎりでかわしながら横に飛びのいた。だがムチのように細くしなやかなフィヨルドのしっぽがおそいかかってきた。顔を打たれ、一瞬なにも見えなくなる。

クレイは本能的《ほんのうてき》に翼で頭上を守ると、後《うし》ろ脚《あし》でけりをくりだした。手ごたえがあり、フィヨルドの苦痛《くつう》のさけびが聞こえた。やっと視力《しりょく》を取りもどしたクレイが見てみると、ぐうぜんにもけりはフィヨルドの首のきずに命中していた。ふたたびきずが開き、血がふきだしている。

フィヨルドがしりもちをつき、顔をゆがめながら爪で首にふれる。しっぽがムチのようにあばれ、ふうじられた翼が宙《ちゅう》を打っている。

どうやってこの戦いからにげればいいんだ？　クレイは考えた。胸のおくの怪物が目覚《めざ》める気配はまったくない。他のドラゴンの子たちをおそった化け物は、どこかすごく深いところにうもれているのだ。もしかしたらペリルの言うとおり、ずっと自分の本性《ほんしょう》にあらがい続けてきたのはまちがいだったのかもしれない。暴力的《ぼうりょくてき》な自分をずっと前に受け入れていれば、もっと強く、もっと予言のドラゴンにふさわしい自分になることができていたのかもしれない。けれど、フィヨルドを殺したいとは思わない。だれも殺したくない。

代わりに、ツナミに戦ってもらうべきだったのだろうか。だめだ。ぼくはいちばん最初《さいしょ》に卵《たまご》からかえったし、体だっていちばん大きいんだ。ぼくがみんなのために戦うことがあっても、みんなに危険《きけん》をおかさせるわけにはいかないよ。クレイは足元の砂に爪を立てて頭を低《ひく》くし、フィヨルドの目をじっと見つめた。殺さなくちゃいけないのか？　ぼくの中の怪物なら、それができるはずなんだ。

そんな怪物が必要《ひつよう》になることなんてなければいいと、ずっと願《ねが》ってきた。外の世界にでても自分の肉体を使って戦ったりしなくてすむはずだと信《しん》じてきたのだ。心のどこかではいつでも、きっと予言が本当になって戦争が終わり、ドラゴン同士《どうし》が殺しあうことなんてなくなるのだと思っていた……自分が他のドラゴンをきずつけてしまうことなど一度もないまま。

でもまだ予言には早すぎるはずだ。ぼくたちが脱走《だっそう》なんて計画しちゃったせいだ。とはいっても、脱走しないわけにはいかなかった。グローリーをすくうためには……。

観客席のドラゴンたちが、いっそう大きなブーイングをした。「おい、羊だってとっくにこの戦いに勝ってるぞ！　なにやってやがる！　作戦《さくせん》でも考えてるのか？　そんなことより手をだせよ！　殺しを見せろ！　やつざきだ！　やつざきだ！　やつざきだ！」

みんな、まるでケストレルみたいだ。クレイには、観客たちが自分とフィヨルドのどちらを応援《おうえん》しているのかわからなかった――いや、もしかしたらただだれかが死ぬところが見たいだけなのかもしれない。

フィヨルドは両手をついて四つ足になると、またいてつく息をはこうとするかのように舌をだしながら、ふたたびクレイに突進してきた。

血にうえた観客たちのさけびが、地底《ちてい》での戦《せん》とう訓練《くんれん》の記憶《きおく》をよび起こした。ケストレルがさけぶ戦とう命令《めいれい》がクレイの頭によぎる。アイスウイングのフィヨルドが飛びかかってきたその瞬間、クレイは地面に身を投げだして彼の下に転がりこんだ。目にもとまらぬ速さでフィヨルドの腹《はら》を爪で切りさく。やわらかい腹のうろこに、赤い血のすじがつく。

クレイはさっと立ちあがるとふり返り、またフィヨルドと向きあった。

フィヨルドが体をふたつに折《お》り、甲高《かんだか》いさけびをあげている。

「うおおおおおおおおお！」観客席がわき起こる。

「いったいきさまは何者だ！」フィヨルドがクレイにどなった。「マドウイングの戦いかたじゃないな！　きさまらの戦いかたなら、おれも訓練を受けているんだ」

「ごめんね、ぼくは受けてないんだよ」クレイはあやまった。そして、ずっとケストレルがうるさく言っていたとおり、スカイウイングのような戦いかたができたのだろうかと考えた。いや、彼女《かのじょ》ならぜんぜんスカイウイングの戦いとはちがうと言うだろう。まるで草食動物のような戦いぶりだと。それでもとりあえず、敵《てき》のすきをつくことはできたのだ。

クレイは砂に爪を立て、腹のきずをつかむフィヨルドを見つめた。今こうげきを仕かければ彼の不意《ふい》をつき、もしかしたら勝つことすらできるかもしれない。けれど、おわせたきずを見ているだけでもクレイの胸はひどく痛《いた》んだ。さらにおそろしいことをするなど、とても想像できない――おそろしい、どんなことを？　フィヨルドの首を折るのだろうか？　デューンの首が折れたときに聞いたあの音を思いだし、クレイは身ぶるいした。

ケストレルやペリルがなんと言おうと、あれは自分のやりかたじゃない。

「どちらもよくお聞き！」スカーレット女王の声が、観客の歓声《かんせい》をこえてひびいてきた。

アリーナが、いっせいに静《しず》まり返《かえ》る。「フィヨルド、クレイ。一日じゅう見物しているわけにはいかないの。国を治《おさ》めなくてはいけないドラゴンもいるのだからね。さあ、どちらでもかまわないから今すぐ相手を殺しなさい。さもないとこのわたしがおりていって、ふたりとも殺してしまうからね」

フィヨルドはさけび声をあげながら、またクレイに突進した。考えているよゆうはない。クレイは後ろ脚で立ちあがって両手でフィヨルドの角をつかみ、いてつく息をはかれる前に首をひねって横に向けた。すべてをこおりつかせるようなものすごい風が、観客席のいちばん下の列をおおった。何頭かのドラゴンが悲鳴をあげ、たがいをおしのけるようにしながらにげだす。

フィヨルドがクレイの胸に両うでを回し、二頭は砂の上で取っ組みあいを始めた。おそろしく力強いフィヨルドの銀の翼が、クレイの翼をたたきつけてくる。クレイは両手に力をこめ、必死にフィヨルドの頭を横向きのままおさえつけた。両肩《りょうかた》をフィヨルドのかぎ爪がおそおうが、反撃《はんげき》することもできない。うろこを通して、するどい痛みがクレイにおそいかかった。

「さあ、死ね」フィヨルドがほえた。そしてクレイの後ろ脚にしっぽをからめると、そのままたおれて馬乗りになった。クレイの首をかぎ爪でわしづかみにし、思いきり地面におしつける。

またしくじるのか……。うでの力がぬけていくのを感じながら、クレイは心の中で言った。**でも、これが最後の失敗《しっぱい》さ。**あとほんの一瞬で両手がはなれてしまう。そうしたら頭が自由になったフィヨルドは、クレイの命をうばういてつく息をはくだろう。

それですべてが終わるのだ。

19

クレイはまぶたを閉《と》じた。フィヨルドの向こう、上空では丸くならんだ塔《とう》にとらわれたドラゴンたちがいて、ツナミとスターフライトも自分の死にざまをながめているにちがいない。彼《かれ》にはどうしても、それを見る気にはなれなかった。

遠くでだれかのさけび声が聞こえ、フィヨルドの頭がぱっと上を向いた。クレイが目を開いてみると、とらわれのドラゴンたちを見あげるフィヨルドのすがたが見えた。いや、観客《かんきゃく》たちも全員そうしている。その視線《しせん》を追ってみるとアリーナのはるか上、一頭の青いドラゴンが鉄線のあみでもがいているのが見えた。鉄線に引きずられて落ちてしまわないよう、他のドラゴンたちは悲鳴をあげながら自分の岩にしがみついている。

ツナミだ。クレイを助けようとして、とらわれている岩の上から飛《と》びおりたにちがいない。けれど鉄線のあみにつかまってしまい、クモの巣《す》にかかった虫けらのようにあばれているのだ。

「なんとかしろ！」スカーレット女王がほえた。周《まわ》りにいたスカイウイングの衛兵《えいへい》がいっせいに飛び立つ。

チャンスだ！　クレイは心の中でさけんだ。フィヨルドが目をはなしている。殺《ころ》すなら今だ。殺さなくては。同じ巣の仲間《なかま》を卵《たまご》のまま殺してしまうことができたのなら、自分とまったく関係《かんけい》のないこのドラゴンだって、もちろん殺せるはずなのだ。

だが、それでもクレイにはできなかった。**フィヨルドだってぼくと同じでつかまってるんだ。彼を殺してぼくが生《い》き残《のこ》っていい理由なんて、いったいどこにある？**

そうだ。これで予言は台無《だいな》しになっちまうんだ……ぼくのせいで。

アイスウイングを見ているのは、今やクレイだけだった。そのとき、フィヨルドの顔と首の横に小さな黒いしずくがバラバラと飛《と》び散《ち》った。

フィヨルドがうろたえ、思わず顔をぬぐおうと片手《かたて》をはなす。だが、その手が顔にとどくよりも早く、いきなりなにかが蒸発《じょうはつ》するような音がジュウジュウとひびいた。黒いしずくがぶくぶくとあわだちながらけむりをあげるのを見て、クレイは目を丸くした。しずくの下のうろこがとけだしている。

フィヨルドが悲鳴をあげた。

クレイは、そんなおそろしい声を聞いたことがなかった。ペリルが殺したドラゴンもちょうどこんなふうに苦しみのさけびをあげていたが、今にも死にかけているドラゴンの真下にいると、耳につきささるようなその声がはるかにおそろしく感じられたのだった。

黒いしずくがひとつフィヨルドの目に入り、最初《さいしょ》の崩壊《ほうかい》が起こった。彼の頭に、けむりをたてて黒いあなが口を開けたのだ。横顔も、まるで氷がとけるかのようにゆっくりとずり落ち始めている。フィヨルドは自分の首をつかみ、クレイの上から飛びのいた。開いたきず口も、黒いしずくにおかされていく。

クレイは気分が悪くなり、目をおおった。死がさけられないとしても、なぜもっとすっきりと苦痛《くつう》もなく、すみやかな死をあたえてやらないのだろう？

そのときようやくクレイは、フィヨルドをおそった黒いしずくがだれの仕業《しわざ》なのか気になった。女王のいるバルコニーのほうから飛んできたのにまちがいない。見あげてみると、自分とフィヨルドのほうを向いているドラゴンは三頭しかいなかった。衛兵たちは上空に舞《ま》いあがり、ツナミや他のドラゴンたちの相手をしているからだ。

スカーレット女王が楽しそうな顔をしている。

グローリーはねむりこけている。

そしてペリルは……おどろきを顔にうかべている。

ついにフィヨルドが死んでしまうと、客席《きゃくせき》からものすごい大歓声《だいかんせい》がわき起こった。クレイはまた衛兵たちにかかえられて塔に連《つ》れもどされ、そのままとらわれてしまった。ツナミの牢《ろう》にはさらにたくさんの鎖《くさり》や鉄線がくわえられており、両側《りょうがわ》につかまっているドラゴンたちはあやうく死ぬところだったと激怒《げきど》し、ツナミをどなりつけていた。ツナミはそんなことは気にしてもいないかのように、クレイにぱたぱたとしっぽをふってみせた。ほんの少しではあるけれど、クレイは胸《むね》が軽くなった。

公平な勝利《しょうり》ではなかった。あのドラゴンを殺せるほどの力を、クレイにはだすことができなかった。相手の死を願《ねが》ってすらいなかった。自分をすくうためになにか——だれか他のドラゴン——がフィヨルドを殺したのだ。それでもクレイの胸の底《そこ》には、どっしりと重い罪悪感《ざいあくかん》がいすわっていた。フィヨルドへの罪悪感。デューンへの罪悪感。グローリーのおかしな様子への罪悪感。どこかに消えてしまったサニーへの罪悪感。アリーナで生き残ることができないにちがいない、スターフライトへの罪悪感。そして、なにかばかなまねでもしないかぎりは生き残れるにちがいない、ツナミへの罪悪感。

昼になり、スカイウイングの衛兵がブタを一頭置《お》いていっても、クレイは食べる気になれなかった。ブタはおびえきってブヒブヒと鳴きながら岩の上をかけ回り、結局《けっきょく》は足をふみはずして落ちてしまった。クレイは、ブタにも罪悪感をいだいた。

エサにまで悪いと思うなんて。まったくりっぱなドラゴンだよ、おまえは。

昼の武闘会《ぶとうかい》では一頭のシーウイングと、女王が森で見つけたゴミあさり《スカベンジャー》の戦《たたか》いがおこなわれたが、クレイはその間じゅうずっとアリーナに背《せ》を向けていた。オアシス女王の身に起きたことを思えば、スカーレットはもっとゴミあさりを警戒《けいかい》していそうなものだったが、今のクレイには、ゴミあさりがどれだけあわれな立場にいるのか、なぜスカーレット女王がまったく警戒していないのかが理解《りかい》できていた。アリーナのゴミあさりは武器《ぶき》を使うことを許可《きょか》されていたが、どの武器もろくろく役に立ちはしなかったのだ。戦いは、あっというまに終わった。ぐちゃぐちゃとゴミあさりが食われる音や観客席《かんきゃくせき》からひびく歓声《かんせい》が聞こえないよう、クレイは必死《ひっし》に耳をふさいだ。

その夜ねむりについたクレイは、次から次へとおそろしい悪夢《あくむ》や、死にゆくドラゴンたちの夢《ゆめ》におそわれ続《つづ》けた。

ようやくねむりから覚《さ》めたクレイは、前と同じ場所にすわりこんでいるペリルを見つけ、ほっとした。うろこにふきつけてくる熱気《ねっき》さえも、いつもより強く冷《つめ》たい風のおかげで気持ちよく感じられた。

「あ、起きたんだね」ペリルが身を乗りだした。「今日はすごかったね。なにしたのかは知らないけどさ。つかまってるドラゴンたちのほうを見あげてたんだけど、そしたらいきなり……あれだもん。わたしよりずっとおっかないよ。まあ、わたしもなかなかだと思うけどね。でも、すごい。あんなこと、どうやったの？　あ、教えてくれっていうことじゃないよ。だって、わたしにも同じことしなきゃいけなくなるかもしれないし。ていうか、たぶんそうなるよね。あんなにこわいの初《はじ》めてよ。わたしさ、ここにすわって自分が他のドラゴンを殺すとこを見てるのってどんな気持ちなのか、考えてみたこともなかったんだよね。でも今日は、その立場になってさ、わたしがああなるのかもしれないって思ってたんだ。こわかった。でも、それでも興奮《こうふん》したんだよ。教えてくれる？　いやならいいんだけど」

「やめろよ」クレイは罪悪感と不安《ふあん》でどうにかなってしまいそうだった。「ペリル、あれはぼくじゃないんだよ。フィヨルドに……あんなことしたのは……ぼくじゃないんだ」

ペリルは、鼻から小さな炎《ほのお》をチロチロとだしながらため息をついた。「いいよ。教えてもらえるなんて思ってなかったしさ。わたしだってひみつにしとくもん」

「ほんとにちがうんだよ。たぶんスカーレット女王の仕業だ。ぼくに勝たせたかったんだろう。みんなが見ていないすきに、きっとなにかしたにちがいないよ」

ペリルはうたがうように顔をしかめた。「女王陛下《へいか》があんなことするの、わたし見たことないけど。でも、ありえなくはないかな。いかさまをして、気にするようなお方じゃないからね」そう言って、自分もやってみせようかといわんばかりに両手を開き、にぎったり広げたりしてみせる。

「もしかしたら宝物庫《ほうもつこ》かどっかで毒《どく》でも見つけたのかも」

「ぼくの仲間のサニーを見かけなかった？」クレイはたずねた。背中《せなか》につけられた爪《つめ》あととのどのあざが痛《いた》み始《はじ》めている。

「あ、うん！」ペリルがうなずいた。青い炎を宿したひとみで、クレイの顔を横目で見る。「だから来たんだ。居場所《いばしょ》を教えてあげてもいいけど、わたしにもお返しにしてほしいことがあるんだ。してくれないなら、居場所も教えてあげない」

クレイは痛む翼《つばさ》を動かそうとしてみたが、なんだか固《かた》くてごわごわになってしまったみたいだった。かわいた血がうろこや背中にもこびりついているのを感じる。「そんなことしなくてもいいよ、ペリル。取り引きしなくたって力になってあげるしね」

「わかった。じゃあ……なんて言えばいいんだろ。かんたんな話じゃないんだ。それに、クレイがめんどうにまきこまれることになるかもしれない。陛下に見つかったら、わたしもまちがいなくやっかいなことになるわ」そう言って、足元の岩をガリガリと爪でこする。

「そんなの気にしないよ」クレイは答えた。「もうじゅうぶんめんどうなことになってるしね。サニーは無事《ぶじ》なの？」

ペリルはけわしい顔で答えた。「うん、元気だよ。かすりきずひとつついてないし、女王様みたいにばくばく食べてるし、衛兵みんなと仲良《なかよ》くなってるし。正直に言うと、ちょっとぞっとしちゃう感じだね」

「サニーはそういう子なんだよ」クレイはほっとしてため息をついた。「ぼくになにしてほしいの？」

「陛下から、わたしは見てはだめだって言われてるの！」ペリルが大声でさけんだ。「明日はこの〈空の王国《スカイキングダム》〉でわたしひとりが、アリーナに近づいちゃいけないことになってるの。そんなの不公平《ふこうへい》だよ！」

「なんでそんなことに？」クレイはいやな予感がした。スカーレット女王は、今度はどんな残酷《ざんこく》な戦いをくわだてているのだろう？「いったいなにが起きるの？」

「知らないよ！」ペリルはぶんぶんと首を横にふった。「きっと裁判《さいばん》みたいなものよ！　そんなのつまらなすぎると思わない？　なんでわたしには見せてくれないの？　行くなって言われるまでは、どうでもよかったのに。法律《ほうりつ》の話なんて、歯にはさまった羊の毛を取るのと同じくらいたいくつなんだもの。それに、結果《けっか》はいつだって同じだしさ。スカーレット女王は、おしばいじみた裁判を開いて公開処刑《しょけい》をするのが大好《だいす》きなのよ。無罪《むざい》になったドラゴンなんて一頭だっていないんだから」

「ケストレルだ。きっとケストレルの裁判だ。たしか女王がなにか言ってたよ」

「だれだってかまわないけど、わたしは見たいのよ」ペリルはがんこに言いはった。「だから、こうやってあなたの後ろにかくれて……」

クレイは辺《あた》りを見回した。左のアイスウイングはねむりこけている。右の牢はまだからっぽだった。岩のはしに立って翼を広げ、ペリルをしゃがませておけば、もしかしたら女王の目からかくしてやることができるかもしれない。

クレイはもう一度翼を広げようとして、顔をしかめた。取りつけられた金具がじゃまをして、翼は丸めたままとめられてしまったように開かない。だが、飛ぶことはできないまでも、ほとんどめいっぱいまで広げることはできた。

「だめだ、痛い」クレイは声をもらした。「できなくはないけど、今はこれがせいいっぱいだよ。君をかくしてあげられるかどうかわからないよ」

ペリルは顔をしかめた。「ちょっと見せて」そう言って、クレイの背中を指さす。

クレイはふり返り、背中を向けた。彼女《かのじょ》ははっと息をのんだ。

「え、どうしたの？」クレイは自分も見てみようと首をひねった。「そんなにひどいはずないんだけどな。ケストレルはいつも、痛みは成長《せいちょう》させてくれるって言ってるし、ぼくもかぎ爪《づめ》できずを負わされたのなんて初めてじゃないんだよ」

「アイスウイングにやられたことはなかったでしょ」ペリルが言った。「アイスウイングの爪は、氷の上でも歩けるようにギザギザしてるの。だから、一回のこうげきでも四つもきずをつけられるんだよ。想像《そうぞう》できる？」

「うーん、たぶん。君が近くにいると楽になるよ」

「ほんとに？」

「君はほら、温かいからさ」クレイははずかしくてそう答えた。本当に温かいせいだけかは、自分でもわからなかった。「ただの風よりずっといいよ」

「どうやって治療《ちりょう》すればいいのかわからないや」ペリルは、自分の無力《むりょく》さにいらだったように言った。彼女の熱気が少し近づいたようにクレイは感じた。「もしそのほうが楽なら、ここに立ってるけど」

クレイは山の地下にある毒のどうくつのことや、うろこの下にまでとどくさしきずの痛みを思いだした。もしかして、同じ治療が効《き》いてくれるのではないだろうか。「ちょっといいかな」おずおずと話を切りだしてみる。「もしめんどうじゃなければでいいんだけどさ……きずに泥《どろ》をぬったら効くんじゃないかと思うんだ」

「そうだ、それを忘《わす》れてた！　それしかないわ！　泥を持ってきてあげるね！　ここで待ってて」そう言って、一気に塔から飛び去っていく。

「ここで待ってて」クレイは、彼女の言葉をくり返してみた。「どこに行くと思ったんだろ？　散歩《さんぽ》かな？」

翼をたたんで風から身を守ろうとしてみたが、風はびゅうびゅうと四方八方からふきつけてきて、ペリルがいないせいでずっと寒かった。時間がたつにつれて痛みはどんどんひどくなり、やがて三つの月が高くのぼり始めた。ようやく旋回《せんかい》しながら上昇《じょうしょう》するペリルを見つけるころには、もうガタガタとふるえるほど具合が悪くなっていた。

ペリルは両手にこい茶色の泥がたっぷりと入った、大きな岩の釜《かま》を持っていた。背後《はいご》におり立つ彼女を、首をひねって見つめる。

「どこから持ってきたの？」クレイは質問《しつもん》した。

ペリルは遠く、女王の宮殿《きゅうでん》を囲《かこ》む壁《かべ》のひとつをあごでしめした。クレイが目をこらしてみると、月明かりを浴《あ》びてきらめく滝《たき》が見えた。

「あの壁の下を流れてる、ダイヤモンド・スプレー川よ」ペリルが答えた。「ずっと海まで流れてるんだ。まあ、聞いた話だけどね。わたし、〈スカイキングダム〉からでたことないからさ」そう言って、片手を釜の中につっこむ。泥がぶくぶくとにえ立ってあわがたち始めるのを、クレイはおもしろそうに見つめた。

「どうして？　君はこの国でも最強《さいきょう》のドラゴンの一頭なんだろ？　好《す》きなところに行ったりできるんじゃないの？」

ペリルは少しショックを受けたような顔をした。「陛下にさからうなんてとんでもないよ！　母さんはそれで殺されちゃったんだもの」クレイの頭にある考えがひらめいたが、じっくり考えようとすると、彼女がまた先を続けた。「それにわたし、毎日黒岩《ブラックロック》を食べないと死んじゃうんだ。そんなことにならないように、女王陛下がいつも準備《じゅんび》してくれてるんだよ」

「ブラックロックって？」クレイはふしぎそうに首をかしげた。

「わたしみたいにありあまる炎を宿してると、その岩を食べないと死んじゃうんだって」

ペリルは肩《かた》をすくめてみせた。「死なないように陛下がそんなにも気にかけてくださるなんて、わたしはとても運がいいと思うわ」

「食べないでいようとしたことは？」

「ずっと小さかったころ、一度だけね」ペリルはばつが悪そうに指をいじりまわした。

「母さんのことなにも教えてくれないものだから、陛下にめちゃくちゃムカついてさ。それでにげだしたくなっちゃったの。だから岩を食べるのやめたらどうなるか見てやろうと思ったんだけど、ものすごく具合が悪くなっちゃったんだ。死んじゃいそうなくらいにね」

「へえ」クレイは答えたが、彼女の話はまるでちゃんと重なりあっていないうろこみたいに、どうもおかしな感じがした。もしも国で最《もっと》もおそろしいドラゴンをそうやって手なずけることができるのなら、女王にとってそんなに都合がいいことはないはずだ。けれどスカイウイングにいったいどんな奇妙《きみょう》なひみつがあるのか知らないクレイには、なんとも言えなかった。

「それもあって、女王の玉座《ぎょくざ》にいどもうとしないの？　だって、戦ったら君が勝つにちがいないと思うからさ」

ペリルは怒《いか》りのさけびをあげると、今にもしっぽでクレイをこうげきしそうな様子を見せた。「女王になんてなりたくない！　考えるのもいやだよ！　くだらない話はやめて、あっち向いて！」

クレイは背中を見せると、できるだけ大きく翼を広げた。彼女の手で熱《あつ》い泥をぬってもらえるのだと思うとドキドキした。だが、そうするとやけどさせられてしまうと気づいたときには、もうペリルが釜の中身を背中にぶちまけていたのだった。

「ぐっ……！」クレイは悲鳴をこらえるため、思いきり歯を食いしばった。泥はまるでケストレルの炎の息のように熱く、クレイは最初、うろこがすべてやけ落ちてしまうのではないかと思った。

やがてその衝撃《しょうげき》がやわらぎ、すぐになんとかたえられるくらいになった。泥がきずにしみこんできたのを感じたとたん、痛みが楽になり始める。ケストレルとの戦《せん》とう訓練《くんれん》のあとにも、こうできればよかったのに！

「ずっとましになったわね」ペリルが満足《まんぞく》そうに言った。

クレイは肩をぐるぐると動かしてみた。早くも筋肉《きんにく》がリラックスし、力強くなっているように感じる。「すごいや。マドウイングならみんな効くのかい？」

「当たり前でしょ。なんでそんなことも知らないの？」

「他のドラゴンには？」クレイは質問しながら、彼女のほうに体を向けた。もし仲間たちとまた自由の身になることができたら、こうしてきずを治《なお》してやれるかもしれない。

「効かないんじゃないかな。試《ため》したことあるドラゴンがいるのかもあやしいと思う。だって気持ち悪いもん。うろこに泥をぬられたいスカイウイングなんていると思う？　考えただけではきそう」

「こんなに気持ちいいことないんだけど」クレイが答えた。「いや、飛ぶほうが気持ちいいかな。あと食べるの。ああもう、腹《はら》へったなあ」

「よかったら、夜じゅうじゃんじゃん食べもの持ってきてあげるけど？」

「いや、そんなことしてくれなくても……」クレイは言いかけたが、もうペリルは行ってしまっていた。

クレイはすわりこみ、手脚《てあし》の周《まわ》りにぐるりとしっぽをおさめながら考えた。

ペリルが明日の裁判を見せてもらえない理由が、彼にはなんとなくわかっていた。スカーレット女王は、ケストレルが命令《めいれい》にそむいてばかりだったと言っていた。そのうえ、ケストレルの両手についたあのやけどのあとだ。

ケストレルが自分の子を殺そうとしたのは、かんたんに想像できる。その子になにかおかしなところがあると思ったなら、なおさらそうするだろう。

ペリルは母親が死んだと思っている。もしケストレルが自分の母親だと知ったなら――そして、まだ生きていると知ったなら――彼女はどんな反応《はんのう》をするだろう？

20

夜、ペリルはウサギ三羽、そして泥《どろ》をさらに釜《かま》ふたつぶん持ってきた。クレイはずっと岩のはしから動かなかったが、それでも彼女《かのじょ》のうろこが放つ熱《ねつ》はクレイの背《せ》中《なか》にぬられた泥をじゅうぶんに温めてくれた。

それに、悪夢《あくむ》も忘《わす》れていられた。彼女と話をしていると、クレイの罪悪感《ざいあくかん》も軽くなった。けれどクレイは妙《みょう》な気持ちだった。ペリルは彼《かれ》よりもずっとたくさんのドラゴンを殺《ころ》しているのだ。なのに彼女は、まったく気にもとめていない。自分もあんなにあっさりしていられたらいいのに、と彼は思った。もしまたアリーナで戦《たたか》うことになったなら、彼女に怪《かい》物《ぶつ》のことを教えてもらったほうがいいのかもしれない。

「だれか、君をさがしてるんじゃないの？」遠くの海に太陽がのぼり始めている。

ペリルは首を横にふった。「今日は一日じゅう、どうくつの中で黒岩《ブラックロック》をさがしてることになってるからね。こうして上であなたのかげにかくれてるかぎり、だれもわたしになんて気づかないわ」

「衛兵《えいへい》たちもかい？」

「あいつらが食べものを持ってこっちに来るのは昼間よ。裁判《さいばん》は夜明けに開かれるの。ほら、見てみて？」彼女は少し近づき、翼《つばさ》にかくれたまま下をのぞいた。

クレイも見おろしてみると、ドラゴンたちがアリーナで座席《ざせき》に着いているのが見えた。戦いのときよりも静《しず》かで、いかめしい様子だ。スカイウイングの兵隊《へいたい》たちが大きな岩をふたつ、砂《すな》の上に引きずってきた。一頭の兵隊が輪《わ》のついた鉄の棒《ぼう》を三本、三角形の形になるよう地面につき立て、それぞれに太い鎖《くさり》をつないだ。

「翼を広げて、早く！」ペリルが小声で言った。「陛下《へいか》が来るわ」

クレイがあわてて翼を広げるのと同時に、スカーレット女王がバルコニーにすがたをあらわした。金の鎖かたびらではなく、ダイヤモンドをちりばめた小さな黒いネックレスを身につけている。ペリルは用心深くクレイの後ろに身をかくしていたが、女王は塔《とう》の上など見あげようともしなかった。今日はグローリーを連《つ》れていない――裁判に芸術品《げいじゅつひん》はいらないのだと、クレイは思った。

やがてケストレルが、彼女を取《と》り囲《かこ》む衛兵たちにつばをはきながら、三角形にはられた鎖の中に連れてこられた。衛兵に炎《ほのお》をはいたりしないよう、鼻の周《まわ》りに鎖をまきつけられる。そしてあばれたりできないよう、手脚《てあし》としっぽにも、さらにがんじょうな鎖がしっかりとまかれた。

「なんだか変《へん》な気分だよ」クレイは小声でペリルに言った。「ずっとケストレルがきらいだったっていうのに、それでもあんなすがたを見るとめちゃくちゃムカつくんだ」

「なんであのドラゴンを知ってるの？」

「ぼくたちを育ててくれた三頭のうちのひとりなのさ、〈山の底《そこ》〉でね」クレイは説明《せつめい》した。「三頭ともぼくたちのことはあんまり好《す》きじゃなかったけど、いつか予言を実現《じつげん》させるために〈平和のタロン〉がむかえに来るまでぼくたちの命を守るのが役目だったんだ」

クレイはデューンのことを思いだし、言葉を止めた。それにウェブスだ……地下の川に飛《と》びこんだあと、無事《ぶじ》でいるのだろうか？

「それでも、だれもいないよりいいよ。どんなにひどい親だって、いないよりはまし」ペリルが言った。クレイはスカーレット女王を見つめながら、本当にそうだろうかと考えた。ペリルが生きてきた中で、女王はいちばん母親に近い存在《そんざい》だ。けれど来る日も来る日も娘《むすめ》におそろしい方法《ほうほう》でドラゴンを殺させる親など、いったいどこにいるだろう？

もしかしたらペリルには、親なんていないほうがいいのかもしれない。デューンとウェブスは悪くなかったが、ケストレルについてはいたほうがいいのか、それともひとりで育つほうがいいのか、よくわからなかった。

けれど、もしクレイの想像《そうぞう》が正しいのなら、ケストレルはペリルの本当の母親だ。ケストレルはスカーレット女王よりもいい母親なのだろうか？　もしペリルを山から投げ落とすつもりだったとしたら、それはない。少なくとも、ペリルが今日まで生きてきたのは女王のおかげなのだ。

この裁判を見てもペリルが取りみだしませんように、とクレイは祈《いの》った。もしかして、ケストレルが母親かもしれないと伝《つた》えておいたほうがいいのだろうか。だが、もしまちがいだったらどうしよう？

「ぼくにも本当の両親がいるんだ」クレイは、代わりにそう切りだした。「〈泥の王国《マドキングダム》〉のどこかで、ぼくが帰ってくるのを今か今かと待ってくれているんだよ。いつかぜったいに見つけだしてみせる」

ペリルの顔は見えなかったが、だまりこんでいる彼女からは多くのことが伝わってきた。彼がこの宮殿《きゅうでん》から生きてでられるとは思っていないのだ。もしでられるとするなら、それは彼女自身の命を犠牲《ぎせい》にしなければ無理《むり》だと思っているのだ。

そんなこと、クレイは考えたくもなかった。

いつもアリーナの司会《しかい》をしているスカイウイングがふたつ置《お》かれた大岩の片方《かたほう》にのぼり、血のように赤い翼を広げた。

「あれはヴァーミリオンだよ」ペリルがささやいた。「女王陛下の長男でね。いつもうったえたほう、つまり検察側《けんさつがわ》につくの」

「でも、なんでスカーレットはいちいち裁判なんかするのさ？」クレイはたずねた。「さっさと殺しちゃえばいいんじゃないの？」

「裁判にかけられるのはスカイウイングだけなの。陛下は、見せかけの裁判を見物するのが大好《だいす》きでね……それに、裁判をすれば正しくて公平な女王に見えるから」

あまりのばかばかしさに鼻で笑《わら》いそうになり、クレイは必死《ひっし》にこらえた。

そのとき、もう片方の大岩にまた別《べつ》のオスのスカイウイングが登り、観客《かんきゃく》たちがぴたりと静《しず》まり返《かえ》った。こちらのうろこは長い時間をかけて砂岩《さがん》でみがきでもしたかのように、ずっと色あせた赤だ。彼は死体でも引きずるみたいにしっぽを地面に引きずりながら、ゆっくりとやってきた。

「で、あれがオスプレイ」ペリルがまたささやく。「こっちはいつも、弁護側《べんごがわ》だよ。でも、わたしには親切にしてくれるんだ。いつも昔話を聞いてあげるからね。なんでも昔は山ほど財宝《ざいほう》を持ってたんだけどゴミあさり《スカベンジャー》たちがぬすみにきて、オスプレイに食われないようにしっぽをマヒさせられちゃったんだって。だから今はもう飛べなくって、ここでくらすことをゆるしてもらうために、財宝を全部女王陛下にさしだしてしまったんだってさ」

「きつい取り引きだな」クレイは答えた。ペリルがムカついたように身じろぎする気配がし、熱気《ねっき》が伝わってくる。

「でも焦土時代《スコーチング》よりもずっと昔、まだ女王も軍隊《ぐんたい》もいないころだったら、だまって殺されるしかなかったのよ」ペリルが先生みたいな口調で言った。「そのころゴミあさりたちは、今とはくらべものにならないくらい、たくさんドラゴンを殺してたんだから。でも今は女王様たちがいるおかげでわたしたちが世界を支配《しはい》して、助けが必要《ひつよう》なドラゴンは力をかしてもらえるようになったんだよ」

「まるでスターフライトみたいだ」クレイが言った。「この授業《じゅぎょう》の最後《さいご》には、テストでもやるのかい？」

「あの子、なにしてもわたしに口をきいてくれないんだよ。あなたに言われたとおり、焦土時代の歴史《れきし》を教えてってたのんでみたんだけどね。翼の下に鼻先をうずめて、わたしのことなんて無視《むし》するんだ」

「すごい。スターフライトのやつ、とことん落ちこんでるんだな」クレイはそう言うと、うなだれている黒いドラゴンのほうをふり向いた。

ペリルはまただまりこんでいた。クレイは大声で、ここからでる道はぜったいに見つかるとスターフライトによびかけてやりたかった。でも本当にそうさけんでも、わりと近くにいるツナミまでは声がとどいたとしても、スターフライトには聞こえないだろう。それにアリーナじゅうに聞こえるほどの大声で脱走《だっそう》計画をさけぶなど、いい考えにはとても思えない。

それになにより、もう裁判が始まろうとしているのだ。スカーレット女王が翼を打ち鳴らし、すべてのドラゴンたちがいっせいに彼女のほうを向いた。

「忠実《ちゅうじつ》なる民《たみ》よ」女王が口を開いた。「かつてスカイウイングの一員だったこのドラゴン、ケストレルは、最《もっと》も重いうらぎり行為《こうい》でうったえられた――このわたしにしたがわぬ罪《つみ》です。ヴァーミリオンが検察官《けんさつかん》をつとめます」

「陛下」ヴァーミリオンはおじぎをし、両手を十字に交差《こうさ》させた。「事実ははっきりしています。陛下が命令《めいれい》をくだされた。ケストレルはそれにしたがわず、王国から逃亡《とうぼう》したのです。そして陛下のご領地《りょうち》にそびえる山々の地下にこれまで七年間もひそんで、同じく陛下の命令にしたがわぬ〈平和のタロン〉の力となり、手助けしていたのです。このメスには、長く苦しい刑《けい》がふさわしい。ずるずるとこの裁判を長引かせる意味などひとつもありはしません」

観客席《かんきゃくせき》のドラゴンたちは今にも炎をはきそうな音を口からだしながら、バサバサと羽音をたてた。ケストレルが女王をにらみつける。しばられて開かない口と鼻のあなからけむりを立ちのぼらせている。

「よく言った」女王はヴァーミリオンを見てうなずいた。「では、オスプレイの弁護側の主張《しゅちょう》を聞かせてもらいましょう。まあ、裁判の間じゅうねていてもかまわないけれど」

観客席からどっと笑いが起こった。

オスプレイは岩の上からもっとよく顔をおがもうとするかのように、まずは女王に、それからケストレルに向けて首をのばした。

「陛下」オスプレイが口を開いた。年を取ってしゃがれてはいるが、上にとらわれているドラゴンたちにも聞こえるほどに大きい声だ。「このドラゴンの弁護をするため、いくつか申しあげたいことがあります」

彼を見おろす女王のしっぽが、ゆっくりと左右にゆれ動いた。「それはそうでしょう。そのためにここに来ているのだものね。言ってごらん」

オスプレイは黒いけむりをはきながらせきばらいをした。観客席のドラゴンたちが、ひとことも聞きもらすまいとして身を乗りだす。クレイは、翼のかげから必死に見ようとしているペリルの熱を、やけどしそうなほどそばに感じた。

「まず最初《さいしょ》に、不服従《ふふくじゅう》のうたがいについてです。たしかにケストレルは陛下の命令にそむきました……しかし彼女がすがたをくらましたのち、たしか陛下は命令をくつがえされたのでは？」

なんだって？ クレイは一瞬《いっしゅん》、耳をうたがった。ペリルのせいじゃなかったのか？

「オスプレイよ」スカーレット女王がけわしい声で言った。「率直《そっちょく》に発言なさい。じゃなきゃだまっていることね。わたしに言わせれば、そのほうがずっとかしこいというものだけれど」

「失礼《しつれい》しました、女王陛下」老《ろう》ドラゴンはそう言って、まっすぐに翼をのばした。「ですが、だまっているわけにはいかないのです。ケストレルは、陛下の最も忠実な兵士《へいし》のひとりでした。陛下の命令により立ちあげられた交配計画にくわわり、卵《たまご》をひとつ産《う》み落《お》としたのです。ですがいよいよ卵がかえるというときに、そこには双子《ふたご》のドラゴンの子たちが入っていたと判明《はんめい》しました」

クレイの後ろにいるペリルが、下のドラゴンたちにも聞こえそうなほど大きなさけび声をあげた。クレイはその声をごまかそうとあわてて翼をばたつかせたが、上を見あげる者はだれもいなかった。全員の目が裁判にくぎづけになっている。

「そんなこと、だれでも知っているわ」スカーレット女王があくびをした。「さっさと処《しょ》刑《けい》の話にうつりましょうよ」

「そのドラゴンの子たちはできそこないでした」オスプレイがいかめしい声で言った。「片方はあまりにも強い炎を持ち、もう片方はろくな炎を持っていなかったのです。そこでスカイウイングのならわしにのっとり陛下がケストレルに、二匹《ひき》とも殺してその後は二度と交配計画に関《かか》わらないようお命じになったのです」

「いったいどういうことなの？」ペリルがささやいた。クレイは後ろを見ようと、首を引っこめた。目があった彼女は、とまどいにふるえていた。「この十年間、双子のスカイウイングがかえったのはわたしたちだけなんだよ？　でもあんなの、わたしの話なわけない。弟は、卵からかえったときに死んでしまったのよ。**わたし**が殺しちゃったの。だから母さんがわたしを殺そうとして、スカーレット女王がそれを止めてくださったんだよ」

「そう聞かされているってだけかもしれないね」クレイがささやき返した。

女王が立ちあがった。二枚《まい》の翼が太陽の光を浴《あ》び、翼のふちにならんだルビーがきらめく。「たしかにすじの通った話ね」

「ですがケストレルは、脱走を試《こころ》みました」オスプレイがさらに続《つづ》けた。「孵化《ふか》のどうくつから二匹のドラゴンの子を連れだし、いっしょに山をおりてにげようとしたのです」

「じゃあ、ケストレルが命令にそむいたことには同意するのね」スカーレット女王が言った。「ならば話は終わりではなくって？」

「陛下はケストレルを、ダイヤモンド・スプレー川でとらえられました」オスプレイが言った。「そして、新たな命令をだされましたな。ひとつ条件《じょうけん》をのめば、不服従については不問《ふもん》にふすと。どちらか片方、殺すドラゴンの子を選《えら》びさえすればもう片方の子の命を、そしてケストレル自身の命を助けてやると」

「うそ……！」ペリルが小さな声でさけんだ。

「そして、ケストレルはその命令にしたがった……そうですな？　川でつかまった彼女はその場で、炎を持たぬドラゴンの子を殺してしまったのです。自分の爪《つめ》にかけて」

「でもわたし、それからまた心変《こころが》わりをしたのよ」女王が言った。「わたしは女王だもの。そういうことができるの」

「陛下は衛兵たちに、もう片方のドラゴンの子も殺してケストレルをまた裁判に引きずりだせとおっしゃいました。このわたしも衛兵でしたからぞんじていました。そこでケストレルはわが子をつかんでにげようと飛びだしたのですが、そのとたん、子どものうろこが放つ熱に両手をやかれて、落とすしかなかったのです。そして生《い》き残《のこ》ったドラゴンの子を陛下のもとに残し、ひとりでにげていったのです」

一瞬、アリーナはぴたりと静まり返った。

「ならばやはり有罪《ゆうざい》ね」スカーレット女王が楽しそうに笑う。「処刑は明日おこないます。ついでに、こいつの処刑もいっしょにおこないましょう。わたしをたいくつさせた罪でね」そう言ってオスプレイを指さす。

「だめ！」

ものすごいいきおいでペリルが前に飛びだしたので、クレイはあやうく塔から落ちそうになった。ペリルがアリーナに舞《ま》いおりていくのを見ながら、クレイはバランスを取りもどそうとして翼をばさばさと動かした。右の前脚《まえあし》が宙《ちゅう》にうく。アリーナのほうを見おろすと、たまたまふれた鉄線をもやしつくしながら飛んでいくペリルが見えた。

「そんなのうそだ！」ペリルはそうさけびながら、オスプレイのとなりにおり立った。

「うそだって言ってよ！」

口をふさがれたケストレルが声にならないさけびをあげ、後《うし》ろ脚《あし》で立ちあがる。その顔を見たクレイには、はっきりとわかった。ケストレルはずっとペリルが死んでしまったと思っていたのだ。

「あらまあ」スカーレット女王は、よこしまな目でケストレルを見た。「まだ生きていて、わたしのもとで働《はたら》いているって言ってなかったかしら？」黄色い目を、今度はペリルに向ける。「ここには来るなと言ったはずだけど？」

「わたしをだましたんだね！」ペリルが絶叫《ぜっきょう》した。「母さんは死んだって言ったじゃないか！」

スカーレット女王がため息をついた。「自分が起こしためんどうを見てごらんなさい」とオスプレイに声をかける。「かわいいペリルや。母親がおまえの弟ではなくおまえを殺しておくんだったと思いながら他のドラゴンの子たちを育てているなんて、わざわざ知りたがるなんてばかな子だよ、まったく」

ペリルがうろたえた。

「母親は、おまえの弟とともに飛び去っていたかもしれないんだよ」スカーレットがつめよる。「助けようとしたあのメスの手を、おまえはもやしてしまった。だからあのメスは、助けるほうをまちがえたと思ったのよ。だからあなたのところに帰ってこなかったのよ」

ケストレルは、言葉にならないさけび声をあげた。

「今日までずっとあなたを生かしてきたのはこのわたしよ？」スカーレットが続けた。

「あなたのためにブラックロックを見つけて、食わせて、わたしのチャンピオンにさせてあげたでしょう？　わたしがしたことへの感謝《かんしゃ》の気持ちはないの？　ケストレルよりもわたしのほうがいい母親だと思わないの？」

「わたし、母さんを助けたい」ペリルは、クレイになんとか聞こえるくらいの小さな声で言った。

スカーレットの鼻からけむりが立ちのぼり、角の周りを取りまく。「なんですって？」ゆっくりと、女王が言った。

「〈王者《チャンピオン》の盾《たて》〉のしきたりにのっとらせてもらうわ」ペリルが言った。「しきたりでは、処刑を言いわたされたドラゴンを助けられることになっているはずだよ。次にあなたがわたしにけしかけるドラゴンをたおすことができたら、あなたは母さんを自由にするしかないの」ペリルは初《はじ》めてケストレルの目を見つめた。「わたし、母さんを助ける」

21

スカーレット女王は目を細めた。両目はまるで、オレンジ色のうろこの間にできた黄色いさけ目のようだ。「そんな法《ほう》の存在《そんざい》を、どこで聞いてきたんだい？」いまいましげに女王が言った。

ペリルが女王をにらみ返す。「聞いたんじゃなくて、読んだの」

「いいや、そんなはずないわ」スカーレットは首を横にふった。「あなたが手をふれれば、紙なんてすべてもえてしまうもの。子どもに聞かせるような話をあなたの耳にふきこんだ者がいるはずよ」

「そんなのいない！」ペリルはあわてて答えた。「だれも――」

ペリルが言い終わりもしないうちに、女王がぱっと飛《と》びあがった。オスプレイをつかまえ、一気に空高く舞《ま》いあがる。

「やめて！　オスプレイのせいじゃないわ！」ペリルはそうさけぶと翼《つばさ》を広げ、女王たちを追いかけていった。

アリーナの真上、ぐんぐん高くのぼっていく女王をクレイは見つめた。オスプレイは重たそうにしっぽをたらしながら、女王のうでの中であばれている。スカーレット女王は囚人《しゅうじん》たちをつなぐ鉄線が作るクモの巣《す》のようなあみの高さまでくると、とつぜんうでを開いて老《ろう》ドラゴンを落としてしまった。

オスプレイがまるで石のようにどうしようもないまま墜落《ついらく》していく。そのすがたを見たクレイは、空中でバランスを取るのにしっぽはとても重要《じゅうよう》な役割《やくわり》を果《は》たしていたのだと思い知った。オスプレイがのろのろと翼を開く。だがぶざまに開ききっても、役に立たないしっぽの重みでみるみる落ちていくばかりだ。

ペリルは両手をのばして彼《かれ》を追いかけたが、さっと背《せ》を向けたオスプレイを見ると、無《む》力感《りょくかん》を顔にうかべて飛ぶのをやめてしまった。たとえつかまえたとしても、どうせやき殺《ころ》してしまうことになるのだ――もしかしたら、落ちて死ぬよりもずっと苦しい死をあたえてしまうのだ。それでもペリルはもう一度手をのばしたが、もうまにあわなかった。

オスプレイは最後《さいご》の力をふりしぼり羽ばたいたが、体勢《たいせい》を立てなおすことはできなかった。不自然《ふしぜん》な角度で砂《すな》の地面にげきとつする。骨《ほね》が折《お》れ、くだけ、翼がさける音が、アリーナじゅうにひびきわたった。壁《かべ》のそばにくずれ落ちた彼のそばにペリルが着地する。

スカーレット女王がバルコニーにやわらかくおりてきた。「わたしのチャンピオンによけいなことを教えたらこうなると、全員の教訓《きょうくん》になるといいのだけれど」そう言いながらアリーナをぐるりと見回す。

「死んでないわ」ペリルは力強く砂をふみしめた。

「時間の問題よ」スカーレット女王は、ぱたぱたと手をふってみせた。「さてと、〈王者の盾《チャンピオンたて》〉については、わたしからなんの反論《はんろん》もないわ。チャンピオンは、とらわれのドラゴンの側《がわ》についた……。ならばわたしは相手を選《えら》ぶから、明日の最終試合《さいしゅうじあい》で戦《たたか》ってもらうとしましょう。もしその子が勝ったらケストレルは自由の身よ。もし負けたらわたしのチャンピオンは死んでしまうけれど、とりあえずすぐにケストレルの処刑《しょけい》をおこなうことができるでしょう。どちらに転んでも血なまぐさい最高《さいこう》の一日になるのはまちがいないし、バーン女王もさぞかし楽しみでしょうね」

冷《つめ》たい風がクレイの周《まわ》りにびゅうびゅうとふきつけた。背中《せなか》のきずがずるどく痛《いた》み、うろこが風を切る音がする。バーンがここに来るのだ。明日。そして立ち去るときにはサニーを連《つ》れていってしまうのだ。

「それでいいよ。明日だね」ペリルは、びくびくと痙攣《けいれん》しながら死を待っているオスプレイを見おろして答えた。オスプレイに手をのばす。そして、今にもふれそうなところで手を止めた。

「もちろんケストレルはまた閉《と》じこめておくわね」スカーレット女王が言った。「またにげようとされたらめんどうだもの。いいわね？」

「わかった」ペリルがふり返り、ケストレルと向きあった。ヴァーミリオンは興奮《こうふん》でざわめく観客《かんきゃく》たちをアリーナから追いだしていた。

ドラゴンがほとんどいなくなってしまうと、ケストレルは口にまかれた鎖《くさり》を指さした。ペリルと話したいのだ。

「だめ」ペリルが答えると同時に、一頭の衛兵《えいへい》が前に歩みでた。彼女《かのじょ》はケストレルの目をまっすぐに見つめた。「あなたは弟を殺した。わたしをここに**置《お》き去《ざ》り**にした。それにわたしの友達《ともだち》が死んだのだってあなたのせい。死んでほしいとは思わないけど、仲良《なかよ》くする気もないよ」

背を向け、アリーナからでていく。衛兵たちは勝ちほこったようにほほえむスカーレット女王の下から、ケストレルを引きずりだしていった。

クレイはどうすればいいのかわからなかった。ツナミの目を見ようとしたが、彼女は怒《いか》りにまかせてかぎ爪《づめ》をふり回しながら、自分の牢《ろう》をぐるぐると歩き回っていた。スターフライトは体を起こし、空を見つめていた。

クレイは頭をふりしぼった。もしペリルがケストレルを自由の身にすることができたなら、ケストレルはきっと〈運命のドラゴンの子〉たちもにがそうとするはずだ。もしかしたら〈平和のタロン〉の助けを求《もと》めに行くのではないだろうか。

けれどそのころには、もう手おくれかもしれない――少なくとも、仲間《なかま》のだれかにとってはそうだろう。特《とく》にサニーはそうだ。バーンにつかまり、サンドウイングの城《しろ》に連れていかれてしまうはずだ。そして、明日アリーナで戦うことになるかもしれないスターフライトもそうだ。ツナミとクレイ自身も戦わされるのならば、そうなってもおかしくはないだめだ。ケストレルを待っているわけにはいかない。明日の戦いの前に脱走《だっそう》しなくては。女王のうらぎりを知った今、もしかしてペリルが手をかしてはくれないだろうか。

クレイはペリルがもどってこないか気にしながら待ち続《つづ》けたが、アリーナになにも動きがないまま時間はどんどんすぎていった。太陽の熱《ねつ》で背中の泥《どろ》がかわいてぼろぼろとくずれ落ち、風はまるで小さなドラゴンの子たちのようにしっぽや翼にじゃれついてくる。だが、ペリルはやって来なかった。

午後になると衛兵がクレイの牢にブタを落としにきたので、ペリルに伝言《でんごん》がたのめないか聞いてみた。衛兵は小ばかにしたように炎《ほのお》をはいてブタをふるえあがらせると、答えもせずにさっさと飛び去ってしまった。だが、クレイの前脚《まえあし》についている鉄線が切れているのに気づかれなかったのだけは幸運だった。

やがて西にそびえる山々のいただきに太陽が沈《しず》み始《はじ》めると、クレイはだんだん不安《ふあん》になってきた。なにもかも、ペリルが正しいのだろうか？　ケストレルと戦うよりも先に、女王が彼女を追放することに決めてしまったら、どうすればいいのだろう？

そのとき、遠くから翼が重く羽ばたく音が聞こえてきて、クレイを不安の中から引きずりだした。顔をあげてみると、西の空にサンドウイングの群《む》れが見えた。沈んでいく夕日を浴《あ》び、輪郭《りんかく》が赤くかがやいている。いちばん大きなメスのドラゴンが先頭に立ち、他のドラゴンたちはV字形の編隊《へんたい》を組んで続く。群れは完璧《かんぺき》な隊列《たいれつ》を組んだまま女王の宮殿《きゅうでん》に向かい、遠くの壁の向こうに消えていった。きっとそこに、来客用の着陸場《ちゃくりくじょう》があるのだとクレイは思った。

バーンがやって来たのだ。

バーンは、サンドウイングの玉座《ぎょくざ》をめぐって争《あらそ》う三頭の中で、最《もっと》も大きく、そして最も残《ざん》にんなドラゴンだ。サンドウイングの宮殿を根城《ねじろ》にしている。クレイの知るかぎり、戦《せん》争《そう》の勝者にいちばん近いのがバーンだった——そしてだれであろうとじゃまする者がいればいちばん殺してしまいそうなのも彼女だった。

デューンは、ピリア大陸《たいりく》で最も危険《きけん》なドラゴンはバーンであり、スカーレット女王さえもしのぐのだと教えていた。スカーレットも最悪《さいあく》だが、〈運命のドラゴンの子〉たちにとって最もおそろしいのはこのバーンなのだと。

と、壁の向こうに消えたばかりだというのに、群れをひきいていたバーンがまた壁をこえてアリーナに向かって飛んできた。近づいてくるにしたがい、風にふかれる砂漠《さばく》のように波打つ背中の筋肉《きんにく》がクレイにも見えてきた。毒《どく》ばりのついたしっぽはとぐろをまき、その黒い目はまっすぐにクレイを見すえている。

頭上を飛びこえていくその瞬間《しゅんかん》、クレイは思わず低《ひく》くふせていた。バーンは首をのばしてクレイを視界《しかい》にとらえたまま、ぐるぐると頭の上を飛び回った。クレイはどうすればいいのかわからなかった。表情《ひょうじょう》を見ても、なにを考えているのかまったくわからないのだ。

一分もそうしたあとバーンはクレイに向かって、ふたつにわれた黒い舌《した》をだしてみせた。そして次はツナミの上を、それからスターフライトの上を、同じようにぐるぐると旋回《せんかい》した。なにも言わずに見つめ続けるドラゴンに、ツナミでさえおびえているように見えた。三頭のドラゴンの子たちは身じろぎひとつせずにそれを見あげていた。そしてバーンはやがて三頭のもとを飛び去ると、また宮殿へとすがたを消していったのだった。

みんなで脱出《だっしゅつ》しなくちゃ。今すぐに。今夜。クレイは思った。バーンはあの黒いひとみで、サニーの中にいったいなにを見るのだろう? もしかしたら小さなサンドウイングを殺し、わたをつめ、壁の上に飾《かざ》り、コレクションにする気なのかもしれない。

だが、脱出などとてもできはしない。ここはあの山の地下よりもずっとおそろしいところなのだ。あそこでは、少なくともみんなで固《かた》まってすごしていられた。クレイは仲間の中でも頭が切れるほうではない。自分だけの力で最高の脱出計画をたてるなんて、とても無理《むり》な相談だ。

と、クレイはペリルが取り引きをまだ果たしてくれていないことに気がついた。サニーの居場所《いばしょ》を教えてもらっていないのだ。これではたとえ空の牢獄《ろうごく》から脱出できたとしても、見わたすかぎり広がるスカイウイングの宮殿のどこにいけばサニーを助けられるのか、まったくわからない。

ペリルは彼のことなど忘《わす》れてしまったのだろうか？　それともなにかの理由でおこっているのだろうか？

クレイは頭を悩《なや》ませながらぐるぐると歩き回った。切れた鉄線がもう片方《かたほう》の脚《あし》にばちばちと当たる。クレイはそれを見おろした。太陽はもう金色をおびた銀の光で山々を照《て》らすだけで、三つの月が空にのぼり始めている。辺《あた》りは暗くなりかけていた。

手をあげ、かすかにとどいてくる太陽の光にかざしてみる。鉄線には奇妙《きみょう》な金具がついていて、ピンとはりつめても脚からはずすことができなかった。だがこうして片方のはしがはずれてしまうと、爪《つめ》の先でぐいぐいとこすれば脚をぬくことができそうだった。もう片方のはしは、ペリルが殺してしまったあのサンドウイング、ホライゾンにつながっていたのだ。今はだれもいなくなった岩盤《がんばん》のまん中にある輪《わ》につながれている。もしクレイが自分の脚から鉄線をはずしてしまっても、だれにも気づかれることはない。

何度か試《ため》してから、クレイは鉄線から脚を引きぬいた。自分のしっぽと同じくらいの長さの鉄線が残《のこ》る。鉄線は、太陽の光を浴びるとピンクがかった銀にきらめくがんじょうな金属《きんぞく》で作られていた——翼をとめている金具と同じ金属だ。きっと炎でとけたりもえたりしない金属なのだろう、とクレイは思った。もしちがうなら、とっくの昔に他のドラゴンたちがもやしてしまっているはずだ。その鎖をあんなにやすやすととかしてしまったということは、ペリルのうろこはただの炎よりも、とんでもなく熱《あつ》いのだ。

クレイは周りを見回した。ほとんどのドラゴンたちは、もうねむりにつこうと丸くなっている。まだ日暮《ひぐ》れとはいえ、こんな塔《とう》のてっぺんにいたのでは、やることなどたいしてないのだ。衛兵のすがたはどこにも見当たらなかった。きっとバーンの歓迎《かんげい》パーティでも開かれているのだろう。スカイウイングの兵隊《へいたい》もそこに出席《しゅっせき》して、ごちそうを食べたり明日おこなわれるアリーナでの戦いに賭《か》けたりしていればいいのだが。そしてペリルがあのアリーナにいちばん近いどうくつに、つまり自分の部屋にいてくれればいいのだが。もし彼女の注意を引くことさえできれば……もし彼女と話をすることさえできたなら、みんなをすくう方法《ほうほう》を見つけてくれるかもしれない。

クレイは鉄線の片《かた》はしを両手でにぎるとそれを使い、首からクモの巣のようなあみにつながっている鉄線を切れないかと試してみた。だがしばらく続けてみても、どちらの鉄線にもきずひとつついていなかった。

けれどそうして鉄線をこすりあわせながらクレイは、鉄線がアリーナじゅうにふしぎな音をひびかせるのに気づいた。夜にひびく鳥の鳴き声か、ハープのよいんのような音が鳴るのだ。

なんだこれ、すごいぞ。クレイは心の中でそう言うと、ちがう音もだせるのではないかと考えてみた。鉄線をもっと引っぱり首に近づけ、残り三本の脚につながれた鉄線を鳴らしてみる。するとさっきよりも高い音や低い音だが、ふしぎでいんうつな音色は最初《さいしょ》の一本と変《か》わらなかった。

もしかしたらペリルがこれを聞きつけて、来てくれるかもしれないぞ。クレイは思った。だが、風の音やフクロウの鳴き声とまちがわれてしまうのではないだろうか？

そうだ、歌だ。しかしクレイが知っている歌といえば、ツナミがときどき世話係《マインダー》たちへのいやがらせで歌っていたあの曲しかない――世界をすくいにあらわれるドラゴンの子たちの歌だ。**あんな歌でも、ぼくがよんでるってペリルに伝《つた》わるかもしれない。**

クレイはもう何度か鉄線を鳴らしてみて、望《のぞ》みどおりの音を見つけだした。もうすっかり暗くなっており、光といえば遠く山々の上にのぼった月のうす明かりだけだった。アリーナの向こうにとらわれたドラゴンたちのすがたはまったく見えなかったが、スターフライトとツナミにも聞こえますようにと、クレイは心の中で祈《いの》った。

クレイは集中して、一本ずつ順番《じゅんばん》に鉄線を鳴らしていった。

ドラゴンの子がやってくる……

手を止める。ゆっくりすぎる。ツナミが歌っていたときにはもっと速く、そしてはげしく、声をかぎりにほえるドラゴンたちのすがたが思いうかぶようだった。だが、そんなテンポであれこれと鉄線を持ちかえて鳴らすなど、クレイにはとても無理だった。

世界をすくいにやってくる……

やわらかく、いんうつに、メロディがアリーナにひびいた。こんなので、ペリルに気づいてもらえるのだろうか？　まるで砂にうもれた古代のドラゴンたちの亡霊《ぼうれい》がささやいてでもいるかのようだ。

いや、練習を続ければもしかしたら……。

正義《せいぎ》のドラゴンの子が……戦うためにやってくる……ドラゴンの子が……

クレイは手を止めた。ここから最後に**やった！**　と続くのだが、太古の亡霊たちのささやきでそんなものをかなでるのは、とてつもなくまぬけに思えたのだ。こんなの、うまくいくわけがない。

「**ドラゴンの子がやってくる……**」

クレイは身を乗りだした。今のは、こだまが返ってきたのだろうか？

だが……たしかにはっきりと**歌詞《かし》が聞こえた**のだ……。

「**世界をすくいにやってくる……**」

クレイはさっと左を向いた。今のはまちがいなく声だ――さっきとはちがう、ふたつ目の声だ。

それに、どちらもツナミではない。本当に歌っている。

「**戦うためにやってくる……正義のドラゴンの子が……ドラゴンの子が……**」

鉄線のかなでるメロディと同じく、静《しず》かな亡霊の声のような歌声は、少なくとも六つ聞こえてきた。そしてクレイの演奏《えんそう》と同じように、最後の「やった!」だけ歌うことなくゆっくりと歌声は消えていったのだった。

とらわれのドラゴンたちが歌っていたのだ。

クレイは鉄線をかまえ、また演奏を始めた。今度は、ひとつ、またひとつと歌声がそれに重なっていった。月明かりがアリーナを満《み》たしていく。クレイは、左の牢にとらわれているアイスウイングが銀色の頭を空にのばして歌っているのに気づいた。

演奏は相変《あいか》わらずいんうつで物さみしかったが、クレイは四周《しゅう》目に入ると少しテンポをあげた。ペリルが気づいてくれなくとも、周りの歌声を聞いているとクレイは強い希望《きぼう》で胸《むね》がいっぱいになるのを感じた。もう、空の牢獄にとらわれたドラゴンがみんな歌っているかのようだった。ツナミのしゃがれた歌声とスターフライトのすんだテノールも、たしかに聞こえる気がした。

アリーナで戦わされてきたドラゴンたちにとっても、この歌には意味があるのだ。彼らもまた〈運命のドラゴンの子〉と予言を信《しん》じているのだ。クレイは、今までに感じたことのない気持ちになった。いつかりっぱで、伝説的《でんせつてき》で、みんなのためになることを成《な》しとげるのだという夢《ゆめ》が、自分の空想の中だけでなく本当の世界でも形になる予感がしたのだ。

とらわれのドラゴンたちが心をひとつにして歌を六周していると、いきなり真下のアリーナでとびらが開き、炎がふきだした。そして、バーンをすぐ後ろにしたがえたスカーレット女王が、足音もあらく砂地《すなち》にでてきた。

「その耳ざわりな歌をすぐにやめろ！」バーンがほえた。

ぴたりと歌がやんだ。クレイはこのやみの中では自分のほうなどろくに見えないだろうと思いながらも、急いで鉄線を翼の中にかくした。

「おまえ」スカーレット女王がおそろしい声で言いながら、ツナミを指さした。「それとおまえ」続けてスターフライトを指さす。さらに「そして……あら、おまえじゃないとは思うけど、それでもこっちにおりてきなさい」と言ってクレイをにらみつけた。

トンネルからスカイウイングの兵隊がでてきて、三頭のドラゴンの子たちのほうに飛んでいく。このままでは切れた鉄線が見つかってしまうとクレイはあせった。翼をばたつかせて頭をおおい、自分をつかまえにきた二頭を追いはらう。

「こら、やめないと下に落としちまうぞ」片方の兵隊がさけんだ。

「だがこいつは――」もう片方が口を開く。

「し！　だまってろ！」最初の一頭がそれをさえぎった。「女王陛下《へいか》のお言葉を聞いたろう。**こいつ**なんてよびかたはゆるされんぞ」

もうどうしようもなかった。暗やみの中、相棒《あいぼう》がクレイの脚の鉄線をはずしたのだろうとかんちがいした二頭は、自分たちのあやまちにも気づかないままクレイをアリーナの砂地へと連れておりていった。ツナミとスターフライトが不安そうにクレイを見つめているのに気づいて、クレイは自分のうろこにおびただしい血と泥がこびりついたままになっているのを思いだした。

「そいつらをこっちに連れてきなさい」スカーレット女王はいらだった声で言うと、バーンといっしょにどすどすとトンネルの中に入っていった。兵隊におされながらクレイは翼をのばすと、ツナミの翼とこすりあわせた。これからなにが起こるかはわからないが、とりあえず仲間とはいっしょにいられるのだ。

22

ペリルのどうくつで、クレイたちは足を止めた。ペリルは細い窓《まど》わくにあごを乗せ、空をながめているところだった。ふり返り、冷《つめ》たい目でスカーレット女王を見つめる。

壁《かべ》にかけてあった等身大の女王の肖像画《しょうぞうが》がはずされているのにクレイは気づいた。飾《かざ》られていた真下に、灰《はい》の山ができている。女王はその壁に目を向けると、鼻からもくもくとけむりをふきだした。

「でていきなさい」女王が言った。

「ここはわたしの部屋だよ！」ペリルがかみつくように言い返した。

「わたしはこの国の女王なの」スカーレットが答えた。「わたしの命令《めいれい》にしたがいなさい。アリーナでねるのよ。だれか歌を歌う者がいたら、飛《と》んでいって舌《した》をやき切ってしまいなさい」

ペリルのしっぽが怒《いか》りにあばれた。そして一瞬《いっしゅん》の間を置き彼女《かのじょ》は足音もあらく、二頭のドラゴンを女王とも思わないようなそぶりでおしのけて、とびらへと向かっていった。スカイウイングの兵隊《へいたい》が何頭か笑《わら》いをこらえているのにクレイは気づいた。

ペリルはほとんどクレイに見向きもせず、辺《あた》りを熱気《ねっき》で満《み》たしながらトンネルを進んでいってしまった。クレイは心配しながら彼女《かのじょ》の背中《せなか》を見つめた。**ぼくにおこってるんだろうか。でもなんで？**

「入りなさい」スカーレット女王は、スターフライトをペリルのどうくつにつき飛ばした。スターフライトは水たまりをよけようとジャンプしたが、後《うし》ろ脚《あし》をつっこんでしまいはでな水しぶきをあげた。ツナミが兵隊をふりほどいて水たまりを飛びこえる。クレイもそれに続《つづ》いた。

「二度とわたしの食事をじゃましないで」スカーレット女王が三頭をにらみつけた。「せいぜいここで楽しむことね」

「どうして殺《ころ》しちまわないのさ？」バーンがたずねた。スカーレットよりも体が大きく、頭がトンネルの天井《てんじょう》にこすれそうだ。両手はクレイの手の二倍も大きい。美しい宝石《ほうせき》や鎖《くさり》かたびらこそ身につけてはいないが、爪《つめ》にも歯にもこれまでえじきにしてきた者たちの血がしみついており、左半身の翼《つばさ》の下にはむざんなやけどのあとが残《のこ》っていた。白目はまったくなく、いかにも残《ざん》にんそうな黒でうめつくされている。

「そんなことをしても楽しくないからよ」スカーレット女王が答えた。「わたしは、あのドラゴンたちが戦《たたか》うのが見たいの。明日は一日じゅう楽しめるわよ。わたしの孵化記念日《ハッチング・デー》なんだもの！　最高《さいこう》の一日にしたいわ」

クレイは、**最高**という言葉がきらいになってしまいそうだった。

バーンがスカイウイングの衛兵《えいへい》たちをにらみつけた。衛兵たちはあわてて、話し声のとどかないところまで走っていった。スカーレットとドラゴンの子にしか聞かれないよう、バーンが声を落とす。「けれど、もしあいつらが伝説《でんせつ》の〈運命のドラゴンの子〉だとするならば、殺してしまうことこそ予言をぶちこわすいちばんの方法《ほうほう》だよ」

「なるほど」スカーレットがつぶやいた。スターフライトをじっと見つめながら、ちろちろと舌をだす。ナイトウイングが戦うすがたが見てみたいのだ、とクレイは思った。「そうかもしれない。けれど、あなたの場合はうまくいかなかったのではなくて？　スカイウイングの卵《たまご》のことはだれでも知ってるわ……すべてのスカイウイングの卵のことをね」

クレイは耳をぴくりと動かした。**どういう意味だ？**

バーンは、クレイの足元がゆれるほど強く、しっぽで地面をたたいた。「それどころか、完璧《かんぺき》にうまくいったわよ。連中《れんちゅう》はスカイウイングの卵など持っていないでしょう？　ドラゴンの子は四頭だけ……もう予言なんて台無《だいな》しになってるのよ」

クレイとツナミは目配せを交《か》わした。**スカーレットは、グローリーもドラゴンの子の仲《なか》**

間《ま》だとバーンに教えていないのだ。「新しい芸術品《げいじゅつひん》」を自分でひとりじめしたいのだ。

「それでもなにも知らない民《たみ》どもは、世界をすくう〈運命のドラゴンの子〉のことでずっとさわいでいるのよ」スカーレットが答えた。「われた卵の話を聞いたって、信《しん》じるのをやめやしないの。もしわたしたちが見えないところでドラゴンの子を殺しても、得《とく》することなんてありはしないわ。死体を壁からつるして見せ物にしたところで、それが〈運命のドラゴンの子〉だなんてだれが信じるものですか。〈平和のタロン〉が新しいドラゴンの子たちを作って、わたしたちはふりだしにもどされちゃうだけよ」

バーンはいらだって牙《きば》をむいた。「この世界に予言なんて必要《ひつよう》あるもんか。わたしの側《がわ》につきさえすりゃあ、明日にだって戦争《せんそう》なんて終わるんだ」

「すべてのドラゴンがスカイウイングのようにかしこいわけじゃないのよ」スカーレットが静《しず》かに言った。「でもお聞きなさい。ドラゴンの子たちをこのアリーナにだすことができれば、だれもがこの子たちが死ぬのを目《ま》の当《あ》たりにすることになるのよ。この子たちも、自分が本当はどれだけ弱かったかを思い知るの。ドラゴンの子を……そしてこちらのほうが重要《じゅうよう》だけれど、予言を信じる気持ちなど、みな残らず失《うしな》ってしまうわ。そうすればすべて終わり。ただすがたをくらますよりも、ずっと強い効果《こうか》があるのよ」スカーレット女王はずるがしこい目でバーンを見た。「そうは思わない？」

「でも、ドラゴンの子が勝ったら？」バーンは聞き返した。

「勝ちやしないわ」スカーレットが答えた。「もっとも念《ねん》のための計画として、わたしたちがこの手で殺すことも考えておくけれどね」

「ちょっと失礼《しつれい》」ツナミがさえぎった。「わたしたちここにいるんですけど？　邪悪《じゃあく》な計画らしく、もっとだれにも聞かれないところで相談したらどうなの？」

クレイは、女王たちににらまれたツナミが、その眼力《がんりき》でたおれてしまうのではないかと思ったが、ツナミは負けじとにらみ返した。

スカーレットは翼のうら側につるしたポーチの口を開けると、ペリルのどうくつの入り口、水たまりのあるトンネル側に黒岩《ブラックロック》をいくつかばらばらとまき散《ち》らした。そして口を開けて炎《ほのお》をはきだすと、丸い石が一気にもえあがった。一瞬のうちに、ドラゴンの子たちは炎の壁にとらわれてしまった。

「よくねむりなさい。明日はアリーナをもりあげてもらわなくちゃいけないいんだから」スカーレット女王が言った。「もっと長くいっしょに遊んであげたかったけれど、明日の夕ぐれには死んでもらわなくちゃいけないわ」一度言葉を止めて、ため息をつく。「はあ、だれもわたしに楽しみをあたえちゃくれないんだわ……」

クレイは、女王たちの重い足音がトンネルの中をすっかり遠ざかってしまうまで聞き続けた。そして仲間のほうをふり向いた瞬間《しゅんかん》、ツナミがぶつかってきた。

「わあ！」と思わずさけんだが、ふりほどこうとはしなかった。ツナミは自分のしっぽをクレイのしっぽにからませ、翼で彼の体をつつむようにしてだきついていたのだ。

「生きててくれてうれしい！　本当に本当にばかなんだから！」

「まあね」クレイは照《て》れ笑《わら》いした。「ぼくも、ふたりが生きててくれてうれしいよ」そう言って翼を広げ、スターフライトもいっしょにだきしめる。スターフライトは少しの間だけ、クレイの肩《かた》に頭を乗せた。クレイはまた、アリーナで彼の身になにが起きるのか不安《ふあん》になってしまった。

「ここから脱出《だつしゆつ》する方法を見つけるぞ」クレイが言った。

「その前にあなたをきれいにしなきゃ」ツナミは後ろにさがると、スターフライトにもどくように合図した。「水に飛びこんで。早く！」

「こんなのたいしたことじゃないよ」クレイは首を横にふった。「だってぼくはマド――」

ツナミは、クレイを水たまりの中につき飛ばした。

クレイはせきこみ、水をはきだしながら顔をだした。ちょうど自分の身長と同じくらいの深さだ。首をのばしていれば、足をついたまま顔を水面からだしていられる。水は冷たかったが、ブラックロックの炎がすぐ近くにあるおかげで、だんだんと温まり始めていた。

「ほらね？　このほうがいいってば」ツナミは水たまりのふちから身を乗りだしてクレイの背中をこすり、うろこにこびりついた泥《どろ》と血を洗《あら》い落《お》とした。クレイは、もう言い返すのはやめておこうと決めた。

「よく思いついたね」スターフライトがツナミに声をかけた。「あの歌のことだよ。生まれつき音痴《おんち》なのに、よくちゃんとメロディが思いだせたよね」

ツナミは目をぱちくりさせた。「あたしじゃないよ。あんたかと思ってた!」

「ぼくさ」クレイが言った。鉄線を引っぱりだし、地面でこすってみせる。スターフライトは鉄線をつまみあげ、じっと観察《かんさつ》した。

「どうやって切ったの?」ツナミが言った。おどろきと尊敬《そんけい》の入りまじったその声に、クレイはばつが悪くなった。どうせなら、なにかすごい答えでもあればよかったのだが。

「ちょっと手を借《か》りてね」クレイは答えた。「あそこにいるドラゴンで……ペリルっていうんだけどさ。その子、ふれるとなんでももやしちゃうんだ。これを切ってくれたのはぐうぜんさ」

スターフライトは手をのばし、なにやら考えこみながら、彼の翼をとめているバンドを指でなぞった。

「あのドラゴンはサイコキラーだよ」ツナミが言った。「あのサンドウイングをどんな目にあわせたか見なかったの? ケストレルの娘《むすめ》っていうことだけど、すごく納得《なっとく》だわ」

「ああ」スターフライトがうなずいた。「ケストレルがずっとおいらたちを毛ぎらいしてる理由もよくわかったよ。たぶん〈平和のタロン〉は、ケストレルが子どもを失ってしまったものだから、ドラゴンの子の世話をしたがってると思ったにちがいないよ。むしろおいらたちのせいで、毎日その子たちのことを思いださせちゃったってわけだよ」

クレイはぞっとした。そんなふうに考えたことなどなかったのだ。「ペリルはすっかりおかしいわけじゃないんだよ。殺しをしてないときにはすごくやさしい子なんだ。ぼくの背中にぬる泥も持ってきてくれたし。あと、サニーを見つけたって教えてくれたし」

スターフライトが、ぱっと顔をあげた。「どこで？」

「そこにいって、あの子を自由にしてはもらえないの？」ツナミが身を乗りだした。

「ぼくたちの力になってくれるかはわからないよ」クレイはそう言って、ため息をついた。「あの裁判《さいばん》の前に話をしたのが最後《さいご》だからね。もしかしたら、ぼくにおこってるかもしれない」

「おこってないよ」いきなりペリルが炎の壁の向こうから首をつきだし、水たまりのクレイを見おろした。

ツナミが警戒《けいかい》し、ぱっと飛びのいた。スターフライトは目を丸くして、うずくまったまま固《かた》まってしまった。

「あ、君か！」クレイが言った。どのくらい話を聞かれていたのだろう？　ツナミにあんなことを言われても、力をかしてくれるだろうか？　当然《とうぜん》、ツナミを見る彼女の目には親しみなどこもってはいない。「どこに行ってたの？」

「あなたたちを危険《きけん》な目にはあわせたくないの」ペリルはそう言って羽ばたいた。彼女の周《まわ》りだけ、炎が高くもえあがる。

「中に来てよ。もえてる相手と話してるの、落ち着かないよ」クレイはそう言って、水の中に頭をしずめた。

ペリルが水たまりを飛びこえ、どうくつに入ってくる。ツナミとスターフライトはできるだけペリルから遠ざかろうと、窓辺《まどべ》まであとずさった。

クレイは水たまりからはいだしてくると、ペリルの熱《ねつ》でかわかそうと翼を広げた。ペリルはしっぽを体のそばできれいにまくと、他の二頭などいないかのように、クレイのほうに首をかたむけた。

「オスプレイみたいに、陛下《へいか》にひどいめにあわされるんじゃないかって心配してたの」しょんぼりした声で彼女が言う。「こうやって話してるのだって、陛下に見つかったらやばいの。もしわたしがあなたを気に入ってるなんてばれたら、わたしにばつをあたえるためにあなたになにかひどいことするに決まってるわ」

ツナミがクレイをにらみつけたが、クレイには意味がわからなかった。

「にげる手助けをしてくれない？」彼は期待をこめて聞いてみた。

「できたらいいんだけど。きっと陛下、どんなことされたよりも怒りくるうだろうね。でも、この炎の外にだしてあげることができないのよ」そう言って、炎の壁にしっぽをふってみせる。

「水を使って消せないかな」スターフライトが口を開いた。ペリルがふり向き、彼がたじろぐ。

「無理《むり》だね……ブラックロックがもえつきるのを待つしかないよ。どんなことをしても消せないんだ」

「サニーは？」クレイが言った。「あの子をにがすためになにかできない？　バーンに連《つ》れてかれちゃう前に、なんとか助けださなくちゃ」

ペリルは青い炎のような目を細めた。「サニーの話ばかりするんだね。そんなに大切な子なの？」

「もちろん！」三頭のドラゴンの子がいっせいに答えた。ペリルのしっぽがぴくぴくと動く。クレイは、なぜペリルがそんなにふきげんそうな顔をするのかわからなかった。

「ペリル、聞いて」ツナミが言った。「サニーはあたしたちにとって妹みたいなもんなの。あたしたちみんなにとってね」

スターフライトは自分の足を見おろした。

「弟さんのことを考えてみて」ツナミが続けた。「助けられるものなら助けたかったって思わない？」

ペリルは表情《ひょうじょう》をやわらげ、こくりとうなずいた。「妹ね。うん。わかるよ。わかった、助けてあげる」

「サニーはどこ？」スターフライトが身を乗りだした。「無事《ぶじ》なの？」

「鳥かごみたいなとこに閉《と》じこめられてるんだ。ダイニングホールにつるされててね。今夜はひと晩《ばん》じゅうお祝《いわ》いがあるけど、明日、みんながアリーナに行ってる間にしのびこんで、わたしが助けだしてくる」

「ああ、ありがとう！」クレイは思わず彼女のしっぽに自分のしっぽをからませたくなったが、さわったら大けがするのを思いだし、あわてて引っこめた。

「クレイとスターフライトはどうする？」ツナミがたずねた。「あたしはアリーナでも勝《か》ち残《のこ》れるけど、ふたりを戦いにだすわけにはいかないよ」

「うーん、ぼくだって勝ち残れるよ」クレイはむっとした。「忘《わす》れたのかい？　もう一勝してるんだ」

「へえ、どうやって生《い》き残《のこ》ったの？」ツナミが言った。「あなたの爪、毒《どく》なんてしこまれてなかったよね？」

「いけるぞ！」スターフライトがさけび、ぱっと立ちあがった。

「アリーナで？」ツナミは、うたがいのまなざしで彼を見た。

「ちがうってば、今の話だよ」スターフライトが答えた。「ここから脱出する方法がわかったんだ」

23

スターフライトは、黒岩《ブラックロック》から立ちのぼる炎《ほのお》を指さした。「ペリル、君は炎にやかれてもへっちゃらなんだよね？」

彼女《かのじょ》が肩《かた》をすくめる。「ちょっとくすぐったいけど、それだけ」

「で、この炎はブラックロックから発生してる。君がブラックロックを動かして、どけてくれたらどうなる？　いっしょに炎も動かせるわけだから、おいらたちの出口が作れるんじゃないかな？」

クレイは胸《むね》がどきどきした。ペリルがスターフライトのほうをあごでしゃくる。「あなたが言ってたとおり、あの子、頭いいんだね。たぶんできると思うよ」と、少し自信《じしん》がなさそうに言った。「本当に今夜ここから脱出《だっしゅつ》したいの？」

「もちろん脱出したいよ」ツナミもいきおいよく立ちあがった。「さあ、さっさとでちゃおう」

「でもサニーが……」スターフライトが言った。

「どこかにかくれて、ペリルが明日サニーを連《つ》れてきてくれるのを待とう」ツナミが言った。

「あとグローリーもね」クレイが続《つづ》く。「グローリーを助けだす方法《ほうほう》もさがさなくちゃ」

「グローリー？」ペリルは、意味がわからないように首をかしげた。

「あのレインウイングの子だよ。女王様の新しい芸術品《げいじゅつひん》さ」クレイが答えた。

「ああ、あの子だね。あの子、すごくきれいだよね」ペリルが意味ありげに目を細めてみせたが、クレイはわけがわからずとまどった。

「とにかく早くにげよう。心配するのはあとにしてさ」ツナミが言った。「どこか、かくれられる場所はない？」

ペリルはばさりと翼《つばさ》を広げた。「滝《たき》の下《した》だね。わたししか知らないどうくつがあるんだ」

そう言って、あぶなくしっぽでクレイをたたきそうになりながらぱっとふり向くと、水たまりを飛《と》びこえて炎の中に入っていった。両手でひとつずつブラックロックをつかみあげる彼女の姿《すがた》を見て、クレイは目を丸くした。ペリルはもえさかる岩を持ったまま、おくのどうくつのほうにでた。炎もいっしょに移動《いどう》していく。

そして注意深くブラックロックをつかみあげては運びだし、やがてドラゴンの子たちがジャンプでこえられるくらいのすきまができた。まずツナミが、次にクレイが、最後《さいご》にスターフライトが壁《かべ》をぬける。ようやくみんなどうくつにでると、ペリルはまたさっきのように炎の壁をもどした。

「これでよし」彼女が満足《まんぞく》そうに言う。「これなら陛下《へいか》も、君たちがどうやってにげたかわからないだろうな」

「翼のほうもはずしてもらえる？」スターフライトは、翼をとめている金具を指さした。

ペリルがけわしい目で彼《かれ》を見る。

「できると思う。でも、わたしになにも言わずに行っちゃうかもしれないから、まだだめ」

「仲間《なかま》も助けてないのににげるわけないよ」クレイが約束《やくそく》した。ペリルが顔をしかめる。

「滝《たき》はどっちなの？」ツナミがわって入った。

ペリルはトンネルの先をあごでしゃくると、さっさと先頭に立って歩きだした。

「あの子のごきげんを悪くしないで」ツナミがクレイに耳打ちした。

「ぼくが？」クレイは心の底《そこ》からおどろいた。「ぼくなにかした？」

「まったく、いい男なのにばかなんだよね」ツナミがいとおしそうに言った。「あとで教えてあげる」

クレイには、まるでなにもわからないままだった。

いくつもバルコニーのついた中央ホールの手前でトンネルは左に曲がり、今度は登り坂になった。ペリルが音をたてないよう、クレイたちに合図をする。みんなは、ドラゴンたちのさけび声、歌声、そしてなにかをたたいたりぶつけたりする音が聞こえるほうに、静《しず》かに登っていった。

クレイが金のもようがきざまれた岩盤《がんばん》のゆかを注意深く進んでいると、ペリルがふり向いてささやきかけてきた。「ねえ、ここから脱出したら……なにをするつもりなの？」

「両親をさがそうと思ってるんだ」クレイがささやき返す。「マドウイングの国に行ったことなくてさ。待ちきれないよ」

「そうなの？」ペリルはおどろいた。「生まれてすぐ地下送りにされたっていうこと？あなたたち五頭みんな？」

「そのとおり。卵《たまご》からかえってそのまま――」そう言いかけたクレイのしっぽに、ツナミがものすごいいきおいでぶつかってきた。クレイはあまりの痛《いた》みに悲鳴をあげそうになりながら、後ろをふり向いた。もう一度前を向いたときには、ペリルはもう先を急いでいた。

バルコニーのうら辺《あた》りをぐるぐると登りながら続く道を、もう二階分は登っただろうか。はばも高さもドラゴン五頭分はありそうな大きな廊下《ろうか》にでた。トンネルのはしに身をかくし、顔だけだして様子をうかがってみる。

廊下はそのまま外にでて、がけの間に広がる半円形の高台につながっていた。スカイウイングとサンドウイングの群《む》れが集まり、宙《ちゅう》にうかぶ炎の球に照《て》らされている。スカイウイングのほとんどが身につけている金や銀や宝石《ほうせき》が、炎にきらめいていた。それにくらべると砂漠《さばく》ぐらしのサンドウイングはずっと質素《しっそ》で平凡《へいぼん》で、パーティでおぎょうぎよく話をするよりも戦《たたか》っていたいとでもいいたげな、気まずそうな顔をしていた。

高台のあちこちにはあれこれと威厳《いげん》たっぷりなポーズを取ったスカーレット女王の像《ぞう》が立っていた。大理石の像、金の像、黒い岩で作られ両目に赤いルビーをはめられた像もある。ずらりとならんだテーブルにはどれも山のように食べものがのっており、生きた獲物《えもの》が何種類《なんしゅるい》か、つかまってたまるかとばかりにドラゴンたちの手からにげ回っていた。獲物たちがにげないようトンネルの入り口は低《ひく》い岩の壁でさえぎられており、他のところもがけになっているか切りたった岩《がん》ぺきになっているかで、にげ場はどこにもなかった。

一頭のスカイウイングが話の途中《とちゅう》でシロイワヤギをたたきつぶして口に放りこみ、向かいあったサンドウイングとまた話を始める。その目は獲物たちの中にまぎれた、二匹《ひき》のゴミあさり《スカベンジャー》を追い続けている。おびえきってにげまどうニワトリたちとはちがい、ゴミあさりの片方《かたほう》は岩ぺきを登ろうとがんばっており、もう片方はテーブルの下にもぐりこんで身をかくそうとしている。それを見たクレイは、もしかしたらゴミあさりは見た目よりもかしこいのではないかと感じた。

そうして外でパーティをしているドラゴンを見ていたクレイは、なぜここにいるドラゴンにまで、塔《とう》のてっぺんにとらわれているドラゴンたちの歌声がとどいたのかがよくわかった。長いトンネルをぬけてまで聞こえるのだろうかとふしぎに思っていたが、ここからだとアリーナまでほんのひとっ飛び、がけをふたつも飛びこえればすぐなのだ。

スカーレット女王は大きな金の玉座《ぎょくざ》にねそべり、集まったドラゴンを見おろしていた。となりには少し小さめの玉座が置《お》かれ、そこにバーンがすわっていたが、体があまりにも大きいものだから、頭の高さはスカーレットとほとんど変《か》わらなかった。見事な彫刻《ちょうこく》がほどこされた玉座の居心地《いごこち》が悪いのか、バーンは引っきりなしにもぞもぞと動きながら顔をしかめていた。

スターフライトがいきなりクレイの肩をつかむと、高台の中央につるされている大きな鳥かごを指さした。とらわれのドラゴンの足につながれているのと同じような鉄線で、高台の両側《りょうがわ》に立てられたポールからつるされている。ときどき何頭かのドラゴンが舞《ま》いあがっては鳥かごの周《まわ》りをぐるぐると回り、それからまたおりていった。

中ではサニーが、頭を翼でおおうようにしてうずくまっていた。炎の明かりを受けて、まるでサニーもまた財宝《ざいほう》のひとつでもあるかのように、金のうろこがにぶく光っている。

「あわてないで」ツナミが、じわりと前に出たクレイを引き止めた。「あたしだってあの子を助けてあげたいんだよ」

「でも今すぐ助けるなんて、自殺行為《じさつこうい》だよ」スターフライトも続く。「おいらたちがサニーを置いてったとあいつらに思わせるんだ。こっちが大事に思ってるのを知られたら、人質《じち》として利用《りよう》されちゃうからね」そう言ってスターフライトは、いらだったようにしっぽをばたつかせた。

「でも、サニーをひとりぼっちにするなんて」クレイが小声で言った。ここにいるよ、遠くになんて行っていないよ、と教えてあげることさえできたなら。クレイはさらに少し首をのばしてグローリーをさがしたが、どこにも見当たらなかった。おそらくスカーレットがバーンの目からかくしてしまったのだろう。

「まずはあなたたちが行って」ペリルが言った。「体を低くして走れば、あいつらにも見つからないと思うよ」そう言ってまずはツナミに行かせ、それから一頭ずつあとに続いた。クレイは、自分もスターフライトのように黒いうろこだったらかげにとけこめるのに、とうらやましくなった。次の曲がり角で息をひそめ、ペリルを待つ。

「ごめんごめん」ペリルはすぐにやってきた。「陛下がよそ見するのを待ってたんだ」

この先、トンネルはいくつかの方向に枝分《えだわ》かれしていた。ペリルは、パーティが開かれているがけの下へと続く道に進んでいった。この道は松明《たいまつ》がぽつぽつとしか置かれておらず、進めば進むほどどんどん暗くなっていった。しばらくすると、進んでいく先でごう音《おん》が聞こえてきたが、今度はクレイにも滝だとわかった。

やがてどうくつをぬけるとそこは滝のうら側《がわ》で、ごつごつとした高いがけの中ほどにある細い岩だなの上だった。見おろしてみるとはるか下のほうで、三つの月が投げかける光を浴《あ》びて川がきらめいていた。目の前にはごう音をひびかせながら滝が流れ落ちており、その冷《つめ》たいしぶきをみんなの顔にふきつけてきた。

スターフライトは、背中《せなか》を壁につけてへばりついていた。「ねえ、本当にまだ翼の金具をはずしてくれないの？」そう言って、ぎゅっと目を閉《と》じる。

「だいじょうぶだってば」ペリルが言った。「ここからちょっとおりてけばすぐだもの。わたしだって、翼を封印《ふういん》されてるときに来たことあるんだよ。あ、ほら。もうどうくつが見えてきた」

クレイが首をのばして岩だなの下を見おろすと、ずっとがけをおりたところに小さなあながが見えた。どう考えても、翼を使って行きたい。だがペリルのきげんをそこねたらどうなることか……。

「爪《つめ》をかけられる場所がいくつかあるみたいだ」クレイは言った。「それと、途中の岩でひと休みできそうだし――」そこまで言って言葉を止める。滝のごう音の向こうから、翼の羽ばたきが聞こえてきたのだ。だれかが来る。

クレイはさっとふり向いた。「かくれろ！」そう言って、必死《ひっし》にペリルをトンネルのほうにおす。「もしぼくたちに手をかしているのが見つかったら、女王に殺《ころ》されるぞ。チャンピオンだって関係《かんけい》あるもんか」

ペリルはトンネルの入り口で立ち止まり、じっとクレイを見つめた。クレイがふり向くと、ツナミとスターフライトがまったく同じショックを顔にうかべているのが見えた。

「今のどうやったの？」ペリルが小声で言った。

「どうやったって――」そう言ったとたん、手に熱《あつ》さを感じた。考えもせず、ペリルのうろこにさわってしまっていたのだ。手が黒こげになって爪が灰《はい》のようにくずれてしまうのではないかと、両手を見おろす。しかし両手はただ暖《あたた》かな赤に光っているだけだった。目の前でその赤と熱《ねつ》が消えていき、やがてすっかり元通りの手にもどった。

「おどろくのはあとだよ」ツナミはそう言って、クレイをトンネルのほうにつき飛ばした。

「みんな、走って！」

「むだだよ」スカーレット女王のこおりつくような声が、背後《はいご》から聞こえた。クレイがふり向くと、スカイウイングの女王は宝石をちりばめた翼を大きく広げ、真上からおりてくるところだった。

「ごくろうさまね、ペリル」女王がいじわるそうな声で言う。「あなたはゆるしてあげましょう」

クレイは、わけがわからなかった。**ごくろうさまって、どういう意味だ？** ペリルは苦しげな顔でクレイを見ると、トンネルを走り去っていってしまった。

空からスカイウイングの兵隊《へいたい》が雨のようにふってくる。女王はドラゴンの子たちを見て笑《え》みをうかべた。「どこかにおでかけかしら？」

24

クレイたちを元のどうくつに連《つ》れもどすと、女王は炎《ほのお》の壁《かべ》がちゃんとあるのを見て楽しげにうなずいてみせた。そして、今度は残念《ざんねん》そうにため息をついた。

「血の赤の卵《たまご》からかえったマドウイングがどんな力を持つか、知ってしまったのね。まあ、時間の問題だとは思っていたけれど」

長いシャベルを使って岩を横にどけている衛兵《えいへい》たちの横で、クレイはとまどいながらみんなの顔をちらりと見回した。女王はいったい、彼《かれ》がなにをしたと考えているのだろうか？　ツナミもスターフライトも彼よりよく事情《じじょう》をわかっているのか、やけに深刻《しんこく》そうな顔をしている。

「酒を飲んでいない衛兵を十頭連れてきなさい」スカーレットがヴァーミリオンに指示《しじ》をだした。「そして、ここに立たせるのです。この子たちのせいで、わたしのパーティが台《だい》無《な》しだわ」女王は、またどうくつにおしこまれていくクレイたちをにらみつけた。もう一度、あの炎の壁がもえあがる。「まったくわがままな連中《れんちゅう》だこと。わたしの孵化記念日《ハッチング・デー》は一年に一度しかないのよ。この日のために何か月も準備《じゅんび》をしてきたの。おとなしくしていないのならバーンの言うとおり、今すぐ殺《ころ》してしまうからね」

クレイたちは女王がその場を立ち去り、十頭のやたらとふきげんなスカイウイングの衛兵が背中《せなか》を向けて外の通路を固《かた》めるのを待った。それからツナミがクレイとスターフライトをおくのすみに引っぱっていった。細いまどからびゅうびゅうとうなりながら風がふきこんできているし、ここならぬすみ聞きをされる危険《きけん》がないのだ。

「まき物に書いてあったはずだけど、そこら辺《へん》まったく覚《おぼ》えてないの」ツナミがスターフライトにささやいた。

「焦土時代《スコーチング》以前《いぜん》の伝説《でんせつ》について、ひとつ説明《せつめい》が書いてあったんだ」スターフライトもささやき返す。「でもおいらは、なにか意味があるとは思わないな。世話係《マインダー》たちだって、赤い卵になにか特別《とくべつ》な意味があるだなんてひとことも言ってなかったしね。めずらしくもなんともないと思うよ」

「なんの話をしてるのさ?」クレイがたずねた。

「あなたよ、超《ちょう》まぬけなあなたの話」ツナミはそう言って、片手《かたて》でクレイをこづいた。

「あと、あなたのおっかない彼女《かのじょ》の話」

「ぼくが……え、だれ?」クレイはたじろいだ。

「ペリルだよ」スターフライトが冷静《れいせい》に答えた。「ぼくたちの脱出《だっしゅつ》を助けるなんて言っておきながらうらぎって、スカーレット女王に売りわたしたドラゴンさ」

クレイは、ようやく理解《りかい》した。「あの子がやったと思ってるの？　なんでペリルがそんなことするんだよ？」

「そりゃあ、あたしたちをここに閉《と》じこめておきたいからでしょ」ツナミが不満《ふまん》げにうなった。「あんたが頭のおかしい殺《ころ》し屋《や》に親切にすると、決まってこうなるんだよね」

「予言を覚えてないのかい？」スターフライトがたずねた。

クレイはひるんだ。世話係のドラゴンたちが何度も何度も彼らの頭にたたきこもうとしたけれど、クレイの頭にはけっしてやきつかなかったあの詩……。

「**大地の翼《つばさ》を求《もと》めるならば泥《どろ》の中**」スターフライトが暗しょうした。「**ドラゴンの血の色をした卵をさがせ**」そしてだまると、なにかを期待するような目でクレイを見た。しばらくだれも、なにもしゃべらなかった。

「え、ぼく？」クレイがきょとんとして口を開いた。

「伝説のことを教えてよ」ツナミは、じれったそうにスターフライトに言った。

「ドラゴンの血の色の卵からかえったマドウイングは炎の中を歩けるとか、そういう話さ」スターフライトが答えた。

「え、それだけ？」ツナミは、期待はずれだとでも言いたげに答えた。「たしかに、なんの役にも立ちそうにないね。いちいち話題にする価値《かち》もありゃしないわ」

「ちょっと！　ここにぼくのまき物がそろってたら、必要《ひつよう》な情報《じょうほう》はなんでもそろうんだよ」スターフライトが言った。

「待ってよ。そんなのうそに決まってるよ」クレイが言った。「だって、ぼくは戦《せん》とう訓《くん》練《れん》で、何回もケストレルにもやされてるんだよ」

「でもきずあとが残《のこ》ってないじゃない」ツナミが言った。「ケストレルはあたしたちよりもずっと強烈《きょうれつ》な炎をクレイに浴《あ》びせてたっていうのに、いつだって一日もしたらけろりと治《なお》ってるもの」

「泥だよ」スターフライトが、待ってましたとばかりに口をはさんだ。「ドラゴンっていうのは、生まれついた環境《かんきょう》から力を得《え》るものなんだ。シーウイングは海の中でいちばん力を発揮《はっき》する。たぶんクレイは炎に対する完全《かんぜん》な免疫《めんえき》をつけるには、泥との出会いが必要なんだと思う」そして少しだまると、ぱっと希望《きぼう》に満《み》ちた表情《ひょうじょう》をうかべて言葉を続《つづ》けた。

「おいらの力はどれも、月の光かなにかであらわれてくれるはずさ」

「それが本当だとしたら、その**あなた**を地の底《そこ》に閉じこめてた〈平和のタロン〉はとんでもないばかだね」ツナミが言った。

「この二日間、ずっとあの塔《とう》のてっぺんにいたろ？」クレイが言った。「夜になにかいつもとちがう感じはしなかった？」

スターフライトは窓《まど》の外できらめく星々を見つめた。そしてしばらくしてから答えた。「感じなかったよ。でももしかしたら、どんな気持ちになるのかおいらが知らないだけかもしれないいな」

しばらくの間、みんなだまったたままますわりこんでいた。

「本当にペリルがうらぎったと思ってるの？」クレイが口を開いた。

「うらぎったに決まってるよ」ツナミが答えた。「あなたを行かせたくなかったんだ」

「なんて悲しい話なんだ」クレイは言った。「たぶん他にだれも友達《ともだち》がいないんだな」

「クレイ！」ツナミは頭に血をのぼらせた。「同情《どうじょう》なんかするんじゃないわよ。あのメス、あたしたちをうらぎったんだよ？　それにどうでもいいけど、あなたのことただの友達以上《いじょう》に好《す》きなのみえみえじゃない」そう言って、おどろいて目をぱちくりさせているクレイの翼を自分の翼でつつく。「ねえ、ちゃんと聞いて。たしかにあなたはにくめないやつだけどさ。でも、ペリルのうらぎりをゆるしちゃぜったいにだめだからね。あんなことしてもゆるされるんだと思われたら、あの子どんどんクレイをひとりじめするようになるだけだよ」

「あの子とは距離《きより》を置《お》かなくちゃいけないよ」スターフライトが首を横にふった。「信用《しんよう》できる子じゃない」

「サニーのことも助けてくれないかもしれないな……」クレイはしょんぼりと言った。

「そうだよ」ツナミがうなずく。「あたしたちが自分で助けださなくちゃ」

「明日だね」スターフライトが言った。みんなそろって、トンネルに立っている衛兵たちを見る。たとえクレイが今黒岩《ブラックロック》を動かしたとしても、怒《いか》りくるっている凶暴《きょうぼう》なドラゴンの戦士《せんし》があんなにいたのではとても三頭そろってでられるわけがない。今夜はおとなしく閉じこめられているしかないのだ。

「明日になれば、なにかわかるはずだね」ツナミが言った。

クレイはくたくただった。フィヨルドと戦《たたか》ったあのときからろくにねむれないし、ねむれても悪夢《あくむ》にうなされてしまうのだ。ゆかで丸くなると、ツナミとスターフライトがそのうえにおおいかぶさった。昔はこうして、積《つ》み重《かさ》なってねむったものだ。一歳《さい》になって、ケストレルにどうくつの岩だなでねるように言われるまでは。

仲間《なかま》の温《ぬく》もりと重みが、クレイには心の底から必要だった。朝のおとずれはおそろしかったし、ペリルを信用してしまったことへの罪悪感《ざいあくかん》もうらぎられた悲しみも強烈だった。それでもクレイはあっというまに眠気《ねむけ》に負け、悪夢のひとつもないねむりの中へと落ちていったのだった。

25

翌《よく》朝《あさ》、クレイたちはドラゴンのほえる声で目を覚《さ》ました。まだ起きあがることもできずにいるうちに、衛兵《えいへい》たちがどうくつの中におしよせてくる。黒岩《ブラックロック》はもう完《かん》全《ぜん》にもえつきており、そのもえがらをスカイウイングの兵隊《へいたい》がしっぽで水たまりの中にはらい落とした。何頭かの衛兵がツナミをわしづかみにし、アリーナのほうにおしていった。残《のこ》りの衛兵はクレイとスターフライトを、トンネルの先へと引っ立てていった。

「待ってよ！」クレイがさけんだ。「どこに行くんだよ？　なんでツナミといっしょに連《つ》れていってくれないのさ？」

「おい、今の聞いたかよ。**お願《ねが》い、早くぼくちゃんを殺《ころ》して！**　だってさ」一頭の衛兵があざ笑《わら》う。

「心配するな。すぐにおまえの番がくるからよ」他の衛兵がそう言うと、全員がいやな声で笑った。

クレイとスターフライトはつき飛《と》ばされるようにしながら、長くはばの広い黒い階段《かいだん》をのぼり、目もくらむほどに明るい太陽の光の中にでた。

そこは、アリーナを見おろす女王のバルコニーだった。スカーレット女王は、玉座《ぎょくざ》ですっかりくつろいでいた。クレイたちに気づき、うすら笑いをうかべてみせる。

「いちばんながめのいいところで見物できてうれしいでしょう？」そう言って女王は、アリーナのほうをあごでしゃくった。ツナミが自分を取《と》り囲《かこ》む衛兵たちに牙《きば》をむき、爪《つめ》をふり回しているのが見える。

クレイとスターフライトは首に太い鎖《くさり》をまかれ、バルコニーのゆかに取りつけてある金《きん》属《ぞく》の輪《わ》につながれた。バーンは自分のために用意された玉座を無視《むし》して、スカーレットのとなりに立っていた。すべてのドラゴンたちを、だれ彼《かれ》かまわずにらみつけている。他の戦《たたか》いを見物するより自分が戦うほうが好《す》きなのだと、クレイは感じた。

グローリーをおしながら衛兵がバルコニーに出てくるのを見て、クレイは鎖を引きずりながらさっと後ろにさがった。グローリーは相変《あいか》わらず木にまきつくようにしてねそべってくつろいでおり、うろこにはエメラルドグリーンとくじゃくの羽のように青い光の波がゆっくりとわたっていた。まぶたは閉《と》じているようだったが、目の前をすぎていく彼女《かのじょ》を見たクレイは彼女がうす目を開け、すぐそばで鎖につながれている仲間《なかま》たちを見たような気がした。そして、どうかそれが本当でありますようにと祈《いの》った。

バーンもその黒い目で、じっとグローリーを見つめていた。

「ああ、あれはわたしの新しいおもちゃよ」スカーレット女王が陽気な声で言った。「かわいい子でしょう？　自分だけのレインウイングを飼《か》ってる女王なんて、まあわたしくらいのものね」

「食いもののむだだね」バーンはうなったが、その顔はうらやましそうだった。

「この子、たいして食べないのよ」スカーレットが言った。「ドラゴンというより、南の国の植物みたいなものね。水とたくさんの日光、果物《くだもの》を少しだけ、そしてそのへんにサルが一匹《ぴき》。とりあえず、あきるまでそばに置《お》いておくくらいの価値《かち》はあるわね」

「むむむ……」バーンがくやしそうにうめいた。

観客席《かんきゃくせき》には何百頭というドラゴンがひしめきあっていた――〈スカイキングダム〉にくらすすべてのドラゴンが集まってきているのではないかとクレイは思った。ドラゴンたちは口々にほえ、足をふみ鳴らし、血で血を洗《あら》う戦いを見せろとさわいでいる。

ヴァーミリオンがばさばさと羽ばたきながら、アリーナのまん中におりていった。「お集まりのドラゴンたちよ！」声高らかに言った。「スカイウイングの王家、マドウイングの旅人、そして栄誉《えいよ》あるサンドウイングの客人たちよ。今日は血わき肉おどる試合《しあい》がめじろおしだ！　さあ、始めようではないか！」彼がツナミをしめそうとしたその瞬間《しゅんかん》、彼女は衛兵をふり切ってヴァーミリオンに向かって突進《とっしん》し始めた。おびえたヴァーミリオンが悲鳴をあげ、ツナミのかぎ爪《づめ》をぎりぎりかわしながら空に舞《ま》いあがる。

観客席のドラゴンたちから、どっと笑いが起こった。頭の上をぐるぐると飛ぶヴァーミリオンを、ツナミがいかくする。

「どうやらだれかがまちがえて、今日の彼女の相手はわたしだと思ったようだな」ヴァーミリオンが引きつった笑い声をあげた。「がっかりさせてすまないな、シーウイングよ。だが君の相手をするのはもっとすごいやつだ」そう言って空を指さす。一本の塔《とう》のてっぺんで、何頭かの衛兵たちと取っ組みあっているシーウイングが見えた。

「さあ、このアリーナにいるのは〈運命のドラゴンの子〉とよばれる一頭」ヴァーミリオンが上空から大声で言った。「本当に伝説《でんせつ》どおり、偉大《いだい》で強いドラゴンなのか？　それを見定めてやろうではないか。シーウイングのツナミだ！」

客席《きやくせき》じゅうから羽ばたきが起こり、あちこちでドラゴンが炎《ほのお》の息をはく。クレイが想像《そうぞう》していたよりも観客席からの歓声《かんせい》はずっと大きく、まるでみんなツナミを応援《おうえん》しているかのようだった。いくつか、言葉まで聞き取れた。

「本物だ！　〈運命のドラゴンの子〉だ！」

「マドウイングとフィヨルドの戦いを観《み》たかよ？　ありゃあいったいどんな手を使ったんだ？」

「昨日《きのう》の夜の歌声、おまえも聞いたか？」

「すごいパーティだったな……」

「……きっと悪い前ぶれにちがいないぞ」

「……山々の亡霊《ぼうれい》が……ドラゴンの子たちがここに……」

「……同じルビーのメダルをつけて！　まったく腹《はら》がたつ」

「……あの娘《むすめ》に勝ってほしい……」

クレイは、角の周《まわ》りにけむりをただよわせたスカーレット女王をぬすみ見た。女王は、さっさと始めなさいと言わんばかりに、ヴァーミリオンに向かってしっぽをばたばたとふっていた。

ヴァーミリオンが大きなせきばらいをした。「何か月か前に戦いをこばんだドラゴンを覚《おぼ》えている者もいるだろう」

すると観客席から、大きなブーイングがまき起こった。

「気持ちはわかるとも」ヴァーミリオンは大げさにうなずいてみせた。「そうとも、とらわれたドラゴンたちによる革命《かくめい》を起こそうとしたのだ。全員に戦いをやめさせようとしたのだ。わたしたちはあのドラゴンに、ものの道理を教えてやらなくてはならなかった。さもなければ、とことんたいくつしながらどうくつでねそべっているしかなくなってしまうのだからな。そうだろう？」

観客席から、今度は大喝采《だいかっさい》が起きた。

「さて、それではシーウイングにどんなばつをあたえようか？」ヴァーミリオンはいつものように砂《すな》に立っているのではなく、宙《ちゅう》にいるのもよゆうなのだとでも言わんばかりに、観客の頭の上を飛び回ってみせた。

「首をきれ！」

「エラに草をつめちまえ！」

「おぼれさせてしまえ！」

ヴァーミリオンはため息をついた。「名案《めいあん》ばかりだが、どれもだめだ。シーウイングにあたえるべき最高《さいこう》のばつとは……水を取りあげてしまうことだ。ありとあらゆる水を、何か月もだ」

ツナミが女王のバルコニーを見あげ、クレイと目があった。全身のうろこが、恐怖《きょうふ》で青白く変《か》わってしまっている。

もがき続《つづ》けるオスのシーウイングを、衛兵たちが砂の上に落とした。ツナミの倍ほども大きく、かぎ爪はつりばりみたいにするどく、そして曲がっている。まるで自分の血管《けっかん》から血を飲もうとでもしたかのように、口の周りにはかわいた血がこびりついていた。うろこはくすんでうすよごれてしまっており、やせこけた顔の中、血走った深い緑のひとみがぎょろぎょろと動いていた。

とても正気には見えない。

「水を取りあげられて精神《せいしん》をおかしくし、ついに戦う気になってくれた。シーウイングのジルだ！　爪をむきだせ！　しっぽを立てよ！　始め！」

だがジルは、ヴァーミリオンの号令《ごうれい》など待ってもいなかった。体勢《たいせい》を立て直すやいなや、すぐさまツナミめがけて突進を始めていたのだ。ほえているつもりか口をがばりと開けているが、声は出てこない。むらさき色にひからびた舌《した》が、口のはしからびらびらとたれている。

ツナミはその頭を飛びこえると着地した瞬間にごろごろと転がり、アリーナの中央辺《あた》りまでにげた。ふり向くと、ジルはもう一度彼女に突進を始めるところだった。

「速いぞ」スターフライトがクレイに耳打ちした。「あいつ、死にものぐるいだ」

「速さなら、ツナミだって負けちゃいないよ」クレイは答えたが、アリーナのツナミも自分と同じように思っているか不安《ふあん》だった。初《はじ》めて命がけの戦いに身を置き、相手を殺してしまうことをためらっているのではないだろうか？　だがジルのほうはまったくためらってなどいない。フィヨルドのように気を散《ち》らすこともないだろう。のどのかわきですっかりおかしくなり、自分がなにをしているかもわからないうちに、ツナミをやつざきにしてしまっていることだろう。

ジルは翼《つばさ》を大きく広げて後《うし》ろ脚《あし》で立ちあがり、ツナミの背中《せなか》に体当たりをしようとしていた。その腹をツナミが爪で切りさく。彼女の青いうろこにまっ赤《か》な返り血がほとばしる。

ジルは爪をふりおろしたが、その瞬間にツナミがさっと身をかわして、からぶりしたいきおいで顔面から砂につっこんだ。

すぐに立ちあがり、またツナミを追いかける。そして彼女のしっぽをつかんで思いきり引っぱると、宙に持ちあげてしまった。ツナミは持ちあげられたままもがきながら、ジルの指の間の水かきにかみついた。

ジルがまた、声にならないさけびをあげた。無言《むごん》で戦う二頭のドラゴンのすがたには、どこかこの世のものとも思えないふんいきがあった。クレイは背中のうろこがざわつくのを感じた。

ジルがツナミを落とす。ツナミはさっと体を回転させながら、彼の両脚《りょうあし》にしっぽをたたきこんだ。巨体《きょたい》のシーウイングが転がる大岩のようにひっくり返る。その衝撃《しょうげき》でアリーナ全体がゆれる。

ツナミはジルの頭に飛びかかり、彼の翼を両足でおさえつけた。両手で角をつかみ、ジルの頭を砂の中におしこむ。ジルはツナミごとしっぽをふり回したが、ふりはらうことはできなかった。「わたしの勝ちだよ！」ツナミがさけんだ。「ほら、みんな見なさい！だれも殺さなくても、これでもう終わり。あたしもジルも死なない。いいでしょ？」

衝撃を受けたかのように、アリーナが静《しず》まり返《かえ》った。スカーレット女王がツナミに言い返すために立ちあがるのではないかと思い、クレイはちらりと見た。だが女王はなにが起ころかわかっていたかのように、表情《ひょうじょう》ひとつ変えなかった。

「**殺せ！**」スカイウイングが何頭か、声をそろえてさけんだ。「首を折《お》れ！　牙をぬけ！　目玉をくりぬけ！　血を見せろ！　殺せ！　殺せ！　殺せ！　殺せ！」あっというまにすべてのドラゴンがいっせいにさけび始めていた。

ツナミは肩《かた》で息をしながらうつむいた。ジルをじっと見ている。たぶん、どうにか彼を正気にもどすことはできないかと考えているのだ。

「どうしようもないよ」スターフライトが言った。「ツナミが死ぬか、ジルが死ぬかだ。にがそうとしたら、あっというまにツナミが殺されちゃう。ツナミだって、そのくらいわかってるはずだよ」

そうだろうさ。**でも、だからってなにもかんたんになんていかないんだよ**。クレイは心の中で言った。

「どうやら〈運命のドラゴンの子〉は、戦う気がないみたいね」スカーレット女王がよこしまな声で言った。「戦争《せんそう》が**おそろしくてたまらない**のかしら。戦わずに、安全なかくれ家に帰りたいのかもしれないわね」

ツナミは顔をあげ、スカーレット女王の目をまっすぐににらんだ。そして手をひとひねりし、ジルの首をやすやすと折ってしまったのだった。**あんたの首だと思って折ったんだ**。その顔にははっきりと、そう書いてあった。

26

「とんだ期待はずれだわ」スカーレット女王は、ドラゴンたちのあげる大歓声《だいかんせい》の中、バーンに言った。

「最低《さいてい》ね」バーンがふきげんそうにうなる。「ごらんなさい、あのばか者どもも、もうあの娘《むすめ》に夢中《むちゅう》よ」

観客席《かんきゃくせき》のドラゴンたちは壁《かべ》の上から身を乗りだし、ツナミに小さな宝石《ほうせき》を投げていた。きれいなエメラルドが彼女《かのじょ》のうろこにぶつかる。ツナミはジルの頭を落とすと、ぐったりとしたその体からはなれた。

そしてもりあがる観客《かんきゃく》をきたないものでも見るようににらみつけたが、ドラゴンたちの歓声《かんせい》はやまなかった。

「心配ないわ。ちょっと計画があるのよ」スカーレット女王は両手をこすりあわせた。

「でも今は、あのナイトウイングの番よ！　わたしの孵化記念日《ハッチング・デー》のプレゼント！」

スターフライトがおびえきった目でクレイの目を見た。あんなにかしこいはずの頭が、一瞬《いっしゅん》でまっ白になってしまっていた。

「待って！」クレイは、スターフライトの鎖《くさり》をはずしている衛兵《えいへい》たちにさけんだ。「ぼくが代わりに戦《たたか》う！」

「あのドラゴンの子たち、いつでもああやっておたがいに助けあおうとするのよ。本当に変《へん》な話だわ」スカーレットはバーンにそう言うと、さっと手をふって衛兵に合図をした。

衛兵たちがスターフライトをトンネルに引っぱっていく。クレイは鎖を引きちぎろうとして思いきり体重をかけて引っぱったが、鎖はびくともしなかった。

「あなたに台無《だいな》しにさせやしないわよ、マドウイング」スカーレットが言った。「ナイトウイングの戦いが見たくて死にそうなんだもの。本当にキラキラしていてうっとりするようなすがたねえ。死んじゃったら翼《つばさ》を切り落として、玉座《ぎょくざ》の間の壁に飾《かざ》るとしましょう。ぜったいにすごいし、最高《さいこう》だと思わない？　あの銀のうろこ、まるで黒曜石《こくようせき》を背景《はいけい》にかがやくダイヤモンドみたいよ。**たまらないわ**」

バーンはのどのおくで低《ひく》くうなった。「なんてうわついた城《しろ》なのかしらね、ここは」とぼやく。

「味方に対する口のききかたに気をつけなさいな」スカーレットが言った。「あなたにはわたしたちの力が必要《ひつよう》なこと、忘《わす》れないでちょうだいね」

バーンは翼をもぞもぞさせ、口を閉《と》じてだまった。

戦いが終わっても、ツナミを鎖でつなごうとする者はだれもいなかった。ツナミはまだアリーナでシーウイングの死体を背《せ》に立ちつくしていた。死体はもう死んだ魚のにおいをさせ始めていた。

スターフライトがつき飛《と》ばされるようにしてトンネルからあらわれるのを見て、クレイはスカーレットがさっき言っていた計画とはなにかを理解《りかい》した。心臓《しんぞう》がはれつしそうなほどにみゃく打つ。ツナミがスターフライトを殺《ころ》したりするはずはない。そんなことはありえない。果《は》てしなく続《つづ》くスターフライトの炎《ほのお》の息の科学についての授業《じゅぎょう》を止めるためであろうと、殺したりはしない。

「あらゆるドラゴンの中で最《もっと》もめずらしいドラゴン」ヴァーミリオンが、女王のバルコニーの真向かいにある、なにがあっても安全な岩だなの上から大声をはりあげた。「本物のナイトウイングだ。このドラゴンもまた〈運命のドラゴンの子〉なのだろうか？　この二頭が戦うときになにが起こるのか、とくとごらんあれ！　爪《つめ》を立てろ！　牙《きば》をむけ！　始め！」

ツナミとスターフライトが、立ったまま見つめあう。ツナミはあらい息をしており、まだジルの血にまみれていた。いつもより少しおそろしく見えるそのすがたに、スターフライトは怖気《おじけ》づいたかのように足元の砂《すな》に爪を立てた。もしかしたら本当にツナミに殺される**かもしれない**と、不安《ふあん》にかられているかのように。

ツナミがゆっくりとスターフライトに歩みよった。スターフライトが翼を開く。ツナミは彼《かれ》の肩《かた》にあごをのせ、もたれかかった。

客席《きゃくせき》から一頭のドラゴンがブーイングするのが聞こえたが、だれもついてこないのですぐにやめてしまった。

女王からはよく見えない遠くの上段席辺《じょうだんせきあた》りで、失望《しつぼう》のざわめきが起こった。

「どんどんひどくなるわね」バーンが歯ぎしりしながら声をもらした。

「ふたりとも、戦わないの？」スカーレット女王が大声でよびかけた。だがツナミもスターフライトも、顔をあげようとすらしなかった。「本当に腹《はら》がたつわね。ほら、戦いなさいよ、ナイトウイング。何年もずっといっしょに閉じこめられてたんだから、殺したいほどその娘にムカついてるんでしょう？　さんざんいやな思いをさせられてきたんじゃないの？」

クレイは、自分に笑《わら》いかけてくれているよう祈《いの》りながらグローリーのほうを見た。ツナミとスターフライトをだまらせる方法《ほうほう》なら、彼女がさんざん冗談《じょうだん》のネタにしてきたのだ。けれどグローリーは相変《あいか》わらず、まぶたを閉じたままだった。

「ほら、戦わないの？」スカーレットが身を乗りだした。「ふん、わかったわ。史上《しじょう》最低の闘士《とうし》たちね。ヴァーミリオン！　ゴミあさり《スカベンジャー》どもを放ちなさい！」

ヴァーミリオンがばさばさと羽ばたくと、トンネルから大きな檻《おり》がおされてきた。女王の息子《むすこ》がその上に飛び乗《の》り、とびらをつないでいたひもをかみ切る。するととびらが開き、四匹《ひき》のゴミあさりたちが砂の上に出てきた。みんな鉄の刃《やいば》をふり回しながら、必死《ひっし》にわめきちらしている。

「ゴミあさり？　あんなので予言の〈運命のドラゴンの子〉たちを殺そうというの？　頭がどうかしたんじゃない？」バーンが鼻で笑った。

「まあ、あなたの母君を殺すならたった一匹《ぴき》でもこと足りたわね」スカーレットが言った。バーンが毒《どく》のしっぽを弓なりにしてスカーレットに向けながら、さっとふり向く。

「まあ落ち着きなさいな」スカーレットが鼻を鳴らした。「おもしろくなるわよ。これが失敗《しっぱい》しても、まだまだあの子たちを殺すためのかくし玉は用意してあるんだから。ナイトウイングをわたしのアリーナにだせるなんて、きっとこれが最初《さいしょ》で最後《さいご》だもの。ありとあらゆるものと戦うところが見たいのよ」

クレイは心配で身を乗りだした。ツナミもスターフライトも、ゴミあさりとの戦いや狩《か》りの訓練《くんれん》など受けたことがない。ゴミあさりは財宝《ざいほう》を持ったドラゴンしかおそわないが、ドラゴンの子たちはそんなものひとつも持っていないのだ。もしかしてスターフライトが、ゴミあさりたちの戦いかたについてまき物でなにか読んでいないだろうか？

だが、いくら少しは凶暴《きょうぼう》で戦う力を持っているとはいえ、それでもゴミあさりは獲物《えもの》にすぎない。世話係《マインダー》たちはクレイたちに狩りの技《わざ》を教えるために動物をどうくつによく放したものだ。ゴミあさりたちも、トカゲやヤギやダチョウとたいして変《か》わらないのではないだろうか？

ツナミはスターフライトを壁ぎわまでおしやると彼の前で翼を広げ、ゴミあさりたちに牙をむきだしてみせた。三匹《びき》のゴミあさりがツナミめがけて走ってくる。四匹目はちらりとツナミを見てから、トンネルの入り口にかけだした。

なるほど。ただの獲物ならドラゴンに**向かって**走ったりはしない。ということは、ゴミあさりはただの獲物とは少しちがうということだ。

一匹目をツナミが横から引っぱたき、観客席まで飛ばす。周《まわ》りにすわっていたドラゴンたちがいっせいに爪をむきだし、さけび声をあげながらつかまえようと集まってきた。ゴミあさりは悲鳴をあげたが一頭のスカイウイングの手につかまり、あっというまに食べられてしまった。

残《のこ》りの二匹はあわてて足を止めるとツナミの手のとどかないところまで後退《こうたい》した。ツナミが二匹を見ながら、舌《した》なめずりをしてみせる。

一方、トンネルからにげだそうとしていた四匹目のゴミあさりは、長いやりを手にしたスカイウイングの衛兵に囲《かこ》まれてしまっていた。そして延々《えんえん》と恐怖《きょうふ》の悲鳴をあげながら砂の上をにげまどっていたが、やがて向かいの壁にげきとつしてたおれてしまい、それっきり起きあがらなかった。

「楽しくなってきたじゃない」バーンが言った。「ナイトウイングのほうはなにもしちゃいないのに」

「残った二匹のゴミあさりはどちらもメスでね」スカーレットが言った。「メスのほうがちょくちょく長持ちするのよ」

片方《かたほう》のゴミあさりが指をさしてふた手にわかれると、二匹がばらばらになってツナミの周《まわ》りを回り始めた。銀色にかがやく刃を手に、ゆっくりと近づいていく。ツナミは、二匹を同時に視界《しかい》にとらえることができなくなるまでじっと様子を見続けた。そして、左側《ひだりがわ》にいる一匹のほうを向くと一気に飛びかかった。

ねらわれたゴミあさりが彼女の手をくぐりぬけ、ツナミの下腹《したばら》に刃をつき立てる。ツナミはさけび声をあげながら敵《てき》をつかまえようとしたが、ゴミあさりはもう遠くににげてしまっていた。

もう片方のゴミあさりはツナミの背後《はいご》でかけだし、スターフライトに飛びかかっていた。スターフライトはツナミがしたようにはらい飛ばそうとしたが、そのかぎ爪《づめ》を回りこみ、ゴミあさりは向かってきた。そして前脚《まえあし》をよじ登ってきたかと思うと、スターフライトにふるい落とすすきもあたえず背中《せなか》に回りこんでしまったのだった。

クレイは身をこわばらせた。こんな動き、今まで見たこともない。牛だったらまずしない動きだ。

スターフライトはゴミあさりにかみつこうと首を背中のほうにひねったが、ゴミあさりはすばしっこかった。岩を登るトカゲのように、彼のうろこにへばりついている。スターフライトはなんとかかみつこうとして必死に頭をふりながら首をのばした。しかしゴミあさりは器用《きよう》にそれをかわし、スターフライトはうっかり自分の首にかみついてしまった。うろこの間から細いすじになって血が流れだしてくる。

「なんだかつまらないわね」スカーレット女王がため息をついた。「ゴミあさりの心が読めるんじゃなかったの？　このまま続けさせる意味もありゃしないわね」

クレイは手をにぎりしめた。ゴミあさりは、どんどんスターフライトの鼻先にせまっている。もしあの刃で両目をさされたりしたら……。

「ツナミ！」クレイはさけんだ。

ツナミは自分をおそってきたゴミあさりを追いかけて、アリーナの中ほどにいた。スピードは彼女のほうが上だが、ゴミあさりはちょこまかと方向を変えては彼女の下をくぐりぬけていく。ツナミはクレイの声にふり返ると、スターフライトがあぶないのに気づいた。

ツナミはかけだしたが、スターフライトはいきなり歯を食いしばると自分の頭を地面にたたきつけた。ゴミあさりは宙《ちゅう》に投げだされ、スターフライトの角を飛びこえるとものすごいいきおいで壁に衝突《しょうとつ》した。すぐに立ちあがり、かみついてくるスターフライトの牙をなんとかかわす。

スターフライトは追わなかった。体を起こして頭をさすりながら、かきみだされた砂の上をよろよろとにげていくゴミあさりを見つめている。ふらつくゴミあさりめがけてツナミが飛びかかろうとしたが、スターフライトは手をのばすとそれを引き止めた。ツナミを追っていたゴミあさりが仲間《なかま》のところにかけつけ、助け起こして壁によりかからせる。二匹のゴミあさりは、ドラゴンでいっぱいのアリーナを見回した。二匹とも、怒《いか》りをこめた大きく甲高《かんだか》い声をあげている。

「あなたの言うとおりだわ」スカーレットがため息をつきながら、バーンに言った。「思っていたよりもずっとたいくつね。さあ、さっさとアイスウイングどもをだしてしまいなさい！」とヴァーミリオンにさけぶ。

ヴァーミリオンが合図をすると、衛兵たちがアリーナから飛《と》び立《た》った。とらわれたアイスウイングたちのもとへ飛んでいく衛兵の群《む》れを、クレイは恐怖しながら見つめていた。ずっと昔の戦争《せんそう》のせいでアイスウイングがどれほどナイトウイングをにくんでいるか、スターフライトの授業で聞いたのをうっすらと覚《おぼ》えていたのだ。

「やっと名案《めいあん》がでたようだね」バーンが言った。

「ぼくにも戦わせろ！」クレイがさけんだ。「あそこに連《つ》れていってよ！」味方の三頭だけではアイスウイング八頭に立ち向かえるわけがないのはクレイにもわかっていたが、バルコニーで指をくわえたまま仲間を見ているわけにはいかなかった。

とつぜん太陽に雲がかかり、辺りが暗くなった。ひびく羽音に、ドラゴンたちがそろって上空を見あげる。雲の中からかげがひとつ飛びだし、鉄線のあみをくぐりぬけて旋回《せんかい》しながらアリーナにおりてきた。

翼を大きく広げてゆうがに砂の上におり立つそのすがたに、クレイは見覚《みおぼ》えがあった。

ついにモロウシーアがやってきたのだ。

27

クレイは、ほっとした気持ちと怒《いか》りとの間で引きさかれていた。なぜモロウシーアは、こんなにおそくなったのだろう？

アリーナが静《しず》まり返《かえ》った。衛兵《えいへい》たちはアイスウイングの鎖《くさり》をとこうとしたまま、宙《ちゅう》で羽ばたいていた。アリーナをうめつくすほど巨大《きょだい》な黒いドラゴンのすがたに、アリーナじゅうの視線《しせん》が集まっていた。その黒さが、まるで周《まわ》りの光をすべてすいこんでしまったかのようだ。

モロウシーアはスターフライトを指さして、スカーレット女王に言った。「このドラゴンの子はわれわれのものだ」

スターフライトだけ？　残《のこ》りのぼくたちはどうなるんだ？　クレイは思った。だが、声にだして言う勇気《ゆうき》はなかった。モロウシーアが助けてくれる前に、女王に殺《ころ》されてしまうにちがいない。だが、もしかしたらモロウシーアに考えを読み取ってもらえるのではないだろうか……。

「われわれというのは？」スカーレット女王が言った。「わたしたちはこの子を〈平和のタロン〉の革命家《かくめいか》どものところで見つけたのよ。あなた、もしかしてナイトウイングがついにどの側《がわ》に味方するか決めたと言いたいの？」

バーンがいらだった声でわって入った。「本物の女王じゃなくて、地底《ちてい》にひそんでる平和運動なんかに味方しようってのかい？」

モロウシーアは空を見あげた。そこでは黒いドラゴンたちがぐるぐる輪《わ》をえがいて飛《と》んでいた。「ちがう」彼《かれ》が低《ひく》い、地鳴りのような声で言う。「おれはただ、そのドラゴンの子はわれわれのものだと言いに来ただけだ。おれたちが連《つ》れていく」

「あら、そうなの？　いったいだれの権限《けんげん》で？」スカーレット女王が言った。「なぞの女王様かなにかがでてきて、そのナイトウイングがどちらのものかわたしと話しあいでもするというの？」

モロウシーアの両目が危険《きけん》なかがやきを放った。「スカイウイングよ、ナイトウイングをおこらせるなよ。われわれのドラゴンの子をこちらによこせ」

残りのぼくたちもだ！　クレイは心の中で、思いきり大声をだした。**こっちだよ！　スターフライトの他に、〈運命のドラゴンの子〉は四頭いるんだ！　予言にはみんな必要《ひつよう》なんだよ！**　もしかしたらモロウシーアは、全部で五頭いるのを忘《わす》れているのかもしれない。

だが心が読めるのならば、助けを求《もと》めるクレイのさけびが聞こえてもおかしくないはずだ。

スカーレット女王が大きな音をたてて地面をふみつけた。「だめよ！　わたしはあの子がアイスウイングと戦《たたか》うのが見たいの！　今日はわたしの孵化記念日《ハッチング・デー》なのよ！」

みんながぴたりと静《しず》かになる。クレイは一瞬《いっしゅん》、モロウシーアがあきらめて飛び去ってしまうのではないかとこわくなった。しかし、彼がかすかにしっぽをゆり動かしたその瞬間《しゅんかん》、何頭かのナイトウイングが空から急降下《きゅうこうか》してきた。

クレイはあっけに取られてその様子を見つめた。**心の声でよびよせたんだ……！**

一見なんの合図も号令《ごうれい》もないのに、ナイトウイングたちは円形にならんだとらわれのドラゴンたちの中に散《ち》らばっていった。スカイウイングの衛兵たちがおびえきった顔でにげていく。ナイトウイングたちはそれぞれとらわれたアイスウイングのところに舞《ま》いおり、かぎ爪《づめ》で引きさいた。一瞬のうちに、アイスウイングが一頭残らず殺される。銀色にかがやく死体が牢《ろう》に転がる。青みがかった赤い血がゆっくりと塔《とう》をつたって流れ落ち始める。

こんなのおかしいよ。クレイは心の中で言った。**本当にナイトウイングがそんなに強いなら、とらわれたドラゴンを殺すんじゃなくて、にがしてやればいいんだ！　アイスウイングはみんな鎖でつながれてたんだ……反撃《はんげき》もできなかったんだ。**もう一度モロウシーアのほうを向くと、軽蔑《けいべつ》に満《み》ちたまなざしでクレイのさらに先をにらみつけているような気がした。**おっと。ええと、つまりありがとうってこと。ありがとう、ナイトウイング！**

本当に来てくれてうれしいよ。ぼくたち五頭みんな、そう思ってる！

スカーレット女王からは、両目が見えなくなるほど、こいけむりがもくもくとふきだしていた。となりではバーンがばたばたとしっぽをふっていた。今にも自ら飛びおりてモロウシーアに飛びかかりそうな様子だ。

巨体《きょたい》のナイトウイングが氷のような笑《え》みをうかべた。「そら。やっかいなアイスウイングどもはかたづけてやったぞ。それでは、おいとまするとしようか」そう言って一度だけ羽ばたき宙にうきあがり、スターフライトめがけて飛んでいく。

「待って！」スターフライトは、モロウシーアにわしづかみにされながらさけんだ。「おいらの仲間《なかま》たちはどうなるのさ？」

そうだ！　ぼくたちはどうなるんだ？　クレイは頭の中でさけんだ。

だがモロウシーアは、ドラゴンの子たちになど目もくれなかった。スターフライトをつかんだまま、ひと息に空に舞いあがる。他のナイトウイングたちもまた丸く編隊《へんたい》を組み、モロウシーアに続《つづ》いて南へと飛び去っていった。

クレイはまるでシーウイングのしっぽで何発もぶんなぐられたような気分だった。雲の中から救世主《きゅうせいしゅ》があらわれ……そしてみんなを助けずに行ってしまったのだ。ツナミと目があった。彼女《かのじょ》の目はくやしさと怒りに満ちていた。

いや、ツナミだけではない。「衛兵！」スカーレット女王がほえた。「ひとつだけ予定どおりのことがあるわ。わたしのチャンピオンを連れてきなさい。それと下をきれいにかたづけてしまいなさい」いらだったようにそう言って、アリーナに向かってさっと翼《つばさ》をふってみせる。

バーンは怒りのあまり言葉もでないようだった。二頭の女王たちは、スカイウイングの衛兵たちが急いでアリーナにおり、ジルとゴミあさり《スカベンジャー》たちの死体を引きずりだしていくのをながめていた。生《い》き残《のこ》っていた二匹《ひき》のゴミあさりは、また檻《おり》に入れられ、運びだされていった。ツナミは衛兵たちに鎖をかけられるままになっていた。怒りとショックのあまり、反抗《はんこう》する力もないのだ。

アリーナじゅうのドラゴンがショックのあまり、言葉もだせずに見守っていた。あんなふうにだれかが女王をだしぬくところなど、ずいぶんとひさしぶりに見たのだろうとクレイは思った。

「みなの者が知ってのとおり」いきなり女王が口を開いた。たった今空からやってきたなそのドラゴンたちにおもちゃを取りあげられてしまったことなどなにもなかったかのように、いかめしく有無《うむ》を言わさぬひびきだ。「わたしのチャンピオンであるペリルは、〈王者《チャンピオン》の盾《たて》〉のしきたりにのっとり、捕虜《ほりょ》であるケストレルの側につくことになりました。これからわたしが選《えら》んだドラゴンと戦ってもらい、もしペリルが勝てばケストレルは自由の身になります。もし負ければそのときは……わたしには新たなチャンピオンが誕生《たんじょう》することになるでしょう」

女王はそう言うと、観客席《かんきゃくせき》から歓声《かんせい》が起こるのを待つかのようにだまったが、だれもなにも言わなかった。スカーレット女王が顔をしかめる。「なるほど。ペリルが負けるわけがないと思っているのね。けれど今日は特別《とくべつ》なゲストを用意しているの……炎《ほのお》をものともしないうろこを持つドラゴンをね。ものすごく……**ぞくぞくするでしょう？**」

クレイはわけもわからないうちに、両側《りょうがわ》から衛兵にがっしりとおさえられてしまった。トンネルに引きずられていきながらちらりと女王を見たクレイは、すべて彼女のねらいどおりなのだとさとった。

ペリルと友達同士《ともだちどうし》なのを女王は知っていたのだ。いや、彼女がうらぎる前の話だから**友達だった**というべきだろうか。

女王は、クレイか母親のどちらかをペリルに選ばせようとしているのだ。

そして彼女はクレイにも選ばせようとしているのだ。ペリルを殺すか……それとも自分が死ぬかを。

28

血がしみてべとついた砂《すな》が、クレイの指のすきまにまで入りこんでいた。太陽がまばゆく、そして熱《あつ》く、目に照《て》りつけてくる。彼《かれ》は考えこみながらアリーナを歩き回った。どこかに出口はないのだろうか？

ペリルに殺《ころ》されることはないと、信用《しんよう》するわけにはいかない。一度うらぎられているのだ。またうらぎるに決まっているし、母親を助けるためともなればなおさらだ。

うろこがこすれる音がトンネルの中から聞こえてきて、クレイはふり向いた。ペリルがアリーナに入ってくる。

彼女《かのじょ》が立ち止まった。まるで世界じゅうのありとあらゆる感情《かんじょう》が一気に自分の顔にぶつかってきたかのような表情《ひょうじょう》だ。「なるほど、そういうことだったの」と、クレイにしか聞こえないほどに小さな、怒《いか》りのにじむ声で言う。「ここにいる中で、たったひとりわたしにふれられるドラゴン。だから女王は、ずっとわたしをあなたから引きはなそうとしてたんだね」

「近づかないのが正解《せいかい》だったと思うよ」クレイが言った。ペリルがたじろぐ。

「さあペリル、行きなさい」スカーレット女王が言った。その背後《はいご》に、鎖《くさり》でまかれて怒りにうめきながらツナミが引きずりだされてきた。「そのドラゴンを殺さないと、母親は自由にしてやれないのよ。楽しみなさい！」

ペリルがじりじりとクレイに近づいた。クレイは反対側《はんたいがわ》の壁《かべ》ぎわまでにげた。彼女は一《いっ》瞬《しゅん》だけためらったが、すぐにスピードをあげて追いかけてきた。クレイはペリルが目の前までせまるのを待ってから一気に飛《と》びだし、体当たりして彼女を地面におしたおした。観客席《かんきゃくせき》からおどろきと歓喜《かんき》の声援《せいえん》があがる。

地面にたおれてあえぐペリルを残《のこ》し、クレイが立ちあがり、またアリーナの反対側に走っていく。**ペリルはきっと、反撃《はんげき》されるのになれてないはずだ。**クレイは心の中で言った。

彼女にふれた肩《かた》がもえるように熱かったが、それもすぐにおさまった。

壁を背《せ》にして腰《こし》をかがめ、ペリルが立ちあがるのを待つ。彼女はゆっくり体を起こすと、クレイのほうに進んできた。今度は少しはなれたところで足を止める。

「ごめん」彼女がさびしそうに言った。「おこってるよね。わたしがまちがったの。わたし……あなたがわたしからにげようとしてるって思ってて」

「うん、今はそうだよ」クレイは答えた。

「あなたを殺したくない」彼女はそう言うと、砂をふむ足に力を入れた。

「でも、殺さなきゃいけない」クレイは、彼女の言葉の先を続《つづ》けた。

「わたしには作戦《さくせん》があったの。ケストレルのあとにあなたも助けて、わたしを最高《さいこう》に好《す》きになってもらう作戦がね」

「ペリル、そんなのありえないよ」クレイは首を横にふった。「ぼくが助けてもらえるかなんてどうでもいいんだ。ぼくは君に、友達《ともだち》を助けてほしいんだよ。ぼくにはそれだけが大事なんだ」

それを聞いたペリルは、いきなり声をあららげた。「あなたの友達は**わたし**だよ！ 他の友達なんていらないでしょ！」そうさけんで、クレイの頭めがけて飛びかかってくる。クレイが彼女を上につきあげると、彼を飛びこえて壁にげきとつした。そして、ようやくなんとか立ちあがるころには、クレイはもう遠くの壁ぎわまでにげていた。

「ぼくは、ぼくを殺そうとしない友達といっしょにいたいんだよ」クレイが首をふりながら大きな声で言った。

「殺そうとしないなんて……ああもう……」彼女がまた足をふみ鳴らした。「こんなのずるいよ！ 他のみんなは好きなやつと仲良《なかよ》くしてればいいじゃない！ わたしがほしいのはあなただけなの！」そうさけんでぱっと翼《つばさ》を開くと舞《ま》いあがり、爪《つめ》をむきだした手をのばしてまっすぐクレイに飛んでいく。

クレイは足元の砂をつかむと、ペリルの目をねらって投げつけた。彼女が悲鳴をあげ、空中で横によろめく。クレイは一気に飛びかかると彼女の肩をつかみ、地面に投げつけた。あおむけにして馬乗りにまたがり、ペリルの顔を見おろす。

「ぼくはあんまりものを知らないけどさ。でもたぶん、こんなはずじゃなかったろ?」

「そんなことない」ペリルは、彼をおしのけようともがいた。だが両手でおしてもクレイはびくともしなかった。「ドラゴンは昔からずっと殺しあってきたんだよ。戦争《せんそう》でも、こでも、どこでも、なんの理由もなくね。それがドラゴンなの。特《とく》にあなたとわたしはそうだよ。同じだもの。どっちも危険《きけん》なドラゴンだからね」

「ぼくはちがう」クレイは首を横にふった。「卵《たまご》がかえったときになにがあったとしても、そんなの関係《かんけい》ない。自分の中に殺《ころ》し屋《や》がいるなんて言われても、そんなのちっとも感じないんだ。もしかしたら、それが予言の正体なのかもしれないよ。〈運命のドラゴンの子〉は、殺しあったりしなくてもともに生きられるってみんなに証明《しょうめい》するために選《えら》ばれたのかもしれない」

すぐそばの客席《きゃくせき》にいるドラゴンたちが身を乗りだして聞き耳を立てているのにクレイは気づいた。客席すべてに語りかけていたわけではなかったが、近くの何頭かには聞こえていたのだ。

だが、スカーレット女王まではとどいていなかった。「さあ、さっさとしなさい!」バルコニーから女王が大声をあげる。「ケストレルの命はあなたにかかっているのよ。毒《どく》を使いなさい！　ものすごかったのに、一度目は見てもいないのよ！」

クレイとペリルは一瞬見つめあった。

「今の聞きまちがえかな？」クレイがたずねる。

「あの毒が女王の仕業《しわざ》じゃなかったなら、いったいだれが……？」ペリルがとまどう。

クレイがさっとバルコニーをふり返ったその瞬間《しゅんかん》、ヒマワリの金色とコバルトブルーをうろこにまとったグローリーがいきなり立ちあがった。そして、首につながれた細い銀の鎖をまるで草でも食いちぎるかのようにかみ切ると、大理石の木からおりてきた。ヘビみたいに口を大きく開けている。グローリーはするどいいかく音をだすと、牙《きば》から漆黒《しっこく》の液《えき》体《たい》を噴射《ふんしゃ》した。

バーンが目の前のスカーレット女王をつき飛ばし、一気に空に舞いあがる。グローリーの毒液《どくえき》がスカーレットの横顔に命中する。

スカイウイングの女王がおそろしいさけび声をあげた。

アリーナが、あっというまに大混乱《だいこんらん》になる。あわてて飛《と》び立《た》とうとするドラゴンたちがぶつかりあい、グローリーとさけび続ける女王から遠ざかろうとはうようにしてにげていく。クレイが飛んでにげようとすると、ペリルが「待って！」としがみついてきた。手をのばし、彼の翼をふうじている金具に手をふれる。金具はあっというまにはずれ、クレイは〈スカイキングダム〉に来てから初《はじ》めて思いきり翼を広げた。

「ありがとう」そうお礼を言って、空に飛び立つ。

衛兵《えいへい》たちはみなバーンを追っていってしまったので、クレイがグローリーのとなりにおり立つころには、ツナミとスカーレット女王しかバルコニーに残っていなかった。女王は自分の翼で頭を打ちながら、ふらふらとバルコニーのはしに歩いていくところだ。

「グローリー！」クレイがさけんだ。「目が覚《さ》めたんだね！」

「当たり前でしょ！」グローリーはむっとしたようにさけぶと、ツナミの鎖を引っぱった。

「わたしがねたふりしてるの、まさか気がついてなかったの？　行動を起こす絶好《ぜっこう》のチャンスを待ってたのよ。本当にずっとねてると思いこんでたの？」

「ええと……」クレイは口ごもった。

「ほんとにねてるみたいだったよ」ツナミが言った。

「だったら最高ってことね」グローリーが答えた。「生まれて初めて、本当のレインウイングみたいになまけ者のふりをして、あなたたちまでだましたんだから。そんなに信《しん》じてくれる友達がいて、わたしは幸せ者だわ」

「おい、そんなことができるなんて、聞いたことないぞ」クレイは毒を噴射したグローリーの牙を指さした。彼女の後ろではスカーレット女王が自分の玉座《ぎょくざ》にぶつかり、いっそう大きなさけび声をあげていた。金色の鎖かたびらがとけて、うろこの中に流れこみ始めている。

「前はできなかったんだ」グローリーが答えた。「ところで、これ手伝《てつだ》ってもらえない？」

クレイは大理石の木をつかむと、それをてこにしてツナミの鎖を切ろうとした。

「で、さっきのどうやったのさ？」とたずねてみる。

「ああ、あれにはちゃんと論理的《ろんりてき》で科学的《かがくてき》な説明《せつめい》があるのよ」グローリーが答えた。「でも**本当に今そんなこと話したいと思ってるの？**」

「グローリーのおかげでバーンを追いはらえたけど、そのうちもどってくるよ」ツナミが言った。

クレイは不安《ふあん》そうに空を見あげた。「ペリル！　こっちに来て！」

「だめよ！」ツナミがさけぶ。「あの子はだめ！　あたしに近づけないで！」

「あの子の力が必要《ひつよう》なんだよ」クレイが言い返すと、もうとなりにペリルがおりてきた。

「鎖や金具をはずしてあげたいんだ」彼が言うと、ペリルはためらった。「お願《ねが》いだよ。ぼくたち友達だろう？」

「わかった」ペリルはそう答えると、スカーレット女王をちらりと見た。そしてツナミにまきついている鎖にふれると鎖はたちまち切れ、大きな音をたててバルコニーのゆかに落ちた。クレイが翼をとめている金具を引っぱってうろこから遠ざけると、ペリルがすぐにそれをやいてしまった。

「さあ、サニーを取りもどさなくちゃ」クレイがすぐに空に飛び立つ。

赤、金、冷《つめ》たい青……空では色とりどりの翼が羽ばたきながら、ぶつかりあったり、相手をはね飛ばしたりしていた。ペリルはクレイの前を飛んでいた。彼女のすがたにおどろいたドラゴンたちがあわてて道を開けていく。彼の目の前で、ペリルのしっぽがぐうぜん一頭のスカイウイングの脚《あし》にぶつかった。スカイウイングはさけび声をあげてやけどした脚をつかむと、体からもくもくとけむりをだしながら山はだに墜落《ついらく》していった。

ツナミとグローリーはクレイのすぐあとに続いて、がけの上にあるパーティ会場まで上昇《じょうしょう》した。クレイはバーンがおそろしかったが、それと同じくらい、翼で風を感じながら自由に空を飛ぶよろこびに胸《むね》をおどらせていた。何日もずっとあの牢獄《ろうごく》から落ちてしまうのではないかとおびえ続けた——そんな心配をせずにクリスタルブルーの空を自由に飛び回るというのは最高だ。

ペリルがいちばん先に、サニーの鳥かごにたどりついた。サニーはアリーナでいったいなんのさわぎが起きているのかを見ようとして、鉄格子《てつごうし》の間から顔をだしていた。その灰《はい》色《いろ》がかった緑のひとみでクレイを見つけ、ぱっと笑顔《えがお》になる。

「みんな無事《ぶじ》だって信じてた!」三頭の仲間《なかま》が鉄格子ごしに鼻をすりつけると、サニーがさけんだ。「心配ないってわかってたんだよ。ただ予言のことがずっと心配だったし、戦争を止めるためにも死ぬわけにはいかないって、ずっと考えてたの」

ツナミがくすりと笑《わら》った。ペリルは鳥かごの前にうきあがると、かぎ爪《づめ》で鉄格子を切りつけた。鉄格子が赤くやけてあわだち、すぐに地面に落ちていく。

サニーが鳥かごからクレイの腕《うで》の中に飛びこんできた。金具のはずれた翼で、うれしそうにだきしめる。

「待って。スターフライトは？」サニーは、ぱっと辺《あた》りを見回した。

「残念《ざんねん》だけど……」グローリーがうつむいた。

「残念？　なにかあったの？」

「まぎらわしい言いかたしないでよ」ツナミはしっぽでグローリーを引っぱたいた。「グローリーが言ってるのは、モロウシーアに連《つ》れてかれちゃったってこと。あいつなら元気だよ。アリーナのパニックがしずまってドラゴンたちがあたしたちをさがし回り始めたら、あいつのほうが安全なくらい。さあ、早く川に行きましょ」そう言うとツナミは翼から血の赤の砂をまき散《ち》らしながらふり返り、さっさとがけに向かい始めた。

「でも……ほんとに行っちゃったの？」サニーはクレイの片手《かたて》をにぎり、宙《ちゅう》で引き止めた。

「わたしたちを置《お》いて？」

「サニー、他にどうしようもなかったんだよ」クレイは静《しず》かに声をかけた。

「クレイ、待って」ペリルが言った。翼をふるわせながら、まるで体が引きさかれてしまうかのように両手をにぎりしめている。「母さんを忘《わす》れてた。もしスカーレット女王が死

んでいなかったら、まず母さんを殺そうとするはずだよ」

「たしかにそうだ」クレイは答えた。ツナミとグローリーが、なかなかやってこないクレイたちの様子を見にもどってくる。「ツナミ、ケストレルを助けなくちゃ」

「どうして？」ツナミはむっとした。「そんな必要ある？　ケストレルにはずっとひどいことばかりされてたじゃない」

「必要あるんだよ」サニーがやさしく言った。「助けないわけにはいかない。あなただってそうだよ」

「わたしはいやだな」グローリーが言った。「だってわたし、ケストレルに殺されかけたんだよ？　忘れちゃったの？」

クレイはもちろん覚《おぼ》えていた。残酷《ざんこく》な言葉のひとつひとつも、どうもうなかみつきのひとつひとつも、すべて覚えている。だが、ケストレルが自分たちの代わりに身をさしだしたのも覚えていた。そして彼女の両手についたやけどのあとも、ペリルが生きているのを知ったときの表情《ひょうじょう》も覚えていた。

「自分のためにあたしたちを育てたわけじゃないでしょ」ツナミが言い返した。「ケストレルの役目はただあたしたちを生かしておくことだよ。だったらあたしたちは、今すぐにげだすのがいちばんいいじゃない」

「ぼくは、ただ生きてるだけなんていやだ」クレイは力強く言った。「ぼくは、ケストレルが思っているのとはちがうぼくになりたいんだ……予言に書かれたようなドラゴンになりたいんだよ。ケストレルにどんなにひどいことをされても、それでも助けるようなドラゴンにね」

ツナミは、グローリーを横にはじき飛ばしそうなほどのいきおいでしっぽをふった。血を浴《あ》びているというのに、青いうろこは太陽の光を受け、まるでうずもれたサファイアのように光っている。彼女がじっとペリルをにらみつけた。

「いいわ」しばらくそうしてから、ツナミが言った。

「わたしはごめん」グローリーが首を横にふる。「みんなは好きにすればいいけど、わたしはあなたみたいになんでもかんでもゆるしちゃうお人好《ひとよ》しじゃないのよ、クレイ」そう言って静かにクレイの目を見つめたが、グローリーのうろこは赤や黒にぐるぐると色を変《か》え、まるで黒雲の中に宿るいなずまのようだった。

「じゃあサニーを連れて滝《たき》の下《した》のどうくつに行って、そこであたしたちを待ってて」ツナミが言った。

「わたしも力になりたい。わたしだって――」サニーが口を開いた。

「力になりたいならどこにも行かず、殺されずにいることよ」グローリーはそう言うと翼の先でサニーにちょこんとふれ、さっとがけから飛びだしてすがたを消した。サニーはためらったが、クレイの手をきつくにぎってからグローリーを追いかけていった。

「こっちがいちばんの近道だよ」ペリルはそう言うと翼を広げ、パーティ会場を見おろすがけにそって舞いあがっていった。ツナミがけわしい顔でクレイを見て、すぐにそのあとを追う。クレイの耳にはまだ、下のアリーナからひびいてくるさけび声やほえ声がとどいていた。女王もまださけび続けているのだろうか。空はドラゴンたちにうめつくされていた。だれもまだドラゴンの子をさがしていないようだが、それも時間の問題だろう。

がけの上をめざして飛んでいたクレイは、小さなしげみのある細い岩だながあるのに気づいた。そして、その少し上のがけに一匹《ぴき》のゴミあさり《スカベンジャー》がしがみついているのを見つけて目を丸くした。あのパーティで獲物《えもの》にされかけたゴミあさりの一匹が、うまいことだれにも見つからずにこんな高いところにまで登ってきていたのだ。ゴミあさりはつかれで息をあらくげてふるえながらも、まだ岩《がん》ぺきを登ろうともがいていた。クレイはがけのてっぺんを見あげると、あんなに小さい生きものにとってははるかかなただと思った。

そして、なぜかかわいそうになった。ゴミあさりは害獣《がいじゅう》で、食べればおいしいが、教えてもらったのはそれだけだ。だが必死《ひっし》に登ろうとしているすがたを見ると、クレイはどうしてもそんな気分になってしまった……。

さっと引き返して両手でゴミあさりをつかみあげ、またペリルとツナミのあとを追い始める。ゴミあさりは悲鳴をあげてクレイの手をなぐりつけたが、見たところなにも武器《ぶき》を手にしてはいないし、身を守るための力を持っているわけでもない。クレイが見たことのあるゴミあさりよりも小さく、頭には黒い毛を生やし、クレイのうろこのように茶色いなめらかなはだをしていた。

がけのてっぺんにたどりつくまでの間しばらく、ゴミあさりは必死にクレイの手をなぐり続けた。てっぺんにくると、周《まわ》りを取りまく山々がぐるりと見わたせた。クレイはゴミあさりたちがどんなところに住んでいるのか知らなかったが、今はこれでせいいっぱいだった。ペリルとツナミはもう、宮殿《きゅうでん》の主郭《しゅかく》〔中心となる建物《たてもの》〕の屋根にあいた大きなあなの中にすがたを消してしまっていた。クレイは大きな岩のかげに、そっとゴミあさりをおろしてやった。

「これからはドラゴンに近づくんじゃないぞ」言葉が通じないのはわかっていたが、きびしい声でそうつげる。ゴミあさりは口をぱくぱくさせながらクレイの顔を見ていた。**まったく、頭の悪い生きものめ。**クレイは心の中で言った。どうしてこのゴミあさりはにげようともしないのだろう？

だが、もう関《かか》わってなどいられない。クレイは爪でゴミあさりをつつくと背を向け、屋根のあなに飛びこんでいった。下の広間に置かれたケストレルの檻《おり》の上に、旋回《せんかい》しながらおりていくペリルとツナミが見える。

おりていくと、トンネルの中で起きているさわぎも聞こえてきた。スカイウイングはほとんどみんな、山々のいただきの辺りで空にかくれているはず。だがドラゴンたちのたて

る重々しい足音や、爪や牙がたてるガチャガチャという音が広間にまでひびいてきている
のだ。
バーンが手下の兵隊《へいたい》を集め――グローリーの毒液の盾《たて》にするためだ――〈運命のドラゴンの子〉をさがしにやってきたのだ。

29

クレイが檻《おり》の上にいるツナミのとなりに着陸《ちゃくりく》すると、ケストレルの黄色い目が鉄格《てつごう》子ごしに彼《かれ》を見あげてきた。

「いったいここでなにしているの？」おこったようにケストレルが言う。

「助けに来たのよ」ツナミもいらだった声で言い返した。「来たくなかったけどね」

「さがってて」ペリルは鉄格子に手をのばしながら言った。そして太い鉄の棒《ぼう》に爪《つめ》をふれると、鉄がとけるつんと鼻をつくにおいが辺《あた》りにたちこめた。

クレイは、こんなにも不安《ふあん》そうなケストレルを見たことがなかった。心細そうな顔でペリルを見ながら、ふたつにわれた舌《した》をちろちろとだしている。ペリルはじっと鉄格子を見つめ続《つづ》けていた。サニーがとらわれていた鳥かごよりもずっとがんじょうで、とかすのに時間がかかっている。

「死んだのかと思ってたわ」しばらくして、ケストレルがようやく口を開いた。

「こっちこそ、**あんた**は死んだと思ってたよ」ペリルは、温《ぬく》もりなどまったく感じさせない声で答えた。

「スカーレットが完全無欠《かんぜんむけつ》の新チャンピオンを手に入れたとは聞いてたけど、それがあなただったとはね」ケストレルが言った。

ペリルは肩《かた》をすくめた。「あんたなんていらないと思ってたよ。いなくたってちゃんと成長《せいちょう》できたしね」クレイとツナミが顔を見あわせた。クレイはとても**ちゃんと**とは言えない気持ちだった。

「スカーレット女王がめんどうを見てくれたの」ペリルが続けた。「わたしのために黒岩《ブラックロック》をさがしてきてくれたし、生きる目的《もくてき》も住む場所もあたえてくれたんだよ」

「ブラックロック？」ケストレルが言った。「ブラックロックっていうのはなに？」

「おい！　動くな！」スカイウイングの衛兵《えいへい》が二頭、いちばんそばのトンネルから飛《と》びだしてきた。

片方《かたほう》の衛兵が音をたてて息をすいこみ、ツナミめがけて炎《ほのお》の球をはきだす。クレイは間に飛びこむと、自分のうろこでその炎を受け止めた。やけつくような痛《いた》みが体をかけぬけ、一瞬《いっしゅん》のうちに消えていく。熱《ねつ》で赤くなったうろこも、すぐに元どおりになる。体をふるわせながらクレイが衛兵たちのほうを向くと、炎をはいたスカイウイングはあっけに取られた顔をしていた。

ツナミがもう片方の衛兵におそいかかって横から爪で切りさき、頭にしっぽの一撃《いちげき》をたたきこむ。衛兵はよろめきながらあとずさったが、すぐに大きな翼《つばさ》を羽ばたかせながらツナミに向かってきた。

同時に、クレイの相手も飛びかかってきた。組みあったとたん、クレイはまだ治《なお》りきっていない背中《せなか》のきずが衛兵の爪でさかれるのを感じた。メスの衛兵を思いきり持ちあげ、投《な》げ飛《と》ばす。そして衛兵が壁《かべ》にたたきつけられたその瞬間《しゅんかん》に最後《さいご》の鉄格子が切れ、頭に血をのぼらせたケストレルの巨体《きょたい》が檻の中からでてきた。

クレイはケストレルがどれほど大きかったのか、すっかり忘《わす》れていた。赤いうろこがこすれ、鎖《くさり》でつながれていたところはあちこちかけてしまっている。かぎ爪《づめ》は、まるで牢獄《ろうごく》で壁をひっかき続けていたかのように丸くすりへってしまっている。

「そいつらを殺《ころ》して脱出《だつしゅつ》するよ！」ケストレルがほえた。

ペリルは、ツナミがおさえつけている衛兵に向かってかけだした。衛兵はなんとかツナミをふりほどいたが、もうおそかった。ペリルのかぎ爪が衛兵ののどを切りさく。黒くこげたきず口から血があふれ、ぶくぶくとあわだちながらけむりをあげる。衛兵はさけぼうとしたがペリルはまたのどを切りつけた。肉が、うろこが、まるで紙のようにもえる。

クレイは今にもはいてしまいそうだった。しばらくなにも食べていないのがありがたかった。自分がさっきまで戦《たたか》っていた衛兵を見おろす。彼女《かのじょ》のオレンジ色のひとみは恐怖《きょうふ》をうかべてペリルを見つめていた。自分の種族《しゅぞく》と女王のために戦ってはいるが、ただの兵隊《へいたい》でしかないのだ。

「行け！」クレイは衛兵にさけんだ。そして彼女を助け起こすとトンネルのほうにつき飛ばした。衛兵はためらいもせず、あっというまに消えていった。

クレイはふり返ってペリルの顔を見た。ペリルは彼が衛兵を――まったく見知らぬドラゴンを――自分から守っていたのだと気づいていた。自分がしたことをクレイがどう思っているか、今完全《かんぜん》に気づいたのだった。

「ばかなことを」後ろにいるケストレルが毒《どく》づいた。「あのメスが全部知らせちまう。スカーレットがすぐにつかまえにくるよ」

「スカーレット女王なら死んだと思うわ」ツナミがきびしい口調で言った。「それに、クレイにそんな口のききかたをしないで。だまっておとなしくついてきて」そうつげて空に飛び立つ。クレイはもう一度ペリルと目をあわせた。ペリルは手を開き、閉《と》じ、クレイにのばし、それから引っこめた。

「行こう」クレイは彼女が言いたいことがわかったふりをした。

そろってツナミのあとを追い飛び立つ。太陽の光がさし、三頭の翼を銅色《あかがねいろ》、茶色、赤にきらめかせた。クレイは大空におどりでると、滝《たき》に向かおうと体を大きくかたむけた。すぐ後ろからペリルの熱が伝《つた》わってくる。

滝《たき》の下をめざして急降下《きゅうこうか》し続ける三頭の横を、ごつごつとした断崖《だんがい》がびゅんびゅんすぎていく。ツナミはクレイたちを引《ひ》き連《つ》れて水しぶきを浴《あ》びながら、ごう音《おん》をたてて落ちる水へと近づいていった。クレイは一瞬目を閉じると、霧《きり》のように舞《ま》う水しぶきのほうに顔を向けた。

どんどん降下《こうか》していくにつれ、宮殿《きゅうでん》のさわぎは滝音にのみこまれて消えていった。クレイとツナミがあの山を脱出したときに出会った滝よりもずいぶん高い。断崖からつきだした岩にぶつかって小さな滝に枝分《えだわ》かれし、それからしばらくまっすぐに落ちたかと思うと、かぎ爪をむきだした何頭もの水のドラゴンたちのようにいきおいよくはじけた。

いちばん底《そこ》までおりるとそこには氷のようにすきとおった湖が広がっていた。反対側《はんたいがわ》からはダイヤモンド・スプレー川が流れだし、東と南の山々の間をぬけて海に向かっていた。山のふもとには短い木々やぼうぼうにのびたしげみが、湖をふちどっていた。

ツナミは、滝のいちばん下にある黒いあなに向かっていった。そこに近づきながら、クレイはなにか金色にちらちら光るものを見つけた。あなの中からサニーが心配そうに外の様子をうかがっていたのだ。

クレイたちはぬかるんだ土におおわれた湖のほとりにうっそうと生《お》いしげる木々の中に着陸した。すぐとなりにはうなりをあげて落ちる滝の水にほとんどかくれるようにして、小さなどうくつが口を開けていた。ペリルがおり立つと、足にふれた草が一瞬のうちにやけて灰《はい》になった。黒くなった地面を見おろし、できるだけ自分の痕跡《こんせき》を残《のこ》さないようしっぽを小さく丸める。

「ケストレル!」サニーがさけんだ。「無事《ぶじ》だったのね」

「あんたたちに助けてもらわなくてもね」ケストレルはうなると、さっとしっぽをふった。「みんな、自由がほしい自由がほしいってうるさかっただろ。でも今は、なんでわたしたちが守ってやらなくちゃいけなかったのか、理由がよくわかったんじゃないのかい?」

片方の翼が木に引っかかり、ケストレルは毒づきながらそれをふりはらった。

「どういたしまして」ツナミが言い返した。「あなたを〈スカイキングダム〉に置《お》いていってもよかったんだよ。あたしはそうしたかったしね」

クレイは、足の指の間ににゅるりと入りこんでくる泥《どろ》の感触《かんしょく》に、抵抗《ていこう》できなかった。地面のぬかるみに身を投げだし、アリーナの砂《すな》にまみれて痛むうろこを温かな泥でおおった。

「うへえ、よくやるわね、クレイ」グローリーがいやそうな顔をした。湖のふちに行って翼を広げ、太陽の光を浴びる。

「気をつけなよ」ツナミが手をのばし、グローリーを引きもどした。「あいつらがこっちをさがしてたら、明るいむらさきのドラゴンなんて空からすぐに見つかっちゃうよ」

グローリーは羽毛《うもう》の生えたとさかを立ててツナミをにらんだ。「わたしは明るいむらさきなんかじゃないってば。スカーレット女王にはヴァイオレット《うすむらさき》の**よそおい**って言われてたんだから。失礼《しつれい》しちゃうわね」

「あらまあ、ごめんなさい」ツナミが言った。「そんな**よそいき**みたいなうすむらさきのドラゴンなんて、空からはかんたんに見つかっちゃうって言いたかっただけよ」

「ほんと、ダジャレの天才ね」グローリーが鼻で笑《わら》った。「とにかく、心配しなくてもだいじょうぶよ」彼女のうろこが太陽の光をすいこんだようにきらめき、むらさき色が水にとける絵の具のようにゆらぎ始めた。そしてみるみるうちにグローリーは、足元に広がる泥まみれの地面と同じ色に変《か》わってしまったのだった。「これで満足《まんぞく》？」彼女がツナミにたずねる。

「ああもう、あたしの能力《のうりょく》ってなんなんだろう？」ツナミがぶつぶつとつぶやいた。「あなたは周《まわ》りの景色《けしき》にとけこめるうろこと毒をはく牙《きば》でしょ。クレイは炎がへっちゃらでしょ。スターフライトはなにかおっかない事件《じけん》が起こると空からでかいドラゴンたちが助けに来てくれるでしょ。あたしのはなんなの？」

「クレイ、炎がへっちゃらなの？」サニーが身を乗りだした。「どういうこと？　あと毒をはく牙って言った？」

「そうなんだ」クレイがうなずいた。「サニー、今からはグローリーにやさしくしたほうがいいぜ」

サニーはおこって翼をばたつかせた。「わたし、いつだってやさしく――あ、からかったのね！」サニーは、笑いをこらえているクレイに気がついた。泥をつかみ、彼の顔に投げつける。クレイは身をかわしたが、ふとペリルが翼をたれ、悲しげな顔で見ているのに気がついた。

「ほらね、あんたなんていなくたってあたしたちはだいじょうぶなの」ツナミがケストレルに言った。「クレイとグローリーの力だって知らなかったでしょう？　あたしたちになにかできるとも思ってなかったろうけど、あんな地底《ちてい》に閉じこめてみんなを卵《たまご》みたいにあつかってたんだから、あんたの責任《せきにん》だよね」

「ふん。全部まちがいでけっこうだよ」ケストレルは負けじと言い返した。「好《す》きなだけせめりゃいいけど、わたしたちは〈平和のタロン〉の命令《めいれい》にしたがっただけさ。そうしなかったら、あんたたちなんてみんなとっくに死んでたかもしれないんだ」

ツナミは、鼻をつんと上に向けた。「〈平和のタロン〉にもどるなんてごめんだね」

「もどるんじゃないの？」サニーが青ざめる。グローリーは、そんなわけないでしょとでも言いたげにサニーをにらんだ。

「へえ」ケストレルが言った。枝《えだ》をよけて頭を低《ひく》くさげ、オレンジの目でツナミをいぬくように見る。「じゃあ、どんなにすばらしい計画があるのか聞かせてちょうだい」

「みんなでふるさとをさがすの」ツナミが答えた。「あと両親もね。まずはまき物なんかで読むんじゃなくて、この戦争《せんそう》を自分たちの目で見てみるんだよ。それから、自分たちになにかできることがあるのか、自分たちの頭で考えることにした」

「でもツナミ」サニーが小声で言いながら、ツナミの翼を引っぱった。「予言があるんだよ！　帰らなきゃいけないんだよ！」

「シー！」クレイはサニーを引きもどした。ケストレルの顔が怒《いか》りに満《み》ちている。いつ炎の息をはかれるかわからない。

心の中では、サニーと同じ意見だった。予言を無視《むし》するわけにはいかない。戦争をどうにかしなくちゃいけないし、みんな〈運命のドラゴンの子〉たちがそれをしてくれるのを待っているのだ。まるでそうすればすくわれるかのようにあの歌を歌っていたとらわれのドラゴンたちのことが、クレイの頭からはなれなかった。

けれど、ツナミとも同じ意見だった――本物の世界に出て**なにができるのか**をつき止めないかぎり、なにもできはしない。〈平和のタロン〉の言いなりになっていたのでは、自分たちの家族とも会えないし、なぜ戦争を止めなくてはいけないのかもまったくわからないのだ。

ケストレルとツナミは沈黙《ちんもく》の中でにらみあいを続けた。ケストレルの鼻のあなからけむりが立ちのぼり、辺りにただよっていた。クレイがちらりとペリルを見ると、彼女は自分の母親にくぎづけになっていた。

「いいわ」ケストレルが思いがけずそう言った。「どうでもいいじゃない？　あんたたちにつきあうのはもううんざり。言われたとおりになにもかもしてやったっていうのに、その見返りときたら、感謝《かんしゃ》の気持ちのないトカゲどもばかり。さあ、大事な家族でもさがしに行きなさいな。なにがあってもわたしは知らないからね」

「ケストレル、心にもないこと言わないで」サニーはケストレルに近づき、脚《あし》にだきついた。「みんな、いろいろしてもらって本当に感謝してるのわかってるくせに」

グローリーとツナミが顔を見あわせたのに、クレイは気がついた。

「あんたたちはもうひとり立ちしたんだよ」ケストレルはサニーを引きはがすと、湖に向かって足をふみだした。「よかったね、本当にさ。ペリル、いっしょに来るの？」

ペリルはためらった。

「ぼくたちと行くんじゃなかったの？」クレイがそう言うと、ペリルの目が光った。

「あたしをやき殺してからにしな」ツナミはおどすように言って、片方の翼でクレイをたたいた。

「いいじゃない」グローリーは、ひらひらと飛んでいくチョウを目で追いながら言った。「もしかしたらペリルも、予言に必要《ひつよう》なドラゴンの子かもしれないしね……ほら、スカイウイングだから」

クレイはグローリーを見て、目をぱちくりさせた。「わ。本当にそう思ってるの？」

むらさき色をした小さな炎がグローリーの両耳にちらりとおどった。彼女が肩をすくめてみせる。

「え、そんなことある？」ペリルが息をのんだ。

「あるわけないでしょ！」ケストレルがはき捨《す》てるように言った。

「**山のいただきにある最《もっと》も大きな卵**」グローリーが暗《あん》しょうする。「もし双子《ふたご》といっしょにかえったとしたら、でっかい卵だったんでしょうね」そう言いながらも仲間《なかま》のほうは見ようとせず、相変《あいか》わらずチョウを目で追っていた。

「そうだよ！　わたしも運命のドラゴンの子かもしれない！」ペリルは目をかがやかせながらクレイの顔を見た。

「ばかなこと言うんじゃないよ」ケストレルは首を横にふった。「ペリルと弟は、あんたたちできそこないのウジムシどもよりも一年以上《いじょう》も早くかえったんだ。予言に出てくる五頭のドラゴンの子は、〈極光《オーロラ》の夜〉いっせいに生まれる。受け入れるんだね、運命のスカイウイングは卵の中で死んだのさ。わたしはこの目でわれた卵のからも、それを産《う》み落《お》として殺された母親も見たんだ」

　クレイは泥まみれになった自分の足を見おろした。ケストレルの言うとおりだ。予言をすべて言葉どおりに覚《おぼ》えているわけじゃない。ペリルが五匹《ひき》目の〈運命のドラゴンの子〉だなんてありえないのだ。

「ごめんよ」彼はペリルに声をかけた。銅色をした彼女の翼がしゅんとしおれる。「でも、いっしょにおいでよ」

「行けないよ」ペリルは首を横にふった。「黒岩《ブラックロック》のあるところにもどらなくちゃ」

「ブラックロックとやらの話、聞かせてちょうだい」ケストレルが言った。

「知ってるはずだよ。生きるためには、毎日食べなくちゃいけないんだ」

ケストレルはしっぽをふりあげた。引っかかったしげみがひとつ、根こそぎ引っこぬかれる。「それもうそね。スカーレットのうそよ。そんなもの、あなたには必要ないわ」

「でも……食べるのをやめたら具合が悪くなったの」

「食べものに毒をまぜられたね」ケストレルが言った。「スカーレットのお気に入りの手口よ」

ペリルは山の上に立つ宮殿を見あげた。彼女の銅色のうろこからくるくるとけむりが立ちのぼり、足のかぎ爪が地面に深く食いこむ。

「わたしといっしょにおいで」ケストレルがあらっぽい口調で言った。「わたしもたいしたもんじゃないけど、スカーレットよりはマシよ」そしてペリルに手をさしだしたが、自分の手のひらについたやけどのあとを見て引っこめてしまった。ペリルが頭をたれ、翼でくるみこむ。

「ケストレル、どこに行くつもりなの？」サニーがたずねた。

「あなたたちには関係《かんけい》ない話さ」ケストレルが答えた。

サニーはきずついたようにすわりこんだ。ケストレルは湖に一歩近よると、岩に爪をこすりつけてするどくといだ。サニーのほうをふり向く。

「でも、もしわたしが必要になったら〈ジェイド山〉にいるドラゴンを通してメッセージを送ればいいよ。といっても、わたしが急いでかけつけるだなんて思わないでね。あなたたちにどんなめんどうが起きたって、それは自業自得《じごうじとく》ってものだからさ」

「最後に教えて」ツナミが口を開いた。「あたしたちの卵について。そして卵がどこから持ってこられたのか、話してほしいの」

ケストレルは鼻を鳴らした。「ふん、あんたの場合はかんたんな話よ。シーウイングの女王の〈卵の部屋〉からウェブスがぬすんできたんだから」

「ツナミ！」サニーが悲鳴をあげた。「あなた王族だったんだね！　物語とおんなじだ！」

ツナミはおどろきを顔にうかべたまま、しっぽをよじりながらじっと考えこんだ。

「スターフライトの卵は、モロウシーアが持ってきたの」ケストレルが続けた。「サニーの卵は砂漠《さばく》で、〈サソリの巣《スコーピオン・デン》〉のそばにかくしてあるのをデューンが見つけたの。そして**大きくて強いみんなのヒーローの卵**は海のそば、〈ダイヤモンド・スプレー・三角州《デルタ》〉辺りのどこかで見つかった。いちばんいやしい生まれのマドウイングたちが住むところだよ」

クレイは湖から流れ出る川のほうをふり向いた。興奮《こうふん》で胸《むね》がドキドキしている。ふるさとは、そして家族たちは、思っていたよりもずっと近くにいるのだ。

「わたしは？」グローリーが質問《しつもん》した。

ケストレルは翼をゆらしながら肩をすくめた。「さあ、わからないわね。スカイウイングの卵を失《うしな》ってしまってから、ウェブスがどこかから持ってきたのよ。どこだか気にしたことなんてなかったよ、あなたが大事なドラゴンじゃないのはわかってたからね」

「さっさと行きなさいよ！」ツナミが爆発《ばくはつ》した。「まったく、きずつけるようなひどいことばかり言ってさ」

「わたしが言ってるのは、どれも真実だよ」ケストレルが答えた。

「わたしにやさしくしてくれないに決まってる」ペリルがケストレルの顔をにらんだ。

「あなたがこんなだなんて、想像《そうぞう》もしてなかったわ」

ケストレルは肩をすぼめた。「わたしは生きて、いろんな経験《けいけん》をして、今のわたしになったの。受け入れるも入れないも、好きになさい」そう言って翼を広げる。「さあ、わたしは行くわ。いっしょに行くかどうかはあなたの自由よ」

「忘れないで。ケストレルは君を助けようとしたってことをさ」クレイはペリルに声をかけた。「たしかにものすごくやさしいドラゴンじゃないよ、でもごらん。こんなことをするくらいには、君を大切に思ってるんだよ」クレイはそう言うとケストレルの片手《かたて》を取って、手のひらに残るやけどのあとがペリルに見えるよう開かせた。ケストレルがクレイに牙をむき、さっと手を引っこめる。

ペリルは首を横にふった。「まだ覚悟《かくご》できないんだよ。でも、きっとまたいつの日か会えるはず」

ケストレルはしっぽを左右にふり、泥の地面をかき回した。「ふん。勝手にするといいわ」おそろしいようなまなざしでドラゴンの子たちを一頭一頭にらみ、最後にクレイの顔を見た。「聞きなさい、マドウイング。ずいぶんとごりっぱなことを言ってたけれど、みんなを守るために戦って敵《てき》を殺すこともできないなら、あんたはなんの役にも立ちゃしないよ。そいつをよく考えておくんだね」

ケストレルの言葉はクレイの胸につきささった。いつだってそうだ。胸に満ちた希望《きぼう》が少ししおれる。クレイは、サニーがなぐさめるようにつついてくれるのを感じた。

ツナミがおどすようにケストレルのほうに一歩ふみだしたが、まだなにも言わないうちにケストレルは翼を広げ、その赤い巨体を空におどらせた。そして湖の上で旋回《せんかい》すると、ふり向きもせずに西の方角へと遠ざかっていった。

30

クレイはペリルの目を見た。「とんだ再会《さいかい》だったわ」彼女《かのじょ》はそう言って、黒々とした足元の地面に視線《しせん》を落とした。

「いいから、ぼくたちといっしょに行こうよ」クレイが言った。「予言のドラゴンじゃなくたって、関係《かんけい》あるもんか」

「だめだよ」ペリルはゆっくり言った。「わたしにそんな……そんな資格《しかく》なんてない」

クレイは彼女のほうに首をのばした。「どういう意味？」

「あなたが言ったとおりだよ。あなたたちはみんな、予言に書かれた〈運命のドラゴンの子〉でしょう？　英雄《えいゆう》で、救世主《きゆうせいしゆ》なの。でもわたしは……わたしはその反対なんだ。悪者なんだよ」

「ぼくが英雄なもんか」クレイは答えた。「ぼくたちを〈スカイキングダム〉から連《つ》れだしてくれたのは君じゃないか」

「あなたがいたからってだけだよ」ペリルは首を横にふった。「わたし、生まれつき殺《ころ》し屋《や》だったんだって思ってたのに、そうじゃなかったわ。スカーレット女王がわたしを殺し屋にしたんだよ……いや、わたしが自分でそうなったのかもしれない。知らないうちに道を選《えら》んでたようなものだよ。でもあなたは、今の自分として生まれてきた」クレイはたじろいだ。仲間《なかま》たちの視線が自分に向いているのを感じる。「クレイたちは自分がなんなのかを知ってて、他の自分になる道を選んだんでしょう？　わたしもそうじゃないとみんなの仲間になれないような気がするんだ」

青い炎《ほのお》のひとみで、彼女はひとりひとり友達《ともだち》を見つめた。「わたし、〈スカイキングダム〉にもどる。わたしの国だし、スカーレット女王が死んだのかもたしかめなくちゃ」

「国をでたくないの？」クレイはたずねた。「〈スカイキングダム〉の外の世界を見てみたくないの？」

ペリルは足元の灰《はい》をかき回した。「わたしが行っても世界がだいじょうぶだって思えるまでは無理《むり》だよ」

「感動のお別《わか》れだけど、急いでもらえない？」ツナミがわって入った。「どうやらお客さんが来たみたいだしね」そう言って、苦々しい顔でがけの上をあごでしゃくってみせる。

ドラゴンたちの編隊《へんたい》がふたつ、ゆうがに螺旋《らせん》をえがいて飛《と》んでいるのが見えた。片方《かたほう》は赤と金の光を放ち、もう片方はあわい白にかがやいている。その上には見まちがいようがない、バーンがゆうゆうと飛行《ひこう》していた。ドラゴンたちはすぐにぱっとわかれると、四方八方に散《ち》らばっていった。羽音が空を満《み》たす。ドラゴンたちは長くのばした首を左右にふりながら捜索《そうさく》をしていた。

逃亡《とうぼう》したドラゴンの子さがしが始まったのだ。

「どうしよう？」サニーが声を殺《ころ》して言った。

「三角州《デルタ》に行かなくちゃ」ツナミが答えた。「そこに行けば、クレイの家族が見つかるはずだもの。もしかしたらわたしたちを守って、力になってくれるかもしれないよ」

「ていうことは海に出るのね」サニーが言った。「じゃあ、ツナミの家族も見つけられるかも。それに、スターフライトにも見つけてもらえるんじゃないかな。ねえ、スターフライトもわたしたちをさがしてくれてるかな」

「どうだろうね」グローリーが言った。サニーがしょんぼりする。「今はすばらしいナイトウイングたちといっしょなんだもの。それにこんなこと言うのはいやなんだけど、上でわたしたちをさがしてるドラゴン、二百頭くらいいるんだよ。この森からでてったらその瞬間《しゅんかん》に、リスみたいに狩《か》られちゃうに決まってるよ」

「それならぼくに考えがあるんだ」クレイがおずおずと言った。「でもみんな、気が進まないだろうな」

「へえ、よかった」グローリーが皮肉っぽく言った。「きっと最高《さいこう》の作戦《さくせん》ね」

まったく、ぼくがなにしたって言うんだよ？　クレイはそう思いながら川を指さした。

「デルタまで泳ぐんだ」

グローリーがいやそうな顔をしてみせた。かぎ爪《づめ》が茶色から薄《うす》い青に変《か》わり、また茶色にもどる。

「わたし、泳ぐの苦手なんだよなあ」サニーが不安《ふあん》そうに言った。「でもがんばってみる」

「空から見つかるに決まってるよ」ツナミが言った。

「グローリーはだいじょうぶだよ」クレイが言った。「川に入ってもすがたを消せるからね。それにツナミが背負《せお》ってあげれば、いっしょに消えちゃうことだってできるしさ」

グローリーもツナミも、クレイのアイデアを聞いてもまったく動じなかった。

「それからサニーの全身に泥《どろ》をぬって、ぼくの背中《せなか》に乗せるんだ」クレイは続《つづ》けた。「浅《あさ》せから出なければ、空から見ても川底《かわぞこ》と見わけがつかないはずだ」

ペリルがわって入った。「わたしは、みんなが行ってからちがう方向に飛んでく。もしかしたら、しばらくあいつらのおとりになれるかもしれないからね。みんなが安全なところまで行っちゃえば、もうあいつらもわたしに手をふれたり、なんかしたりできなくなるわ」彼女がクレイの顔を見て、また目をそらした。

「わかった」ツナミがうなずいた。「それがいちばんいいみたいだね。やってみよう、それも今すぐにね」そう言うと、さっさとグローリーを連れて湖に入っていく。

クレイはペリルのほうを向いた。「本当にやるのかい？　もしバーンの怒《いか》りが君に向いたらどうするんだ？」

「怒りが向くって、どんなふうに？」ペリルが聞き返した。「わたしにもたったひとついいことがあってさ、どんなドラゴンもわたしにこうげきをくわえられないんだ。たぶん、あなたは別《べつ》だけどね」彼女の翼《つばさ》がゆれる。

クレイは彼女の手をにぎると、熱《ねつ》が自分のうろこにしみこんでくるのを感じた。「君のいいところはそこだけじゃないよ、ペリル」そう言って自分のしっぽを彼女のしっぽにからませ、翼でつつみこむ。

ペリルはクレイの肩《かた》にもたれかかった。「あなたに言われると、ほんとにそうだったらいいなって気持ちになるよ」

「クレイ」ツナミが大声でよんだ。「もう行くよ」

クレイが体をはなし、ペリルが彼《かれ》にふれていたうろこをなでながら一歩さがる。クレイは「気をつけるんだよ。わかったね？」と声をかけた。

ペリルがうなずく。「戦争《せんそう》を終わらせたら、またわたしのとこに来てよね」

サニーは泥の中に寝転《ねころ》がってもぞもぞと動きながら、クレイに泥をぬってもらった。ぶあつい茶色い泥が、金色の体をおおいかくしていく。クレイはしっぽにもしっかりとぬりたくり、背《せ》びれもすきまなく泥で固《かた》めてしまった。すっかり泥をぬられたサニーはマドウイングそっくりというわけではなかったが、それでもサニーにはとても見えなかった。

「なんだか重くてのろまになっちゃった感じ」サニーが言った。けれどクレイの翼に乗ってとげのようなヒレをつかんでも、牛一頭ほどの重みも感じさせなかった。楽々と彼女を持ちあげたクレイが、湖のほうに進んでいく。

ツナミとグローリーは、もう水にぷかぷかとうかびながら待っていた。ぼんやりと輪郭《りんかく》しか見えないので、ひどく奇妙《きみょう》なながめだ。グローリーは翼を大きく広げ、ほとんどツナミの全身をかくしてしまっていたが、まだ青い翼やしっぽの先がちらちらとのぞいていた。

どうかそれが空から見えませんようにと、クレイは祈《いの》った。

サニーがもぞもぞと、ペリルのほうをふり返った。「助けてくれてありがとう」と声をかける。

「最初《さいしょ》はうらぎられたけどね」ツナミがぶつぶつと言った。グローリーがその頭を水の中におしこむ。

「がんばってね」ペリルが言った。

「君もね。さよなら、ペリル」クレイが言った。

クレイはペリルの視線がついてくるのを感じながら、湖の中にはいこんだ。彼女と再会を果《は》たせるかどうか、彼にはわからなかった。

クレイとサニーはあまり波紋《はもん》をたてないように気をつけながら、浅せを進んでいった。

両脚《りょうあし》がつかっているよくすみわたった水は、いてつくように冷《つめ》たかった。河口《かこう》にたどり着いたクレイは水の流れを感じると、そのまま流れの中に進んでいった。ダイヤモンド・スプレー川をくだり、山々からはなれていく。

まるで、アリーナでかぶった土ぼこりや痛《いた》みがうろこから洗《あら》い流《なが》されていくかのようだった。翼も好《す》きなように開けるし、仲間もまたすぐそばにいてくれる。まだ安全とはいえないかもしれないが、それでもこれならばみんなを守ってあげられる。

〈スカイキングダム〉は、どんどん後ろに遠のいていく。

行く先には〈マドキングダム〉の湿地帯《しっちたい》が、そして〈ダイヤモンド・スプレー・三角州《デルタ》〉が、そして両親が、ふるさとが待っているのだ。

第3部

ドラゴンの血の色の卵《たまご》

31

ドラゴンの子たちは一日じゅう、夜になるまで泳いでは流され、流されては泳ぎ続《つづ》けた。やがてすっかり暗くなり頭上にちらつく炎《ほのお》の息がひとつも見えなくなってしばらくすると、彼《かれ》らは食事と休けいのためにぬかるんだ川岸にはいあがった。

開けた草原で狩《か》りをするのは、せまいどうくつの中で獲物《えもの》を狩るよりもずっとむずかしかった。ウサギ二羽《わ》とコヨーテ一頭をのがしたクレイは、胸《むね》の中で世話係《マインダー》たちをのろった。それでもやっとの思いでイボだらけでぶあつい皮におおわれた大きなブタを一頭しとめると、みんなと分けあうために引きずりながらもどっていった。

獲物運びを手伝《てつだ》おうと、サニーがやってきた。「ツナミもお魚さんを何匹《なんびき》かつかまえてくれたよ。わたしもおいしい野生のニンジンをほったんだけど、だれも食べたがってくれないんだ」

「ニンジンを？」クレイは鼻先にしわをよせた。「わざわざ食べたがるやつ、いるの？」

「わたしは好《す》きだもん」サニーがふくれっつらをした。「自然《しぜん》の味がするし、歯ざわりだっていいんだよ。みんなも食べたらぜったいに気に入るのに」

「ぼくはごめんだな。せっかく自由になったんだ。これからは、自分が食べたいものだけ食べるんだ」**ぼくでもつかまえられるような、のろまな獲物だけだけどね。**クレイはそんなふうに思って、少し悲しくなった。

あたりはもう暗くて、あちこちに曲がりくねった木々のかげが見えるほかにはほとんどなにもわからなかったが、空にそびえるギザギザした山々の形は月明かりにうかびあがっていた。その上を、コウモリのようなかげがいくつもぐるぐると飛《と》び回《まわ》っている。

「バーンはまだあきらめてないみたいだね。当分はさがすのをやめる気はないみたい」ツナミが言った。

「どうしてわたしたちを殺《ころ》したいんだろう？」サニーが首をかしげた。「わたしたちになにかされたわけでもないのにさ」

「予言を信《しん》じてないんだよ」ツナミが答えた。「特《とく》に、あたしたちの予言をね。あの予言では、姉妹《しまい》のうち二頭は死ぬって言われてるわ。でも『炎をつかさどる三頭の王女のうち』っていうだけで、だれが死ぬかまでは書かれてないの。バーンも、自分が大勝利《だいしょうり》をおさめるってはっきり書いてあるなら、あの予言を気に入るんだろうけどね。でも今のままじゃとにかくはっきりしないし、バーンにとってはなぞなぞみたいなものよ。だったらあたしたちはみな殺しにしてしまって、自分の力で戦争《せんそう》しようって思うでしょうね」

「じゃあだれに勝ってほしいか選《えら》ぶとしたら、バーンだけはぜったいにいやだな」サニーがふるえながら言った。

「ブレイズがいいんじゃないかな」ツナミは肉をかじりながら言った。「スターフライトの話じゃ頭が悪いってことだけど、それでも〈砂の翼《サンドウイング》〉には人気があるからね」

「わたしはブリスターかな」グローリーが言った。「かしこい女王様で悪いことはなにもないよ。わたしが決められるわけじゃないけどね」

クレイはおどろいて彼女《かのじょ》の顔を見たが、言葉の意味をたずねるよりも先にツナミが口を開いた。

「でもブリスターはかしこいだけじゃない。まき物に書かれてたことや世話係の話が本当だとしたら、ブリスターはずるがしこくて策略《さくりゃく》にたけていて、女王になるためには手段《しゅだん》を選ばないドラゴンだよ。他の種族《しゅぞく》をほろぼしたり世界を破壊《はかい》しなくちゃいけなかったりするのなら、ブリスターはきっとそうするだろうね」

ドラゴンの子たちは静《しず》まり返《かえ》った。むげんに広がる空の下にいると、クレイはとてもちっぽけな気分になった。自分たちが次のサンドウイングの女王を選んだり、ましてや戦争を終わらせたりしようなど、とんでもなくばかげた話に思えてくる。いったい自分たちの言葉にだれが耳をかしてくれるだろう？　敵対《てきたい》する三頭の王女たちは、話を聞いてなんかくれないはずだ。たった五頭のドラゴンの子だけで、いったいなにを起こせるというのだろうか？

サニーは希望《きぼう》をこめた目で月を見あげた。クレイには、彼女の気持ちがとてもよくわかった――いきなり星々の中からスターフライトがあらわれて、またみんなのもとにおりてきてくれたらいいのに。あの知ったかぶりの仲間《なかま》をこんなにこいしく思うなんてわれながら意外だったが、彼がいないとどうもなにかおかしい気がしてならない。

たとえば、グローリーの毒液《どくえき》がなぜ使えるようになったのかなど、スターフライトだったらなにか答えを知ってそうだと思うとなおさらだ。「〈雨の翼《レインウイング》〉はみんな毒《どく》が使えると思う？」クレイは、ツナミとサニーがいっしょに丸くなってねてしまうと、グローリーにたずねてみた。グローリーはみんなからはなれたところでしっぽをきれいにまいて、じっと山々を見つめていた。

「わたしだって知らないよ」グローリーがむっとしたように答えた。「だって、レインウイングのことなんてだれもわたしに教えてくれなかったじゃない。なまけ者だっていう話と、あとは何回言われたかわからないけど、予言の〈運命のドラゴンの子〉じゃないって話ばっかりでさ」

「ぼくにおこってるの？」クレイはたずねた。逃亡《とうぼう》してから、グローリーがほとんど口をきいてくれなくなったように感じていたのだ。

グローリーは目を閉《と》じて、答えようとしなかった。クレイには、そのとおりだと言っているように感じられた。

もうくたくたにつかれていたが、クレイはあまりねむらずにおいた。とにかくまだ暗いうちに、進めるだけ進んでしまわなくてはいけない。無理《むり》やり目を開けて空を見ると月がふたつ山の向こうに落ちかけており、三つ目はまだ天高きところにかかっていた。そばでは川が静《しず》かな水音をたてて流れ、体の下では泥《どろ》が温かく感じられた。

ふと、グローリーがいないことに気がついた。

心臓《しんぞう》がドキリとする。**いやだ、もうだれも失《うしな》いたくないよ。**クレイは心の中で言った。他のみんなをゆり起こす。「グローリーがいないんだ」

「わかってる」ツナミは低《ひく》い声で言うと、さっと立ちあがった。「あの子、なにかにおこってるんだよね」

「おこってるって、なにに？」サニーはとまどったように暗やみを見つめた。「みんなでにげられて、よろこんでるんじゃないの？」

「たぶん居心地《いごこち》がよくないんだと思うよ」ツナミが言った。「このどんかん男のせいでさ」そう言って少しだまってから、しっぽでクレイを軽くたたいた。「あんたのことだよ、このまぬけ」

「え、ぼくまたなにかしちゃったの？」どんかん男とはどういう意味か考えていたクレイは、びっくりしてさけんだ。

「やれやれ、ちょっと考えてみよう」ツナミが言った。「さてさて、もしあの頭のおかしいペリルがあたしたちの〈空の翼《スカイウイング》〉だったらすごくない？　もしかしたら、あたしたちがずっと待ちこがれてた五頭目の〈運命のドラゴンの子〉かもしれないんだよ。モロウシーアのご希望どおりグローリーをはずしてさ、あたしたちが出会った初《はじ》めてのスカイウイングと入れかえちゃおうよ」

「グローリーを入れかえるなんていやだよ」クレイは目を丸くした。「たしかに、ペリルが仲間に入れたらって思ったけど、**ぼくたちみんな**の仲間ってことだよ！　グローリーをはずしたいなんて、考えたこともないってば！　それに……ちょっと待って」クレイは頭をかかえた。「言いだしたのはグローリーじゃないか。ペリルが伝説《でんせつ》のスカイウイングかもしれないって、あの子が言いだしたんだよ」

「まあまあ、そんなに興奮《こうふん》しなくたっていいじゃない」ツナミが言った。

「はあ？」クレイはむっとした。「こんなの不公平《ふこうへい》じゃないか。まるで女の子たちしか答えを知らないテストに、ぼくだけが落第しそうになってるみたいでさ」

「わたしはなんにも知らないよ」サニーが手をあげた。

「自分でまねいためんどうじゃない。グローリーよりもあのおっかないスカイウイングを選んだんだからさ」ツナミがきつい口調で言い返した。

「そんなことしてないよ！」クレイの声は、ほとんど悲鳴のようだった。「するわけないじゃないか。どっちを取るかって話だなんて、だれにも言われてないんだよ」

「クレイの言うとおりだよ」サニーが口をはさんだ。「グローリーの代わりにペリルを取れだなんて、だれにも言われてないと思う。わたし、みんなで予言を実現《じつげん》させるんだと思ってたもん」

「そりゃあ、サニーはそうでしょうね」ツナミが言った。「あんたの考えることなんて、いつもそんなもんだからね」

サニーの背《せ》びれがピンと立った。「**へえ、そうなの？**」と、クレイが聞いたこともないようなおそろしいうなり声をだす。

けれどツナミはもう、クレイのほうを向いていた。「たぶんグローリーは今ごろ、自分のふるさとの熱帯雨林《レインフォレスト》に向かってるところだよ。きっと自分がいないほうがみんなのためだって思ったんだろうね」

「そんなわけないよ」クレイはぶんぶんと首を横にふった。「グローリーはぼくたちの仲間なんだ。予言だって、他のドラゴンと仲間になっちゃいけないなんて言ってないだろ。そもそもあの子がいなかったら、ぼくたちは脱走《だっそう》さえしてないかもしれないんだ……グローリーだって、そのくらいわかってるんじゃないの？」

「まったくもう」ツナミはため息をついた。「それであの子の気が楽になるとでも？　なにもかも**あの子の失敗《しっぱい》**だって言いたいの？」

「ちがうよ、そんなわけないだろ」クレイは答えた。「何度だってああするよ。二度でも三度でも、グローリーを助けられるならなんだってするよ。グローリーだけじゃない、君たちにだって同じことをするよ」そう言って、足の指の間から出てくる泥を見おろす。「追いかけなくちゃ。三角州《デルタ》のことも、ぼくの家族のことも全部忘《わす》れよう。熱帯雨林に行って、グローリーを見つけなくちゃ。今すぐに」

周《まわ》りの暗やみの中から、カエルたちの鳴き声が聞こえていた。サニーはツナミからクレイに視線《しせん》をうつし、それからまたツナミの顔を見た。

「ほらね、言ったでしょ」ツナミが言った。

「うん。ちゃんと聞いた」グローリーの声がした。「あなたの言うとおりだったわ。今回だけはね。ありがとう、クレイ。うれしいこと言ってくれちゃって」

クレイはグローリーの翼《つばさ》の先が自分の翼の先にふれるのを感じた。月明かりを浴《あ》びてきらめきながら、グローリーのうろこがゆっくりともどってくる。

「ずっといたの？」クレイはとびのいた。

「行くか残《のこ》るか決めようと思ってさ」グローリーが答えた。「わたしはクレイにじゃまにされてると思ってたんだけど、ツナミはそんなことないって考えててね。ごめんね、わたし……すごく頭にきてたの」

「そうかい。今は**ぼく**がすごく頭にきてるよ」クレイはむっとして言い返した。「まったく、ひどいことするよな」

「ツナミが言いだしたんだからね！」グローリーが言った。「おこるんだったらツナミにおこってよ」

「あらまあ、どういたしまして」ツナミが鼻を鳴らした。

「ふたりにおこってるんだよ！」クレイは足音もあらく川に向かった。「行こう、サニー。ぼくたちも、なにか、みんなが引っかかるひどいいたずらを考えようぜ」

「クレイってば」グローリーが彼の背中《せなか》に声をかけたが、たいして心配している声でもなかった。**ぼくがいつでもゆるすって知ってるんだな。**クレイは声にださずにぼやいた。**ぼくならそうしてくれるってわかってるんだ。**それでも、なにも説明《せつめい》できないまま彼女が行ってしまったわけではないと思うと、いたずらだとわかってもクレイは安心した。

「とにかく、泳ぎ続けなくちゃ」ツナミがグローリーに言う声が聞こえた。

川岸にいるクレイに、サニーが追いついてきた。

「ひどいことするよね」サニーが言う。「あんなふうにおたがいをだましあうことなんてないのに……」

「次に休けいするときには、ツナミの頭から泥を浴びせてやる」クレイが言った。

サニーは鼻先にしわをよせ、しかめっつらをしてみせた。「わたし、まじめに言ってるんだよ！　クレイだって、いつもみんなで力をあわせなくちゃだめだって言ってるじゃない。だれかがけんかしてたら、いつも止めてくれるじゃない。もっと信頼《しんらい》しあわなくちゃって、もっとおたがいの話を聞かなくちゃって、クレイが言ってくれなきゃ。みんなに言ってくれなきゃ」

「みんなそのくらいわかってるよ」クレイは、サニーのうろこに泥をぬってあげながら言った。もっと仲良《なかよ》くしろなんて言い始めたら、グローリーにもツナミにも笑《わら》われてしまうに決まっている。

サニーはため息をついて、クレイの背中によじ登った。また水の中へと入っていく。すぐ後ろでグローリーとツナミが同じように立てたさざ波を、クレイは感じた。

海を目指して南東へと泳いでいくにつれ、川の水は温《あたた》かくなっていった。しばらく進んでいくとゆく手に広がる水平線に太陽が顔をだし始め、遠くにきらめく大海原《おおうなばら》が見えてきた。陸地《りくち》はうすい茶色と深い緑のしげみにおおわれ、広げたドラゴンの翼のようにうねりながら続いていた。

クレイは、空を飛《と》ぶ敵《てき》のドラゴンたちのことも、スターフライトの居場所《いばしょ》も、グローリーへの怒《いか》りも、なにもかも忘れてしまった。翼は心臓の鼓動《こどう》とともにどんどん速く動き、水をどんどんかいて進んでいく。〈泥の王国《マドキングダム》〉はすぐそこだ。仲間のドラゴンも、ずっと夢《ゆめ》にえがいてきたふるさとも、すぐそこにせまっているのだ。

すぐ前のほうから滝《たき》の落ちる音が聞こえてきても、クレイはまったく不安《ふあん》に感じなかった。川からつきだした岩をよけ、しっかりつかまっているようサニーに声をかける。そして滝めがけてどんどんスピードをあげると、翼を広げて一気に宙《ちゅう》に身をおどらせた。

風に乗り、全身をよろこびがつきぬける。前を向けば川が百本もの細い支流《しりゅう》に枝分《えだわ》かれし、湿地帯《しっちたい》をぬけて海へと流れこんでいるのが見えた。そして、〈泥の翼《マドウィング》〉たちのすみかが見えた――泥で作られたドラゴン数頭分の高さではばはさらに広い塚《つか》が、いくつもまるで太くて茶色い歯のように湿地帯からつきでているのだ。

そのとき、サニーが恐怖《きょうふ》の悲鳴をあげて首にしがみついてきたので、クレイは下を見おろした。

ふたりの真下、がけと湿地帯の間に戦場《せんじょう》が広がっていた。そしてそこには、ドラゴンの死体がごろごろと転がっていたのだった。

32

クレイは翼《つばさ》を広げたまま、ゆっくりと戦場《せんじょう》の上を旋回《せんかい》した。下を流れる川は血でどす黒く色が変《か》わり、見わたすかぎりどこまでもにごったまま流れていた。もう水の中に入る気はしない。

地面は泥《どろ》まみれになっていたが、やさしい泥ではなかった――ここには血や骨《ほね》がまざっていて、もりあがった土の中からは、まるであらしにたたき折《お》られた木の枝《えだ》のように翼がつきだしている。ドラゴンたちの死体はどれも泥まみれになっておりマドウイングのようだったが、あちこちにいてつくような青や白と見まちがいそうな砂漠《さばく》の砂《すな》の色をしたうろこがちらちらと光っているのがクレイにも見えた。滝《たき》からそう遠くないがけの下には一頭の〈氷の翼《アイスウイング》〉が墜落《ついらく》しており、銀の翼と血まみれの体にかかる滝のしぶきが虹《にじ》を作っていた。

「まだ戦《たたか》いが終わったばかりなんだ……」サニーが言った。「せいぜい何日かしかたってないと思う。見て、まだ炎《ほのお》が残《のこ》ってるところがある」クレイの背中《せなか》から身を乗りだすようにして、泥の中にぽつぽつともえているオレンジ色の炎を指さす。おそろしい、いやなにおいの黒いけむりがもくもくと空にのぼっている。

クレイは炎のひとつめがけておりていってみた。すると、もえる死体からのびる茶色いうろこの手脚《てあし》が見えた。はき気をこらえながら、あわてて空に舞《ま》いもどる。もえているのはマドウイングたちの死体なのだ。

グローリーとツナミもばらばらに飛《と》んできて、クレイに追いついた。グローリーは川の色をぬぎ捨《す》てて、朝つゆをつけた草のような静《しず》かな緑色を体にまとっていた。ツナミはエラをふくらませて戦場を見回していた。どちらも、クレイと同じくはき気をこらえているようだった。

「だれが勝ったと思う？」ツナミが言った。

「だれが**勝った**か？」サニーがさけんだ。「だれもよ。こんな光景《こうけい》を見て『やった、勝ったぞ！』なんて言えるドラゴンなんて、どこにもいやしないよ。そんなのありえないよ」おし殺《ころ》していながら、悲しみと怒《いか》りをにじませた声だ。

「ブレイズの軍《ぐん》がマドウイングをこうげきしたにちがいないよ」グローリーが言った。

「ほら見て、あそこにアイスウイングとサンドウイングの死体があるでしょ？　ブレイズの味方だわ」

「マドウイングはスカーレット女王に援軍《えんぐん》を求《もと》める使者をだしたはずだよ」ツナミがうなった。「でも孵化記念日《ハッチング・デー》のお祝《いわ》いをじゃまされたくないから、女王が見捨《みす》てたんだ」

ほとんどとけてしまってはいるが、クレイが見わたしてみると、たしかにアイスウインググがはいたいてつく息の名残《なご》りがまだ残っていた。死体の中には無《む》きずのものもあったが、まるで悲鳴をあげながらこおりついてしまったかのように口を開け、身をよじったおそろしいすがたのまま固《かた》まっているのだった。ねらいをはずして地面をこおらせてしまったのだろう、ところどころ泥がこおってかがやいていた。そして死体の中には、体の一部がこおったまますっぱりと切り落とされているものもあった。

「これじゃあ助けが見つかるわけないよ」クレイがつぶやいた。

サニーはクレイの背中からおりると、前に飛びだしてぱっとふり返った。「どうして？」

「ぼくたちがいっしょに行ったって、マドウイングに信《しん》じてもらえるわけがないじゃないか」彼《かれ》が言うと、他のドラゴンも集まってきた。宙《ちゅう》でとどまり、四頭は静かに羽ばたいていた。

「たしかに」やがて、グローリーがゆっくりと口を開いた。「特《とく》にツナミ、あなたはね。〈海の翼《シーウイング》〉はブリスターと手を結《むす》んでいるもの」

「ぼくがひとりで行くよ。まだ父さんと母さんが生きてたら――」なにか下に白いものが見えて、クレイは途中《とちゅう》でやめた。胃《い》がしめつけられる。あれはもうなんだか見分けがつかない泥まみれのかたまりからつきでている、肉のやけこげてはがれ落ちた骨だ。

「――マドウイングの敵《てき》を引《ひ》き連《つ》れていくよりも、成功《せいこう》する可能性《かのうせい》は高いかもね」ツナミが代わりに続《つづ》けた。「でも行った先であなたがどんな目にあわされるかわからないんだよ。もしかしたらスカーレットみたいに、クレイをつかまえて閉《と》じこめようとするかもしれないんだ」

「ここにはマドウイングの女王なんて住んでないよ」グローリーが言った。「もっとずっと南の湿地帯《しっちたい》にいるんだから。わたしたちがいるのは、〈マドキングダム〉のはずれだよ。だからって安全っていうわけじゃないけどね、たぶん」

クレイは、ケストレルが〈ダイヤモンド・スプレー・三角州《デルタ》〉のことを、いやしい生まれのマドウイングが住むところだと話していたのを思いだした。しかし自分の両親がそういういやしい生まれのドラゴンだとしても、まったく気にならなかった。王族になりたいわけではない。ただ自分の家族がほしいだけなのだ。

「明日の日の出までにぼくが帰ってこなかったら、さがしにきてくれ」クレイが言った。

「それまでにわたしたちが必要《ひつよう》になったらどうする？」サニーが不安《ふあん》そうにたずねる。

「わたしもいっしょに行く」グローリーがいきなり言った。「わたしならレインウイングだってばれても、だれも気にしないもの……どうせ戦争《せんそう》にはくわわってないしね。それに、こんなこともできるよ」そう言ってその場で羽ばたき続けていると、やがて全身が茶色く変《か》わっていった。こはく色や金色がうろこのすきまや下腹《したばら》にきらめき、朝日を浴《あ》びた彼女《かのじょ》はまるでこのうえなく暖《あたた》かな大地のような色になった。

「そんなにかわいいマドウイングなんていないと思うよ」クレイがけわしい顔をした。すらりと長くゆうがなすがたと耳のまわりについた羽毛《うもう》の生えたひだは、まったくマドウイングらしく見えない。グローリーはひだをたたんで、よく見ないとわからないようにかくした。そして、しっぽもレインウイングらしく丸めるのをやめて、ぴんとのばしてみた。

「意味ないわ」ツナミが言った。「クレイだって、グローリーと同じくらいのかわい子ちゃんなんだから」

サニーもうんうんとうなずいている。

クレイは顔をしかめてツナミたちを見た。「どんな意味に受け取ればいいのかわからないな」

「わたしも」グローリーも続く。「さあ行こう。こんな戦場の上でふわふわういてるの、どう見たって不自然《ふしぜん》だし、マドウイングにあやしまれちゃう」

「あたしたちは滝で待ってる。無茶《むちゃ》しないでね」ツナミは舞いあがり、滝に向かっていった。クレイはつややかな青いその体と、急いであとを追いかけていくサニーを見送った。

「いっしょに来てくれてありがとう」とグローリーに声をかける。彼女が肩《かた》をすくめ、クレイは自分が彼女に腹《はら》をたてていたのを思いだした。なぜあんなことを、わざわざ口に出して言ってしまったのだろう？

グローリーといっしょに沼地《ぬまち》におりていきながら、なぜだれも戦場に転がる死体を埋葬《まいそう》したりやいたりしにこないのだろうと、クレイはふしぎに思った。たとえ敵だとしても、あんなふうに放置《ほうち》しておくだなんて、とても想像《そうぞう》できない。

「いた」グローリーが静かに言って、翼をかたむけた。泥の塚《つか》のそばに小さな丸の形に集まっている、七頭のマドウイングが見える。どうやら、隊列《たいれつ》の練習をしているようだ――体の向きを変えたりこうげきをしたりしつつも隊列をみだすことなく、自分たちの横側《よこがわ》を防御《ぼうぎょ》している。

クレイは深呼吸《しんこきゅう》した。このときが来たのだ。ついに自分と同じ種族《しゅぞく》のドラゴンたちと会うのだ。

地上におりていくと、海のにおいのする風がびゅうびゅうと耳のそばでうなった。ふたりの着陸《ちゃくりく》で起きた風で、アシの葉が深くおじぎをする。クレイは両足がしめった泥の中にずぶりと入っていくと、よろこびのふるえが背《せ》すじをはいあがるのを感じた。

マドウイングたちは着陸の音に気づき、牙《きば》をむいてさっとふり向いた。クレイは翼を広げて両手をあげ、なにもする気がないのをアピールした。

七頭のマドウイングはしばらく、とまどったようにクレイとグローリーを見つめていた。やがていちばん体の大きなメスのドラゴンが翼を動かし、いかくするような音をのどのおくで鳴らした。そして七頭はさっとクレイたちに背中を向けると、また隊列の練習を始めたのだった。

左にずれ、一頭ずつ前に飛びだして敵を爪《つめ》で切りつける練習をする七頭を、クレイは見つめた。いちばん大きなドラゴンがときどき号令《ごうれい》をかけているが、命令《めいれい》というよりも提案《ていあん》しているかのように聞こえた。「円の外側《そとがわ》にのばしてるしっぽにも気をつけて――次の一撃《いちげき》のために力を残しておくの――内側《うちがわ》の翼から伝《つた》わってくる信号《しんごう》にもちゃんと目を配って、見のがさないで」

まるで、クレイとグローリーがそこにいることなど、あっというまに忘《わす》れてしまったかのようだった。クレイは彼女を見つめ、ため息をついた。

「他のだれかをさがしたほうがいいかもね」小声で言う。

グローリーは大きなせきばらいをすると、「すみません」と言った。

大きなドラゴンは、あやしむような目でふたりのほうを見た。「続けなさい」と兵士《へいし》たちに言い、グローリーのほうにやってくる。クレイと同じようにたくましいのに、その巨《きょ》体《たい》が泥の上をするすると進んでくるのは見とれるほどにゆうがだった。体の側面《そくめん》と首にできたばかりのきずに泥と草をはりつけているし、片方《かたほう》の角の先がかけてしまっている。

「二頭だけ取《と》り残《のこ》されてしまったのはかわいそうだと思うわ」マドウイングはぶっきらぼうに言った。「でも、もう新しい仲間《なかま》はさがしてないの。この三年で一頭しか失《うしな》っていないのよ、毎日夜明けとともに訓練《くんれん》に打ちこんでいるからね。それにわたしたちは、異血《アンシブ》の者を仲間に入れたりしないわ」

「アンシブ?」クレイは聞き返した。メスのマドウイングがふしぎそうな顔をする。グローリーがクレイの足をふみつけた。**なにを言ってるかわかったふりしなきゃだめだ。**クレイは心の中で言った。

「ちょっとさがしてるドラゴンがいるの」グローリーが言った。「六年前に卵《たまご》を失ったマドウイングの夫婦《ふうふ》よ」

「マドウイングの夫婦?」他のドラゴンが、こんわくしたように言った。クレイは、頭の上の葉から朝つゆがぽたりと落ちてきたのを感じた。湿地《しっち》など毎日来ているといわんばかりの顔をして、しっぽで泥をかき回してみせる。卵からかえりたての子どものように地面に転がって泥まみれになってしまいたかったが、変《へん》な目で見られるしみっともないと思ってがまんしていた。

「赤い卵があったの」グローリーは、目の前のドラゴンたちの表情《ひょうじょう》をうかがいながらたずねた。「ここらへんのどこかからぬすまれたのよ」

「ぬすまれたですって!」大きなメスのドラゴンがさけんだ。「そんなことをするドラゴンがいるなら、会ってみたいもんだね!」泥につかった両足が開き、不気味《ぶきみ》に閉じる。グローリーは一歩あとずさった。

「持ち去られたっていうか」彼女が言った。「たしか、アーシャとかいうドラゴンだったはずよ」

メスのマドウイングは、ほっとしたように体の力をぬいた。「ああ、アーシャのこと。そのとおりよ。アーシャの姉妹《しまい》のキャットテイルが六年前、血の赤の卵を産《う》んだの。でも、ぬすまれたりなんてしなかったわ。本当よ」と鼻で笑《わら》ってみせる。

クレイは心臓《しんぞう》がはれつしそうだった。キャットテイル！　母親はそんな名前だったのだ！「そのドラゴンは元気なの？　キャットテイルだっけ。まだ生きてるの？」

「なんとかね」別《べつ》のドラゴンが答えた。「あそこの群《む》れはまとまりがないんだ。それにアーシャがいなくなってからはビッグウイングも変わってしまった。今じゃ、四頭にまで減《へ》ってしまっているんだよ」

まるで、知らない言葉で話されているような気がした。クレイは**ビッグウイング**とはなんのことなのか質問《しつもん》したくてたまらなかったが、その気持ちをぐっと飲みこんだ。

「どこに行けば会えるの？」

メスのマドウイングは片手《かたて》をのばし、塚《つか》と塚のすきまを指さした。「まだねむってるだろうけど、あの群れはたいていあのかわいた道のつき当たりにある、横あなをねぐらにしているよ」

「ありがとう」クレイは、背を向けて隊列にもどっていくメスのドラゴンにお礼を言った。

けれどドラゴンはもうほかの兵士たちのほうを見ていて、返事もしなかった。

もりあがったドラゴンの塚や湿地に生《お》いしげる草の間をぬけて、少し高くなった泥道《どろみち》が曲がりくねりながらのびていた。湿地ではアシの葉が風にざわざわとゆれ、ごつごつとした木があちこちに立っていた。ほとんどどの木からもツタがぶらぶらとたれさがっていたが、クレイがよく見てみると、中にはこい赤やオリーブのような緑色をした本物のヘビがぶらさがっている木もあった。ウシガエルの低い鳴き声が、あたりにひびいていた。

グローリーとならんで道を進んでいきながら、クレイはひときわうるさい声で鳴いているウシガエルを見つけてやろうと思い、大きな泥だまりをのぞきこんでみた。するといきなり、泥の中に目がふたつ開いた。グレイはあわててとびのき、道の反対側《はんたいがわ》に広がる湿地にグローリーをはね飛ばしそうになった。

「気をつけてよ！」グローリーがさけぶ。

「ドラゴンがいるんだよ」クレイは声をひそめた。泥の中にあらわれた目の後ろからクレイによく似《に》た耳がふたつつきだし、よく見るとその前には鼻のあながふたつ開いているのも見える。目を細く開いたままクレイをしばらく見つめると、閉じてしまった。そしてまた、泥の中へとしずんで見えなくなったのだった。

「あっちにも一頭いるよ」グローリーがささやき返す。クレイがふり向いてみると湿地にしずみかけた丸太のようなものが見えたが、よく見ると水面のすぐ下でねている、背びれのついたドラゴンの背中なのがわかった。鼻を岩に乗せてまぶたを閉じ、静かにいびきをかいている。

「うわあ、気持ちよさそうだな」クレイが言った。

グローリーが肩をすくめる。「わたし、泥の中でなんてぜったいにねむれないな。流砂《りゅうさ》とか蚊《か》の群れとか、洗《あら》ってもおちない泥まみれになっちゃう夢《ゆめ》とか見そう」

あらためてあたりを見回してみると、どの泥だまりにも同じようにドラゴンのすがたがあった。太陽はのぼり続けている。日光が湿地に広がっていくにつれ、何頭かのドラゴンは泥だまりから体を起こし、翼を広げて暖かな太陽を浴びていた。もりあがった塚の低い出入り口からも、ドラゴンたちがのそのそと出てきている。

しかしどのドラゴンもクレイとグローリーに見向きもしないので、クレイはふしぎに思った。見知らぬ顔がまざっていても、まったく気にした様子がないのだ。いつのまにかクレイたちは、いくつもの群れに入りこんでいたのだった。どの群れも五頭から九頭ほどで、自分の仲間としか声をかけあっていないようだ。ひとつの塚からは六頭の群れがはいだしてきて、ぐるりと塚を取《と》り囲《かこ》むとみんなそろって翼や首やしっぽをのばし始めた。

泥でにごった湖からは八頭ほどのドラゴンが作る別の群れから一頭、また一頭と空に飛《と》び立《た》つと、大きな円をゆったりとえがきながら湿地の上空を飛《と》び回《まわ》った。そうして何周《なんしゅう》かしたあとリーダーのドラゴンがいきなりアシのしげみの中に飛びこむと、両手のかぎ爪《づめ》でがっしりと一頭のワニをつかまえ、またすがたをあらわしてかわいた地面に着陸した。八頭のドラゴンが集まり、いっしょにワニを引きさいて食べ始める。

「こんなのまき物には書いてなかったね。マドウイングのくらしがちゃんと書いてあるまき物なんて、あのどうくつにはなかったんだわ」グローリーが言った。「めんどうみるのは自分の兵隊《へいたい》だけ。たぶん、だからあんなに強い戦士《せんし》たちが育つのね。忠誠心《ちゅうせいしん》のかたまりみたいな小さな群れが集まって、ひとつの軍隊《ぐんたい》を作ってるんだもの」

「そうかもしれないね」クレイはうなずいた。どの群れのドラゴンも身をよせあうようにしているのを見ると、なんだかうれしくなる。けれど、自分とグローリーがなに者で、いったいなにをしに来たのかを聞きにくるドラゴンが一頭もいないのは、どうも不安だった。だがもし母親がクレイのことを自分の息子《むすこ》だと知ったなら、きっと翼を広げてむかえ入れてくれるはずだ。

クレイはマドウイングの村を見回した。そしてようやく、自分のほうを見ている目をひと組だけ見つけた。うすいこはく色の目をした小さなオスのマドウイングが、泥につかって体をいやしている。角はまだしっかり育ちきっていなかったが、小さな子どもというわけでもなかった。とまどいもせず、ふしぎそうにクレイをじっと見つめている。クレイはにっこり笑い、手をふってみせた。

すると小さなマドウイングは目をぱちくりさせ、自分の塚へと走り去ってしまった。

道は村のまん中に立っている、何匹《なんびき》ものヘビがずっしりとぶらさがった一本の木の下をぬけ、湿地の中でも塚が少なく点々としているほうにのびていた。クレイたちが少し歩いていくと、アシがいっぱいに生いしげった湖のところで道はとぎれていた。湖の横にはぶかっこうな塚が立っていた。まるで怒りにまかせてドラゴンがなぐりつけたかのように、てっぺんのあながくずれかけている。

クレイはそこに近づいていきながら、知らず知らず息をひそめていた。自分の卵はここで産まれたのだろうか？　ここで卵からかえるはずだったのだろうか？〈山の底《そこ》〉の寒い岩だらけのどうくつよりも、ずっと温かくて湿《しめ》った泥に囲《かこ》まれている。けれどここにはくさった植物のにおいが立ちこめており、生きものの気配はまったく感じられなかった。クレイとグローリーは塚の前で立ち止まると、アシのせいで水が流れず、すっかりよどんでしまった湖を見た。

「たぶん、さっきのドラゴンが言ってた**ねぐら**っていうのはここね」グローリーが言った。

「てことは、クレイのお母さんはここに……？」

「キャットテイル」クレイは、言葉のひびきをたしかめるように静かな声でつぶやいた。

二頭はしばらく、なにもせず道にすわりこんだ。「中に入ってみるつもり？」グローリーがたずねた。

見知らぬドラゴンたちがいる泥の塔《とう》の暗やみに顔をつっこむなど、クレイは気が進まなかった。「きっとそのうちだれか出てくると思――」クレイがそう言ったとたん、平らな鼻先が塚の入り口からにゅっとつきだした。黄色い目が、じろりと彼を見る。

「ドラゴンの子が二頭だ」塚の中のマドウイングが言うのが聞こえた。「こっちはねむりたいのに、カラスみたいにしゃべってやがる」

「追いはらってしまえよ！」別の声がおくからひびいてきた。

「ごめんなさい」クレイはうろたえた。「そんなにうるさいとは思わなかったんだ。キャットテイルをさがしてるんだよ」もしかしたら目の前のドラゴンは父親かもしれないと思うと、気持ちがあせる。

ドラゴンはけわしい顔でクレイを見ると、さっと塚の中に引っこんでいった。まるで中のドラゴンたちがわれ先にでてこようとしているかのように、うなり声やうめき声や翼の羽ばたく音が聞こえる。

やがて、ほっそりとした体つきの茶色いメスのドラゴンが表にでてきた。うす茶色のまだらもようが入った翼をばさばさとゆらし、けわしい目でクレイとグローリーを見おろす。

「わたしになんの用？」メスのドラゴンが言った。

クレイは、自分の両足のかぎ爪に力が入るのがわかった。夢ではないかと思った。ずっと長いあいだ想像し、会いたいとなやみ、胸《むね》に思いえがいてきた母親――それが今目の前にいて、自分に向きあっているのだ。

33

クレイは言葉がでず、口をぱくぱくさせた。グローリーが目を丸くして、横からわりこんでくる。

「もしかして、キャットテイルさん？　アーシャさんの妹の？」

まだらもようのドラゴンは少し顔をしかめ、とまどいながら小さくうなずいた。「そうよ。あなたたちは？」

グローリーが爪《つめ》の先でクレイをつついた。クレイはあわてふためくと、うっかり「ぼくはクレイです。たぶんあなたの息子《むすこ》だと思う」と言ってしまった。

キャットテイルがじっと彼《かれ》を見つめる。両目はクレイと同じような茶色だが、細く黒い瞳孔《どうこう》の周《まわ》りに黄色いふちどりがある。クレイは心臓《しんぞう》をドキドキさせながら答えを待った。この瞬間《しゅんかん》を数えきれないほど夢《ゆめ》に見てきた。『消えた王女』の物語では、ここで両親が大よろこびしてごちそうをならべてくれるのだ。

「それが？」キャットテイルが言った。

クレイは聞きまちがえたのかと思った。「もしかして、あなたがぼくの母さんじゃないかと思うんです」

「それはさっき聞いたわ」キャットテイルが言った。「それがどうしたの？」

「ちゃんと聞いてよ」グローリーが言った。「あなたが六年前に失《うしな》ってしまった赤ちゃんが目の前にいるのよ」

キャットテイルはゆっくりと足元の泥《どろ》をかきまぜた。「赤ちゃんを失ったことなんてないね」とまどいもおそれも、よろこびも感じられない声。とにかく、さっさとこの話を終わらせてねかせてほしいとでも言いたげな様子なのだ。

グローリーは、いらだった顔でクレイを見た。クレイはなにを言えばいいのかわからなかった。

「いい？」グローリーが続《つづ》ける。「もしかしたら、わたしたちのかんちがいかもしれない。六年前、アーシャっていうドラゴンがこのへんから持ちだした血の赤の卵《たまご》からクレイはかえったの。で、親をさがそうとここに――」

「ああ、あの卵」キャットテイルがあくびをした。「なんだかアーシャがその話で興奮《こうふん》してたっけねえ。なんでだかさっぱりだわ。赤い卵なんて、二、三年おきに生まれるんだもの。でもその卵なら、わたしが失《な》くしたわけじゃないよ」

「じゃあどうして？」クレイはなんとか口を開いた。

「〈平和のタロン〉に売ったのよ」キャットテイルはそう言うと、いきなりあせったようにそわそわし始めた。「まさかあいつら、牛を返せっていうの？　そんなの無理《むり》な相談よ。育てて増《ふ》やすはずだったのに、わたしたちあのときの牛を全部食べちゃったんだもの。残《ざん》念《ねん》だったわね」

「ぼくを**売った**の？」クレイはさけんだ。まるで長いかぎ爪《づめ》で胸《むね》を何度も何度も切りさかれたような気持ちだ。

「だめなの？」キャットテイルが答えた。「だって、いっしょに他の卵が六つもあったのよ？　だからあなたは必要《ひつよう》なかったの」そう言いながら、爪の間にはさまったアヒルの羽根を引きぬく。「あなた、アーシャからなにも聞かされてないの？」

「アーシャは死んでしまったわ」グローリーが言った。「クレイの卵を守ろうとして命を落としたの」

「死んだ？」キャットテイルは、ようやくおどろいた顔をしてみせた。「だから仲間《なかま》からはなれるなって言ったのに！　ビッグウィングが聞いたらおこりまくるわ」そう言ってチロチロと舌《した》をだしながら、けわしい顔をした。「まあ、わたしたちより〈タロン〉を選《えら》んだんだから、当然《とうぜん》のむくいよね」

「予言を実現《じつげん》させようとしたのよ」グローリーが言い返した。「〈タロン〉には自分たちの他にもなにか大事にしてるものがあるってこと」

クレイは、もうれつにきずついてさえいなければきっとふきだしてしまっていただろう。グローリーが〈平和なタロン〉がまともみたいに言うのなど、聞いたことがなかったのだ。

「まったく、いかにもアーシャだね」キャットテイルが言った。「いつだって変《へん》な話にはすぐに飛《と》びついて、感傷的《かんしょうてき》で、流されやすくてさ。予言の話をしながら小さな子たちのあとをついて回るのが大好《だいす》きだったっけ。おかげでこの村には、まったくばかばかしい夢を見るドラゴンがたくさんいるんだよ。いまだに運命だの平和だの言って、うるさいったらありゃしないんだから」

ドラゴンはそうそう泣《な》いたりしない。クレイも、どれだけケストレルにひどいことを言われたり痛《いた》めつけられたりしようとも、生まれてから一度も泣いたことなどなかった。けれどクレイはふと、もしアーシャが生きていたら自分はどんなくらしを送っていたのかが見えたような気がしたのだった。きっと彼女《かのじょ》もあの〈山の底《そこ》〉で自分たちの世話をしてくれていただろう——あの世話係《マインダー》たちとはちがってやさしく、愛情《あいじょう》深く、理想的《りそうてき》で希望《きぼう》に満《み》ちた世話係になっていたはずだ。予言も、そして自分たちのことも、きっと信《しん》じる気持ちにさせてくれただろう。残酷《ざんこく》なケストレルとは正反対に。

自分の卵を持ってきたアーシャのことなどたいして考えてみたこともなかったが、今はただ、ほとんど彼女を知ることもなかったのに死んでしまったのが悲しくて胸が痛んだ。

気づけば今にも泣きだしてしまいそうになっていた。涙《なみだ》なんて流したら、母親はいったいどんな顔をするのだろう？

「父さんのほうは？」クレイはこわばった声で言った。「卵を売ろうとして、父さんは止めなかったの？」

キャットテイルは頭をのけぞらせると、まるで何千匹《びき》というウシガエルがいっせいにわめき始めたかのような、大きな笑《わら》い声《ごえ》をあげた。「あんた、ほんとにマドウイングのことをなにも知らないんだね。あんたの父親なんて、だれかも知らないよ。いたって、なんにも気にしなかったろうね。わたしたちは月に一回、夜になると繁殖《はんしょく》するけれど、それが終わったらみんな自分のねぐらにもどってしまうんだよ。だからここには、あんたの父親なんていやしないのさ」

「それにどうやら、母親もいないみたいね」グローリーが冷《ひ》ややかな声で言った。

キャットテイルもさらりと「そのとおり」とうなずく。「ま、がんばりなさいな。わたしたちの群《む》れには、しつこいガキ二頭の居場所《いばしょ》なんてないけどね」

有無《うむ》を言わさない口調だった。きずつけようとしているわけでないのはクレイにもわかったが、それでも今までに味わってきたどんなことよりも彼はきずついた――ケストレルのどなり声やこうげきよりも、アイスウイングに切りつけられた背中《せなか》のきずよりも、鳥かごにとらわれたサニーを見たときや、ペリルのうらぎりを知ったときよりもきずついた。

胸のおくで自分の夢が、まるで積《つ》みあげた岩のようにガラガラとくずれていくような気がした。

外の世界でだれかがきっと自分を待っていてくれるのだと、ずっと信じてきた。いつか自分はあの物語と同じように、母親や父親を見つけて再会《さいかい》を果《は》たすのだと思ってきた。〈山の底〉で読んだまき物にはマドウイングの家族のことなどなにひとつ書かれてはいなかったが、〈夜の翼《ナイトウイング》〉やシーウイングには両親がいるのは知っていたから、ドラゴンはどの種族《しゅぞく》もそういうものなのだとばかりクレイは思っていたのだった。

それが、だれも自分の父親を知らないなどとは、ちらりとも考えてみたことすらなかった。それに、母親があんなにも自分を気にかけていなかったり、会ったとたんに追い返されそうになったりするなんて、想像《そうぞう》もしていなかった。

アーシャが生きていたら、忠告《ちゅうこく》してくれてたかもな。クレイは心の中でため息をついた。もしまだ元気だったならきっと〈マドキングダム〉がどんなところかを彼に教え、よけいな夢など見ずにすむようにしてくれていたかもしれないのだ。

「行こう、クレイ」グローリーがくいくいと彼の翼《つばさ》を引っぱった。そのままさっきの道まで引き返し、マドウイングの村へと歩きだす。クレイは、うろこがまるで岩になってしまったかのように重く感じた。ずるずるとしっぽを引きずりながら、とぼとぼ歩いていく。

「ねえ、〈タロン〉に言っておいてよ!」キャットテイルがふたりの背中にさけんだ。「取り引きは終わったってさ！　なに言われたって牛は返さないって！」

「わたしがだれかに話を聞いてきてみようか？」村までもどるとグローリーが言った。

「もしかしたらキャットテイルがまちがってて、クレイのお父さんはさがしてくれてるかもしれないよ」

クレイは首を横にふった。「意味ないよ。ここにはぼくの居場所なんてないんだ」

とつぜんグローリーがはっと息をのんだ。前に広がる野原を指さし、近くで低《ひく》くたれさがっているツタの下に飛びこむ。クレイもすぐにあとを追った。

村のまん中でたくましいサンドウイングが一頭、どすどすと足をふみ鳴らしながら、かぎ爪にこびりついた泥をはらい落とそうとしているのが見える。片耳《かたみみ》と歯が何本かない。目の前にいる二頭のマドウイングを見ながら、顔をしかめている。

「なんだと？　もっとでかい声で言え！」サンドウイングがほえた。

片方《かたほう》のマドウイングが大きな声で答えた。「そんなドラゴン見てないって言ったんだ」

「本当か？」サンドウイングがたずねた。「全部で四頭だぞ。マドウイング、レインウイング、シーウイング、それからサンドウイングに似《に》たやつが一頭ずつだ」

マドウイングは鼻先にしわをよせた。「知らないよ。シーウイングもレインウイングも、あとサンドウイングに似たやつだってそうさ、おれたちのねぐらをうろついてたら見のがすはずがない」

サンドウイングは、まるでうたがっているかのようにフンと鼻を鳴らした。「そうかい。もし見かけたら、すぐにバーン女王に知らせろよ」

二頭のマドウイングは、うやうやしく頭をさげた。「もちろんそうするよ」

グローリーとクレイはさらに体を低くして息をひそめ、サンドウイングが翼を広げて飛《と》び立《た》っていくのを見送った。「早くここから出なくちゃ」グローリーがささやく。

「マドウイングがバーンの味方してるの、忘《わす》れてたよ」クレイが言った。「バーンがぼくたちをさがしてるってキャットテイルが知らなかったのはラッキーだったな。ぼくなんて一瞬《いっしゅん》でおさえこまれちゃってただろうしさ」しかし、ラッキーだなどとはまったく思っていなかった。むしろ、絶望的《ぜつぼうてき》にみじめな気分だった。

「村をさけて行こう」グローリーは、風にそよぐアシの葉のほうにあとずさりながら言った。そしてあっというまに、腹《はら》まで泥だまりの中にしずんでしまった。「うわ、おえええええ！」思わず声をもらす。

クレイは、少しはなれた湿地《しっち》からドラゴンの鼻先がのぞいているのに気がついた。ふたりのほうを、うたがいのまなざしで見つめている。

「ちゃんとマドウイングらしくふるまうのを忘れないで」クレイはそうささやき、グローリーのとなりにはいずりこんだ。「うわああ、泥気持ちいい！」

「最高《さいこう》うう！」グローリーも、まったく最高などではない声で続く。そしてもう何歩かしげみのおくに進むと、翼についた泥を辺《あた》りにまき散《ち》らした。

この様子では、歩きではとてつもなく時間がかかりそうだ。クレイは空を見あげた。

「よし、さっきのやつはもういない。みんなのところまで飛んでいけるぞ」

クレイはかわいた地面にはいずりでると、グローリーをとなりに引っぱりあげた。そしてバサバサと翼をふって泥をはらい落とすと、ぱっと木々の上まで舞《ま》いあがった。川が曲がりくねりながら左のがけのほうに流れているのを見て、クレイが向きを変《か》える。もう〈マドキングダム〉には一生帰ってこない覚悟《かくご》だった。

「ちょっと！」そのとき、後ろからよびかけてくる大声が聞こえた。「ねえ！　君たち、待ってよ！」

34

クレイは取りみだし、必死《ひっし》に羽ばたきながらスピードをあげた。グローリーもとなりにならんでくる。

「待ってってば！」グローリーが小声で言った。「にげたりしたら、あやしまれちゃうよ！」

クレイにも、グローリーの言うとおりなのはわかっていた。けれど、今から引き返してマドウイングの村へと、そしてよびかけてくる声のするほうへともどっていく気になど、とてもなれそうになかった。

空では五頭のドラゴンが羽ばたきながら、クレイたちをじっと見つめていた。そちらに近づいていくうちにクレイは、五頭ともまだ育ちきっていない子どもなのに気がついた。いちばん大きなドラゴンでもクレイより少し小さく、黄金にかがやくこはく色のひとみで、しっぽにはまだ爪《つめ》でつけられたばかりのきずあとが残《のこ》っている。いちばん小さなドラゴンは鼻にぶちのある、クレイが村で見かけた子どもだった。

「やあ」クレイはできるだけ気さくに、敵意《てきい》など感じさせないように気をつけながら声をかけた。「ぼくたち帰るところなんだ」

マドウイングの子たちは、顔を見あわせた。いちばん大きな子が口を開く。「キャットテイルのところにあった、血の色の卵《たまご》のことを知りたがってるって聞いたんだ」

「そのとおりよ」グローリーがうなずく。

「その卵、どうなったか知ってるの？」いちばん小さな子が身を乗りだした。「ちゃんとかえったの？　だれが出てきたの？　その子は今どこにいるの？」

答えようと口を開きかけたクレイを、グローリーがしっぽでつつく。「ねえあなた、お名前は？」

「おれはリードだよ」いちばん大きな子が答えた。「こいつらはソラ、フェザント、マーシュ、あとアンバーさ」

いちばん小さな子、アンバーがまたクレイをじっと見つめた。他の三頭はおどおどした様子で、きょろきょろと空を見回している。

「ぼくはクレイ、そしてこの子はグローリーだよ」クレイが答えた。フェザントがグローリーを見て首をかしげる。

「マドウイングの名前にしてはめずらしいわね」彼女《かのじょ》にそう言われて、クレイはびくりとたじろいだ。

「自分でつけた名前じゃないからなあ」グローリーは、ふわふわと上下にゆれながら肩《かた》をすくめた。

「君たちのどっちかが、血の卵からかえったの？」リードがたずねた。「君たちは、おれたちと血を分けた……はらからなのかい？」

「血を分けた……？　はらから！　みんなそのことを言っていたんだ！」はらから……つまり同じ血を分けた兄弟や姉妹のことだ。クレイはぱっと前に飛《と》びだし、リードの両手をつかんだ。「そういうことなのかい？　ぼくたちの卵は同じ孵化場《ふかじょう》にあったの？」

「やっぱりそうか！」アンバーがさけんだ。「なんだかなつかしい感じがしたんだよ！　言ったろ！」そういってどんとマーシュをおし、あわやいっしょに墜落《ついらく》しそうになる。

「おれたちのはらからだったんだね」リードがそう言って笑《わら》うのを見て、クレイは爪の先まで温かくなるような気持ちだった。「ずっといっしょにいられたらよかったのに」

「兄さんってだけじゃないわ」フェザントが言った。「ほら、見て。わたしたちのビッグウイングになるドラゴンだわ」

リードはクレイの翼《つばさ》の先からつま先までじろじろ見回しながら、笑顔《えがお》を消した。「本当だ……」と声をもらす。

クレイは、リードの笑顔を見ていたかった。なぜ真顔になってしまったのか、まったくわからなかった。湿地《しっち》の中にうかぶ、だれもいない島を指さす。「あそこで話そう」

子どもたちはマドウイングのことをほとんどなにも知らないクレイにおどろいたが、それでも先を争《あらそ》うようにして、うれしそうになにもかも説明《せつめい》してくれた。背《せ》の高い草の中、四頭の子どもたちが昔からそうしていたかのようにクレイとしっぽを、手を、翼をからませあい、その背中《せなか》にアンバーがよじ登り、クレイにちゃんと声が聞こえるようにみんなの頭の上に立つ。

子どもたちは、マドウイングのドラゴンは熱《あつ》い岩でできた壁《かべ》に囲《かこ》まれた温かな泥《どろ》のすみかに卵を産《う》むのだと教えてくれた。母親がついていなくてもだいじょうぶなほど安全なところで、だいたいの子どもたちは母親がいなくても元気に生まれてくるのだと。最初《さいしょ》に卵からかえる子どもが決まっていちばん大きく、はらからが卵からちゃんと出てこられるよう、からをわってあげるのが最初の仕事なのだそうだ。

その説明を聞いたグローリーが、はっと息をのんでクレイの顔を見た。「そういうことだったんだ！　わたしたちが卵からかえったときのことだよ……世話係《マインダー》たちはマドウイングのことをなにも知らなかったから、クレイがみんなをこうげきしたと思いこんじゃったんだよ。でもクレイは、助けようとしてくれてたんだね。本能的《ほんのうてき》に、わたしたちが卵からでるのを助けなきゃって思ったんだよ。クレイ、それがどういうことかわかる？　わたしたちを殺《ころ》そうとなんてしてなかったっていうことよ！」

クレイは、暖《あたた》かい夏の雲で胸《むね》がいっぱいになったような気持ちだった。ケストレルはまちがっていたのだ。クレイのことをなにもわかっていなかったのだ。ずっとそうだったのだ。クレイの力は、殺したり暴力《ぼうりょく》をふるったりするための力ではない。兄弟や姉妹《しまい》を……はらからを守るための力だったのだ。怪物《かいぶつ》になる運命などありはしない。体のおく底《そこ》にも、殺《ころ》し屋《や》などひそんではいない。

クレイはビッグウイングだったのだ。

自分のしっぽをグローリーのしっぽとからませ、クレイはほほえみかけた。あまりにもうれしくて、言葉がでてこない。

「そうしてビッグウイングはずっと、他のドラゴンたちの保護者《ほごしゃ》になるのよ」フェザントが愛情《あいじょう》をこめてリードをつついた。「えらそうなのも弱っちいのもいるけど、うちのビッグウイングは最高《さいこう》なんだから」そう言ってからクレイの顔を見て、あわてて続《つづ》ける。「ええと……あなただって最高のビッグウイングになれたはずだよ。ぜったいに……」

リードは湿地に生えた草をたばにして引きぬくと、クレイのほうも水の中で草を引きさき始めた。「それからおれたちはずっといっしょなんだ」リードが言う。「いつだってそうさ。狩《か》りの仕方も生《い》き残《のこ》りかたもいっしょに覚《おぼ》えたし、育つのだっていっしょだったし、それからずっといっしょにくらしてるんだ。戦争《せんそう》に行ったら、いっしょの隊《たい》で戦《たたか》うよ。マドウイングの群《む》れは、どれも同じ場所でかえったドラゴンたちでできてるんだ。群れの仲《なか》間《ま》がいなくなって数が減《へ》ってしまうと、新しく群れにくわえるために異血の者《アンシブ》をさがすってわけさ」

フェザントははらからたちを——もぞもぞしているアンバーと、静《しず》かにしているソラと、不安《ふあん》そうに身じろぎしているマーシュを——見回した。彼《かれ》らの代わりに自分の兄弟でも姉妹でもないアンシブを招《まね》き入《い》れるくらいなら、いっそ死んだほうがましだとでも言わんばかりの顔で。

「君たちは……ええとぼくたちの群れは、何頭いなくなったの？」クレイが質問《しつもん》した。

「二頭だね」リードが答えた。「君と、妹のクレーンだよ。二日前、がけの前で起きた戦いでね」そう言って、滝《たき》のほうをあごでしゃくってみせる。クレイは胸が痛《いた》くなった。自分が飛びながら見おろしていた死体の中に、妹のもあったのだ。

「あたしたちにとっては、初《はじ》めての戦いだったんだ」ソラが静かに言った。

「ひどい戦いだった……」アンバーが続く。

リードは重いため息をついた。「おれは、自分が望《のぞ》むようなビッグウイングにはなれなかったよ」

「そんなことない！」他の子たちがいっせいに声をあげた。「リード、あなたは最高よ」

フェザントが力強く言う。

「リードがいなかったら、ぼくたちみんな死んじゃってたよ」マーシュが言った。子どもたちはみんな同じ表情《ひょうじょう》をうかべてリードを見つめていた。クレイはその表情に信頼《しんらい》を感じた――このビッグウイングはたとえどんなことがあろうとも自分たちを見捨《みす》てたりしないのだ、という信頼だ。

「でも、もうだいじょうぶだよ。君が帰ってきて、おれたちのビッグウイングになってくれるんだからな」リードがそう言って、横目でクレイを見た。クレイはそのこはく色のひとみの中に、彼がずっと感じ続けてきた不安が見えるような気がした。仲間を失《うしな》う恐怖《きょうふ》や、彼らを守るためにしてきたことや、これからしなくてはいけないこと……はらからを大切に思う強烈《きょうれつ》な気持ちがそこにうかんでいたのだった。

会ったばかりとはいえ、クレイも自分の弟や妹たちが大切だった。五頭の子どもが自分の爪や翼とつながっているような気持ちを、本能的に感じていた。ずっとほしかった家族が、目の前にいるのだ。

けれど、もしここに残ればみんなを引きさいてしまう。

みんなの目を見ればクレイにはそれがわかった――みんなクレイに残ってほしいと思いながらも、一方ではおそれているのだと。もしクレイが彼らのビッグウイングになったら、リードに対するみんなの忠誠心《ちゅうせいしん》はどうなってしまうだろう？　クレイにしたがいながらも血を分けた仲間を必死に守ろうとする、リードはどうなってしまうだろう？

クレイはマドウイングのくらしのことも、隊列《たいれつ》のことも、湿地での狩りの方法《ほうほう》も、なにも知らない。なのに、リーダーとして戦うことなどできるわけがない。みんながどんなにがんばってくれようと、リードにいだいているような信頼など、クレイが勝ち取ることはできないのだ。

クレイは、はらからを守るにはひとつしか方法がないのだと悟《さと》った。本当に自分が彼らのビッグウイングならば、はなれなくてはいけない――そして今までと同じように、リードにビッグウイングをまかせるのだ。彼ならばクレイよりも上手にみんなの安全を守ってくれるし、弟や妹たちにどちらかを選《えら》ばせなくてもすむのだ。

グローリーもクレイをじっと見ていた。

クレイは首を横にふった。「だめだ。君たちのビッグウイングはリードだよ。君たちだってリードを信頼しているし、必要《ひつよう》としてるだろう？　ぼくじゃあどうがんばったって、リードの代わりにはなれっこないよ」

弟のリードが、ほこりとおどろきの入りまじった表情でクレイの顔を見た。他の子どもたちは、ほっとした気持ちと悲しみを同時に顔にうかべていた。

「それに、クレイはいっしょにいられないんだ」グローリーがそう言って、自分とクレイの翼をこすりあわせた。クレイは、自分も彼女のように色を変《か》えられなくて本当によかったと思った。もし変えられたなら、鼻先からしっぽまですっかりまっ赤《か》になってしまっていたことだろう。

「それでいいのかい？」リードがクレイに声をかけた。「ビッグウイングとしてじゃなくたって、おれたちといっしょにいてていいんだぜ？　これからも戦いは待ち受けているんだし、強いドラゴンがいっしょにいてくれたら戦力《せんりょく》になるからね」

クレイは心を引かれた。はらからのことをもっと知りたかったし、みんなといっしょにくらして戦士《せんし》になれば、どんなに楽なことだろう。予言のことも忘《わす》れていいし、怒《いか》りくるったサンドウイングの女王に追いかけられることもなくなるのだ。しかしクレイは、戦場《せんじょう》で見た黒こげの死体が忘れられなかった。そして仲間たちや、自分がいなくてもがんばろうとしていた彼らのすがたを思いだした。

「悪いけど、ぼくにはやるべきことがあるんだ」クレイが悲しげに言った。「戦争を止めなくちゃ」

アンバーが目を丸くした。「あの予言のこと？　あれ、**君**のことなのかい？」

フェザントは、うたがいの目でグローリーを見た。

「うん、ぼくたちだよ」クレイはグローリーの手にふれた。

「そうみたいね」グローリーもうなずく。

「とにかくやってみたいんだ」クレイが言う。「でもそのあと、戦争が終わったら……そうしたら、ここに帰ってきてもいいかい？」

「君はおれたちの仲間だよ。いつでも帰ってこいよ」リードが言った。

「ぼくも待ってる」アンバーが続き、みんながうなずいた。

クレイは弟と妹の顔を見回しながら、次の戦いでどれだけ生き残れるだろうと思った。みんな生きていてくれる間に、戦争を止めることができるだろうか？

35

ツナミもサニーも、クレイが卵《たまご》をこうげきしたと言われてきた本当の理由を知ってもまったくおどろかなかった。

「当たり前でしょ」ツナミはクレイたちが留守《るす》の間につかまえた野生のカモをおしてよこした。「あんたがあたしたちを殺《ころ》そうとしたなんて、**考えてみたこともない**よ」

「そんなことあるわけないもん!」サニーも続《つづ》く。

「まあ、**ぼく**はぜんぜん知らなかったんだよ」クレイは言った。滝《たき》とも戦場《せんじょう》ともずっとはなれており、もえるドラゴンたちのにおいもとどかない場所に、みんなは集まっていた。クレイはカモを爪《つめ》でつきさすと、とたんにおなかがすいてきた。

「で、どうするの? **ビッグウイングさん?**」グローリーも、キジを爪でつきさしながら言った。「このよびかた、めちゃくちゃ好《す》きになっちゃったかも」

「ぼくたちは、マドウイングみたいにやってこう」クレイがほこらしげに言った。「みんなでいっしょにいるんだ。どんなことがあっても。ぼくたちはチームだし、みんながみんなを守る。だからまず最初《さいしょ》にすべきは、スターフライトを見つけだすことだ。ナイトウイングにさらわれっぱなしでだまっていられないよ。あいつはぼくたちの仲間《なかま》だし、世界じゅう飛《と》び回《まわ》ってでもさがしだしてやるんだ。今こそ、大事な仲間を取りもど――」

大きな音がして地面がゆれ、翼《つばさ》の羽ばたく音がクレイの後ろで止まった。みんながクレイの後ろを見ている。

「うそだろ、あいつじゃないだろうな……」クレイが言った。

「見つけた！」グローリーが顔をかがやかせる。

クレイがふり向いた。森のすぐ外、ゆれる草の中にスターフライトが立ちつくし、目をぱちくりさせている。黒いうろこに太陽の光が反射《はんしゃ》し、むらさきや深い青のきらめきを放っている。上空ではモロウシーアの黒い巨体《きょたい》が飛《と》び去《さ》っていくところだった。

「じゃあね！」ツナミがさけんだ。「いろいろありがとう！　**ほんと助かったわ！**」

「おかえり」クレイがスターフライトに声をかけた。「ぼくがせっかくいい話をしてたのに、終わるまで待てなかったのかよ？　一日か二日でも待っててくれたら、おまえをさがすふりくらいはできたのにさ」

「君たちが湿地《しっち》のほうに飛んでくのをモロウシーアさんが見つけてさ」スターフライトが言った。「もっと気をつけないと、他のドラゴンにも見つかっちまうぞってさ」

「へえ、そいつはどうも」ツナミが言った。「まったくありがたいアドバイスだこと。あいつにそんだけ心配してもらえたら、何度だって自分の身を守って生《い》き残《のこ》ることもできるってものよ。さ、他になにかサバイバルのネタは言ってなかった？　あと予言を実現《じつげん》させるためのヒントとかは？」

スターフライトは、居心地《いごこち》が悪そうに体をちぢこめた。「あんなふうにさらわれちゃってごめんよ。すぐに連《つ》れもどしてほしかったんだけど、たのんでも聞いてくれなかったんだよ。一頭たりともナイトウイングを失《うしな》うわけにはいかないってさ。たとえ――」スターフライトが口ごもる。「たとえ、変《へん》なチビでもさ」

「どういう意味だろう？」クレイは首をかしげた。

「スターフライトはぜんぜん変なんかじゃないよ！」サニーが言った。「変なチビはわたしだよ！」

「まあ、スターフライトだってちょっとは変だよ」グローリーが言った。「でも、気にしないけどね」

ツナミは考えこんでいるような顔をしていた。「一頭たりともナイトウイングを失うわけにはいかない……か。ナイトウイングたちになにかあったのかな。なにも気づかなかった？」

「ううん」スターフライトは空を見あげた。「おいらをひみつのナイトウイングの国にも連れていかなかったんだよ。そのことが気になってるのかい？　それどころか、モロウシーアさんといっしょに来たはずの他のドラゴンとも会ってないんだ。ただ山のてっぺんに行って、そこで待ってただけさ。きっとモロウシーアさんは、君たちがどうなるか見てみたかったんだろうね」

「どうせなら、なんとかしてくれたらよかったのに」グローリーがつぶやいた。

「じゃあモロウシーアは、ぼくたちがこれからどうしようと気にしないってこと？」クレイがたずねた。「〈平和のタロン〉に帰れってわけじゃないんだね？」

「そもそも今、〈平和のタロン〉をよく思ってるのかもあやしいものだと思うよ」スターフライトが言った。

「じゃあぼくたちは、好きにしていいってことだね」クレイが言った。「ぼくたちは、ツナミのお母さんのところに行ってみようって話してたんだ。ケストレルの話じゃあ、シーウイングの女王ってことなんだぜ？」

「え、ほんとなの？」スターフライトは、まじまじとツナミを見つめた。「まき物に書いてあったようにかい？　コーラル女王はスカーレットなんかとぜんぜんちがう、偉大《いだい》な女王だっていう話じゃないか」

　ツナミは彼女《かのじょ》らしくない、びくびくした顔を見せた。「母さん、本当にあたしに会ってもよろこんでくれると思う？　クレイの母さんみたいだったらどうしよう……あ、ごめん、クレイ」

「よろこんでくれるに**決まってるよ**」スターフライトが言った。「君だって『シーウイング王家の血すじ――焦土時代《スコーチング》から現代《げんだい》まで』は覚《おぼ》えてるだろう？」

　スターフライト以外《いがい》の四頭が、いっせいにうめき声をもらした。

「ええと、なんでスターフライトにもどってきてほしかったのか、もう一回教えて」グローリーがクレイに言う。

「大事なことだし、すごい話なんだよ！」スターフライトは、どすどすと足をふみ鳴らした。「聞いてってば！　コーラル女王にはあとつぎがいないんだよ。大人になるまで生き残れたメスの子どもが一頭もいなかったんだ。なんでも、孵化《ふか》するときにのろいをかけられたってうわさだよ。だから、ツナミに会ってよろこばないわけがないんだよ……なんたって君は〈海の王国《シーキングダム》〉の失われた後継者《こうけいしゃ》なんだからね」

　ツナミはあっけにとられた。「あたしが？　マジで？」

「すごいよ、ツナミ！　いつかシーウイングの女王様になるんだね！」サニーがさけんだ。

ツナミは顔をかがやかせた。「ほんとにすごい！　あたし、いつか女王様になれたらってずっと思ってたもの！」

「でもいつか女王様になるってことはさ……」グローリーが言った。「えらそうで、人を自分の言うとおりにしたくて、わがままでなくちゃいけないわけで……あっ、てことは、今と変わらな……」

ツナミは、グローリーをしっぽで軽くたたいた。「ひかえよ！　さもなくば首をきり落とすぞ！」と、鼻をツンと上に向けてみせる。

「よし、シーウイングをさがしにいこう」クレイが言った。「たしか、バーンの味方じゃなかったよね？」

スターフライトが、あきれ顔でため息をついた。「やれやれ、クレイ。シーウイングはブリスターと手を組んでるんだよ。三姉妹《しまい》のまん中さ。まき物にのっている記述《きじゅつ》によるとだね——」

グローリー、ツナミ、クレイがいっせいにスターフライトに体当たりした。サニーが彼《かれ》を助けようとしたが、結局《けっきょく》は五頭で草の中に転がって、大笑《おおわら》いをしていた。

クレイが空を見あげてみると、見えるのは青と金色ばかりで、ドラゴンのすがたは一頭もなかった。どうやって予言を実現させ、どうやって戦争《せんそう》を終わらせればいいのかは、まだわからない。仲間の両親が、どんな顔で自分の子をむかえてくれるのかもわからない。バーンにねらわれているのはわかっているし、そのうち他のおそろしいドラゴンも自分たちを追い始めるだろう。

だけどクレイには、なにをすべきかわかっていた。どんなことがあろうと、仲間を守るのだ。自分では気づいていなくとも、その意思とともに卵からかえったのだ。もう、自分の中にひそむ怪物《かいぶつ》におびえたり、自分ではないなにかになってしまうのではないかとおそれたりすることなどありはしない。このままありのままの自分でいても、予言を実現させられるのだ。

さあ行くぞ！ クレイは心の中で言った。**大英雄宿《だいえいゆうしゅく》をめざして！**

エピローグ

千のドラゴンがあげる悲鳴にもにた音をたて、岩だらけの小さな島に風がふきつけていた。翼《つばさ》を引きちぎろうとするかのように、風ががけの上に立つ三頭のドラゴンにおそいかかる。

一頭のドラゴンは夜と同じほど暗く、一頭は炎《ほのお》と同じほど赤く、そしてもう一頭は砂漠《さばく》の砂《すな》と同じほどに白い。

「なんでわたしをこんなところに連《つ》れてきたのさ？」ケストレルは岩と岩のすきまにかぎ爪《づめ》を食いこませながらさけんだ。その声を風がつかまえ、運び去っていく。

モロウシーアは無視《むし》した。サンドウイングに近づいて、おたがいの声が聞こえるよう頭を翼でおおう。

「おれを信用《しんよう》しろ。君が最後《さいご》の一頭だ。死ぬのはバーンとブレイズの二頭だよ。われわれは君を、サンドウイングの女王に選《えら》んだのだよ」ががけの下で、波がほえていた。

ブリスターは目をかがやかせてモロウシーアを見つめた。バーンよりも小柄《こがら》で、細長くずるがしこい顔をしており、背中《せなか》には黒いダイヤモンドのもようがならんでいる。彼女《かのじょ》は、敵《てき》のすきをうかがう毒《どく》ヘビのように、不気味《ぶきみ》な沈黙《ちんもく》をただよわせていた。姉妹《しまい》とはちがい、体にはひとつのきずもついていない。ものすごくかしこいブリスターは、自ら戦《たたか》うようなおろかなことはしないのだ。

「すべてを起こすのは、〈運命のドラゴンの子〉たちだよ」ブリスターが言った。「今、この片《かた》いなかをうろついているのと同じ子どもたちさ」

「あいつらのことは、しっかり見はっておいてやる」モロウシーアは約束《やくそく》した。「それがいちばんいい。ひとたびうわさが広まれば、だれもがあの子どもたちを見はることになるだろう……ついにおとずれる予言の実現《じつげん》を待ってな」

「あの子たちが、自分で女王を選んだらどうなるの？」ブリスターがたずねた。

「そんなことにはならん。それに」モロウシーアは翼を広げ、星々のようなうろこで月明かりをつかまえた。「あのナイトウイングの子には今、役目がある。あの子も、なにをすべきか自分でわかっているよ」

「どういうこと？　なんの話をしているの？」ケストレルは話にくわわろうとしたが、二頭のドラゴンは彼女などその場にいないかのように話を続《つづ》けた。

「気に入ったわ。うらぎり者が中にいるのね」ブリスターがほくそ笑《え》む。「内側《うちがわ》から群《む》れを引きさくなんて、わたしがたてそうな作戦《さくせん》だわ」

「そういうのがわれわれは得意《とくい》でな」モロウシーアが答えた。もうれつな風が海の水を岩にたたきつけ、ドラゴンたちのしっぽを引っぱる。ぶあつい黒雲の上、遠くでかみなりがとどろいていた。「だが、約束を守ってくれるよう期待しているぞ」

「それは問題ないわ」ブリスターは、ふたつにわれた舌《した》で自分の歯をなめた。「それより教えてちょうだい。あなたの魔法《まほう》の力で、あのドラゴンの子たちが次にどこに向かうかわからないの？」

モロウシーアはふきげんそうに彼女を見た。「幻視《げんし》はそういうものではない」

ブリスターは楽しげな顔をした。「じゃあ、シーウイングのところに行くよう祈《いの》りましょう。で、このメスは？　問題ってこれのこと？」そう言って、ケストレルをあごでしめしてみせる。

ケストレルにも、最後の質問《しつもん》は聞こえた。「そうよ、なんでわたしをこんなとこに連れてきたの？　モロウシーア、あんたたしか、ドラゴンの子に危険《きけん》がせまってるって言ってたね」

「そして、おまえが飛《と》びこんできた」モロウシーアが答えた。「ああ、もちろんやつらには危険がせまっているとも。連中《れんちゅう》には想像《そうぞう》もできんほどの危険がな。だがおまえがここにいるのは、おれを失望《しつぼう》させたからだよ」

ケストレルはとまどい、彼《かれ》をにらみつけたままあとずさった。「あんたを失望させた？　わたしは〈平和のタロン〉のために働《はたら》いてるんだよ、ナイトウイングじゃなくてね。タロンのほうに不満《ふまん》があるなら直接《ちょくせつ》このわたしに言ってくるさ。わたしは命令《めいれい》どおりに、あのクズどもの命をずっと守ってきたんだ」

「だが、もう〈タロン〉におまえは必要《ひつよう》ない」モロウシーアが言った。「そしてわれわれにもな」

彼女にさけぶまもあたえず、ブリスターのかぎ爪がケストレルののどを切りさいた。どくどくと血の流れる首をおさえ、風になぐりつけられながら、ケストレルがよろよろとあとずさる。ブリスターはまた一歩近づくと、しっぽの先の毒ばりでケストレルの胸《むね》をつきさした。

ケストレルが岩の上に転がり、苦しみにもだえる。モロウシーアたちにのろいの言葉をはこうとしているのか、それとも炎をはこうとしているのかはわからなかったが、開いた口から出てくるのはごぼごぼとあわだつ血だけだった。

モロウシーアはケストレルを見おろすと片手《かたて》をのばし、がけからつき落としてしまった。開いた翼が風を受け、巨体《きょたい》が岩にぶつかりながら海に落ちていく。波風の音にかき消され、ケストレルが落ちた音も聞こえなかった。がけの上では二頭のドラゴンが、なにごともなかったかのように話を続けていた。

「もうひとつある」モロウシーアが言う。「ウェブスという名のシーウイングのことでな。もし生きてあの山から出てきたなら、そのドラゴンも〈運命のドラゴンの子〉らをさがすだろう。計画が先に進む前に、そいつにも死んでもらわなくてはいかん」

「問題ないわ」ブリスターが答えた。あれくるう海をがけから見おろす。「玉座《ぎょくざ》を手に入れるためなら、ドラゴンの死体だってひとつやふたつでるでしょうよ」

モロウシーアが笑《わら》った。「おたがいに理解《りかい》しあえたな」

「あの〈運命のドラゴンの子〉たちはわたしにちょうだい」ブリスターが言った。「そうすればわたしたち、おたがいほしいものがなにもかも手に入ることになるのだから」

トゥイ・タマラ・サザーランド

TUI T. SUTHERLAND

1978年ベネズエラ・カラカス生まれ。アメリカの児童文学作家。マサチューセッツ州のウィリアムズ大学を卒業後、出版社の編集者として働き、その後複数のペンネームで50冊以上の本を執筆。本書〈ウイングス・オブ・ファイア〉シリーズは20か国で翻訳出版され1500万部を販売、『ニューヨーク・タイムズ』のベストセラーリストに200週以上ランクインした。現在、ボストンですばらしい夫とかわいらしい二人の息子とガマン強い犬と住んでいる。

田内志文

SIMON TAUCHI

文筆家、スヌーカー・プレイヤー、シーランド公国男爵。訳書に『Good Luck』(ポプラ社)、『こうしてイギリスから熊がいなくなりました』『失われたものたちの本』(東京創元社)、『1984』(角川文庫)、〈ザ・ランド・オブ・ストーリーズ〉シリーズ全8巻、〈ア・テイル・オブ・マジック〉シリーズ全6巻(平凡社)などがあるほか、『辞書、のような物語。』(大修館書店)に短編小説を寄稿。スヌーカーではアジア選手権、チーム戦世界選手権の出場歴も持つ。

山村れぇ

LÊ YAMAMURA

クリーチャーデザイナー、イラストレーター。京都芸術大学講師。ゲーム会社に勤務後、2017年よりフリーランスに。国内外のゲーム、書籍、CM、映像作品などのクリーチャーデザインを手がける。生物としての説得力、面白みのある色と形の両立をテーマに日々クリーチャーを制作している。作品集に『CREATURES』(KADOKAWA)がある。

WINGS OF FIRE

ウイングス・オブ・ファイア

1

運命のドラゴン

泥の翼のクレイ

2024年7月25日　初版第1刷発行

著者　トゥイ・タマラ・サザーランド

訳者　田内志文

イラスト　山村れぇ

企画・編集　Ikaring Netherlands

発行者　下中順平

発行所　株式会社平凡社
〒101-0051 東京都千代田区神田神保町3-29
電話 03-3230-6573（営業）

装幀　アルビレオ

印刷　株式会社東京印書館

製本　大口製本印刷株式会社

　ISBN 978-4-582-31531-8
平凡社ホームページ https://www.heibonsha.co.jp/

［お問い合わせ］
本書の内容に関するお問い合わせは
弊社お問い合わせフォームをご利用ください。
https://www.heibonsha.co.jp/contact/